国家出版基金项目
NATIONAL PUBLICATION FOUNDATION

《三联经典文库》

第二辑

2012年国家出版基金项目

三联经典文库

147

中国经济问题讲话

钱俊瑞　徐雪寒　王渔邨　姜君辰　骆耕漠　合著

生活·讀書·新知 三联书店

图书在版编目(CIP)数据

中国经济问题讲话 / 钱俊瑞等著. -- 北京：生活·读书·新知三联书店, 2014.1
（三联经典文库第二辑）
ISBN 978-7-108-04665-9

Ⅰ. ①中… Ⅱ. ①钱… Ⅲ. ①经济－问题－中国－民国－文集 Ⅳ. ①F129.6-53

中国版本图书馆CIP数据核字(2013)第246499号

147 中国经济问题讲话

责任编辑	邵慧敏
封扉设计	蔡立国
责任印制	常宁强
出版发行	生活·讀書·新知 三联书店 (北京市东城区美术馆东街22号)
邮　　编	100010
经　　销	新华书店
印　　刷	北京鹏润伟业印刷有限公司
版　　次	2014年1月北京第1版　2014年1月北京第1次印刷
开　　本	787毫米×1092毫米 1/32　印张 4.75
字　　数	63千字
定　　价	18.00元

《三联经典文库》出版缘起

适逢生活·读书·新知三联书店八十华诞，为弘扬传统，接续文脉，回报读者，服务社会，我们决定策划出版《三联经典文库》。

1932年7月，生活书店在上海创办，此后，读书出版社和新知书店相继成立。本文库第一辑、第二辑所选图书，来自于这三家出版单位及其分支机构，以及1948年生活·读书·新知三联书店成立后的出版物，始于1932年，截至1951年，两辑各一百种。此为第二辑，涉及政治、经济、社会、军事、思想文化诸领域，涵盖专著、文集、散文、小说、诗歌、传记、报道等体裁，既有直面现实、追求真理、讴歌真善美、抨击假恶丑的原创作品，又有引介世界各国先进文化、传播新知、开启民智的迻译之作，真实记录了那一代知识分子的思考与探索、理想与愿景和对中华民族文化传承与创新所做出的努力与贡献。

本文库所辑入各书，多为名家名作，在版本方面，以初版一印本或经著译编者审定、修订、增订过的版本为首选，因此本文库又具有较为珍贵的版本价值和收藏价值。

本文库还将编选续辑，使之成为恢弘文化工程。诚挚希望读者给予批评和指正，帮助我们完善编选工作，再现三联经典作品之风采。殊为遗憾的是，由于年代久远，一些原著译编者及其后人未能取得联系并奉付稿酬，诚盼版权所有者与我们联系。祈愿三联前辈所创造的精神财富能薪火相传，为中华文化的伟大复兴增光添彩。

《三联经典文库》编辑委员会

2013 年 8 月

凡　　例

一、本文库为重排本，由繁体字竖排版改为简体字横排版。

一、以忠实于原作、整旧如旧为编辑原则，对当时使用的专有名词、外文译名，以及民国时期的语言和特色予以保留。

一、原书注释如旧，编者所出的注释，均以“编者注”标明，以示与原书注释的区别。

一、对原书残缺或字迹漫漶之处，以□示代。

一、对繁简文本转换时的“如右”、“见左”一类，对应改为“如上（前）”、“见下（后）”。

一、对原书中各种错讹脱衍之处，直接订正，不再以其他符号标示。

一、对数字、标点符号的用法，在不损害原文语义的情况下，做必要的规范。

一、本文库各书均前插原书书影、原书版权页和文库版“本书出版说明”。

一、本书出版说明的撰写，以客观中立为原则，扼要介绍本书的内容、版本流转、著译编者的情况。

本书出版说明

本书包含八讲，大多写作于1936年下半年，反映了当时中国经济研究现状；作者在文章中提出了正确的研究方法，也提供了基本的统计数据，是一本比较扼要地研究当时中国经济的入门书。第一讲开宗明义，指明研究中国经济的目标，即促成全民抗战并保证抗战胜利的社会经济基础；以后各讲分别论述了列强对华投资，中国的金融、财政、贸易、工业、农业和交通等问题。其中六讲出自《中国农村》月刊的“中国经济讲座”栏目，在结集出版时由徐雪寒对其进行了修改和材料的补充，另外第二和第三讲为徐雪寒特为本书撰写，以期内容更加完整。

本书由新知书店1938年8月初版，此次出版即以此为底本。

钱俊瑞（1908-1985），江苏省无锡人。1933年发起成立中国农村经济研究会。曾与胡愈之等人创办《世界知识》杂志，为主编之一；参与创办新知书店。

王亚南（1901-1969），字渔邨，湖北黄冈人。1928年赴日留学，1933年赴德国，1935年回上海，与郭大力共同翻译《资本论》。

徐雪寒（1911-2005），浙江省慈溪县人。1934年春，参加中国农村经济研究会，编辑出版《中国经济情报》周刊和《中国农村》月刊。1935年8月，创办新知书店，任经理、总经理等职。

姜君辰（1904-1985），江苏省江阴县人。中国农村经济研究会发起人之一。1935年下半年至1937年冬任上海新知书店编辑、代经理，主编《新世纪》双月刊，任《世界知识》特约撰稿人。

骆耕漠（1908-2008），浙江於潜（今临安）人。1936年在上海中国经济情报社任专职编辑并开始从事经济学研究。

生活·读书·新知三联书店

2013年8月

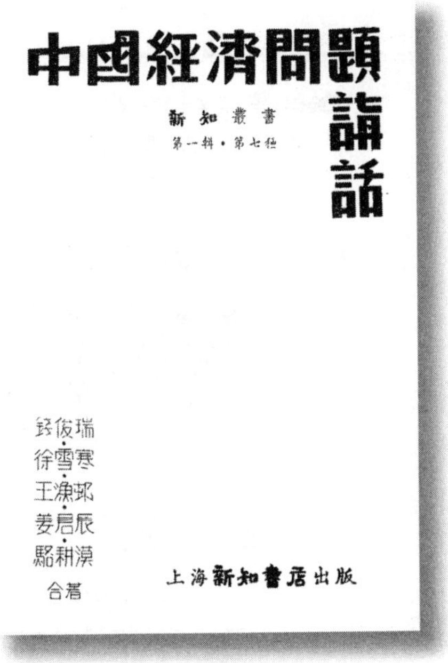

上海新知书店 1938 年 8 月初版书影

新知叢書第一輯・第七種

中國經濟問題講話
〈實價三角五分〉

著者 錢俊瑞・徐雪寒・王漁邨・姜君辰・駱耕漠

發行者 新知書店
漢口江漢路聯保里
廣州教育路七十號
長沙 金華 衡陽 常德 襄樊 麗水

印刷者 民光印刷公司

民國二十七年八月二十日初版

原书版权页

目次

序

这几年来，跟着几个朋友学习着中国经济问题，自己感觉到研究的中心，前后有相当大的转变。大概在一九三五年以前吧，我们以社会改革为目标，来研究中国经济。以为资本主义在中国不能有正常的发展，因之相当强调着整个改造的要求。这在基本上，我认为到现在还并未错误。不过从一九三五年以后，敌人加紧侵略中所引起的国内外条件的变动，使我们研究的任务也非得改变不可。就是要求建立起以抗敌救亡为中心的国防经济。

这个改变，实际上是把前一时期的要求，更推进一步，达到解决问题的实践阶段。因之，并不是在根本点上取消前者。国防经济的研究，更非一时的利用的政策了。

适当的问题虽则提出了，但是并不曾被好好地完成，甚至不曾去要求完成。一年多来，市场上所出现的，还大都是一些较为零碎的应时应景的关于经济问题的文章，而经济上殖民地化的复杂过程，中国金融资本控制力的加强及其转化的内容、限度和社会意义，各社会阶层关系的变化，以及以抗敌为中心任务的经济准备方案的研究等等切要问题，竟常常被忽视。甚至对于不正确的经济理论和实际运动的批判，这一二年来也显得非常不够。

本书的文章，大多都写于一九三六年下半年，恰好如实地表示出这个研究时期的许多特点。在这里，我们研究的态度有些变更了，问题是被提出来了，但问题的答案却还是十分不够。这也正足以表示把握实践的困难吧。

然而我以为本书的出版还是有用处的，它是一本比较扼要地研究现阶段中国经济的入门书，指示正确的研究方法，提供基本的统计数字，对读者不会没有帮助。书中大部分文章是《中国农村》月刊上发表的“中国经济讲座”，它们本来就比较有系统。这次新知叫我来加以编集，对每一篇都曾经有相当多的修改和补充，使材料更充实些。同时其中第二第三两讲是我自己特地新写的，因为这样可以更加完整一点。

为了完成本书第一讲上所提出的要求，我们还希望许多研究者和学习者作更切实的努力！

徐雪寒

一九三七年《塘沽协定》纪念日于南京

第一讲　目前研究中国经济的目标

——我们要研究促成全民抗战和保证抗战胜利的社会经济基础

在今天中国正是由一个半殖民地急速变为殖民地，同时全国规模的对敌人的武装抗战快要爆发的时候，我们来研究中国经济，到底应当而且必须研究些什么呢？一句话说完：我们要研究促成**全民抗战和保证抗战胜利的社会经济基础**，详细点说，我们第一要研究在日本帝国主义对华军事政治经济文化侵略之下，中国的各种社会成分，那些一定会参加抗敌救亡的阵线，那些可能参加这条阵线，而那些定然会参加敌人和汉奸的阵线；同时，凡是与中国国民经济有相当关系的许多国家，例如英美法苏德意诸国，那些可能成为我们抗战的友邦，那些可能成为敌人的与国。第二我们要研究中国现有的资源和生产装置应当怎样配合着全民族的抗敌战争，进行必要的开发和动员，来保证抗战的胜利。

有一些部分中国的“正统派”经济学者，到今天只在那里背诵亚丹斯密里嘉图的原理，捧着马尔萨斯《人口论》的讲义，跑上讲台，跑下讲台。这少数的先生们不是有意地在替我们民族的敌人作理论上的辩护，便是无意地作成了民族敌人的俘虏。这种现象当然是可耻而又可悲的；然而这种可耻和可悲的现象却有它一定的社会根源，那些“装金”了的经济学者到今天还没有接触到日本帝国主义对于中国大众疯狂的掠夺，到今天还没有听到和见到中国大众救亡的呼声和行列，他们的利益还能安放在银行和最高学府里面。他们今天所要求的只是如何在“滔天皇恩”之下，让他们的金屋殿堂继续存在，因此他们愿意捧着那些经济学上的陈言滥说，来讨好敌人，包庇自己。他们用马尔萨斯的《人口论》来证明敌人的侵占我领土，虐杀我人民之为合理，用自由贸易说来解释敌人侵夺我市场，实行武装走私，也是一种“科学的行为”。他们否认货币权争夺的理论，来掩护日本和其他帝国主义对于中国财政金融的进攻；他们又用经济发展程度决定民族兴亡的机械理论，来证明敌人灭亡中国是“天演公理”，而中国民族的沦亡也是必然的归宿。我们知道那些稍有“良心”的学者虽则可以不看到东北四省的沦陷，可以不看到华北内蒙的被敌人武装占领，可以不看到几千万同胞的被人奴役和屠杀，然而他们不能不看到平津学校的被人勒令迁移，华北各校校长和教授的被人驱逐；因此他们也就“不禁有动于中”，背弃他们一向保持的谬说，同情于救亡的正确理论和行动。然而另外竟有些恬不知耻的名流学者，在这种情况之下，竟还能运用其腐朽的经济理论来奉迎敌人的意志。某博士的中日经济提携论，便是著名的例子。

另外有一部分经济学者，他们往往满足于背诵新政治经济学的法则，只想努力研究商品价值，资本构成，生产过程乃至地租理论。等到他们一接触到现实问题，不是感到头痛，便是觉得生疏，他们往往不愿参加实践的过程，增进和纠正他们对于现实的认识，结果他们所习知的理论，就变成死板的教条，而无补于中国经济问题的解决和现实的改造。

另外，国内还有一部分经济学者，他们站在科学的经济学的立场，在发掘中国社会机构的内层，确定中国社会的性质，由此而说明中国社会改造的方向、任务、和动力。这种可敬的工作，对于中国求取解放的大众，的确已经有了不可抹杀的贡献；同时在中国学术界上也已经树立起辉煌的界碑，然而在今天，当我们的民族敌人正在张牙舞爪，满想一口气把中国吞灭，中华民族已经站在不求生存便是立即死亡的最后关头的时候，这些学者在这种研究领域中的努力，是不是已经算足够了呢？

我们说，还没有，而且差得还远。第一，他们还没有把国内社会改造和民族解放的任务正确地统一起来，尤其是还没有把民族解放的任务提到彻底解决中国问题的第一位。这不仅是个疏漏，而且是个很大的错误。我们试问：在目前，中国正从一个半殖民地变成殖民地的时候，还有什么会比争取民族的独立和解放，更加神圣，更有决定的重要性呢？我们能设想在最大的民族敌人没有给我们击溃以前，我们能够求得全般的社会解放吗？我们知道，这是决不可能的。恰巧相反，我们主要的民族敌人一天没有消灭，他们对于我们的生存权利便一天剥夺一天，他们对于我们要求解放斗争的压迫，便一天凶过一天，因此我们就没有理由也不可能来放过我们民族最大的敌人，关起门来大谈其社会改造的工作。当然我们在这里又决不能机械地把民族解放的任务，高高地吊在半空，跟社会改造的内容隔离起来。我们应当了解民族革命和社会改造两者之间，有其有机的不可分的联系。我们更应当了解，今天在半殖民地的中国，**民族解放战争乃是完成内部社会改造的另一种形式**。所以，我们知道，社会改造一定要跟着民族革命向前迈进；同时民族革命一定要社会的改造来充实它的内容，保障它的胜利，因为脱离社会改造的民族革命只是殖民地一部分有良心的统治阶层的幻想；它是得不到大众的参加和拥护的，因此也就是没有动力的死东西。

我们不能否认，过去一部分经济学者所以不谈民族解放，的确是因为他们在有意无意之间，已经受了关于民族问题的偏见的影响。他们怕谈民族独立与自主的问题，为的是他们怕被人家“贬”做民族主义者。他们怕说民族革命，为的是他们怕被人家骂做抹杀社会革命的混蛋。他们甚至不敢设想中国是一个国家，是一个民族，他们“科学的头脑”命令他们只能设想中国只是一个“社会”，一个由几个阶级和阶层组成的社会。实际上这种了解可说是“知其一不知其二”。中国是这么一个社会，这是不错的；然而中国却同时又是一个民族，又是一个具备着各种必要条件的国家。如果有人只认识到民族是个整个，只知道夸扬自己民族的优点，竭力要造成本民族对于别个民族的压迫，那么他们只是侵略的民族主义者，他们跟求取民族的独立和自主是无关的。同时如果有人只能抽象地了解国家是超乎一切的权力，竭力想法扩充本国的领土，发扬本国的风光，那么他们只是偏狭的爱国主义者，他们跟维持国家领土和主权的完整，也是毫不相干的。当然，无论侵略的民族主义者也好，偏狭的爱国主义者也好，他们都承认侵略是合理的行为，因此他们生长在帝国主义国家，便是彻头彻尾的侵略主义者，而一到殖民地半殖民地，却又往往摇身一变，成为投降主义者的尾巴。

我们当然愿意那些偏狭的民族主义者和爱国主义者能够为我们民族的独立和祖国的解放而努力，而奋斗，然而我们更希望他们能够摆脱那种狭义的民族主义和爱国主义的观点，站到正确的把民族解放和社会改造的任务看做密切不可分离的观点方面来。我们不怕承认中国是一个民族，恰恰相反，我们还夸耀我们这个古民族的光荣和优越，我们还热爱我们的祖国；我们要凭着这种夸耀和热爱，来摧毁我们民族的内外敌人。我们认为，我们光荣的民族，我们伟大的祖国，在这一世纪来已经受尽帝国主义者兽性的践踏，和国内奸细们无耻的污辱。我们固然看到，假若一个民族正在压迫别个民族，那么这个民族本身一定不会是自由的民族；同时我们更能看到，一个被压迫的民族，那就更谈不到自由，反之，它是受到内外敌人的双重压迫，因此被压迫民族的大众，首先就应当团集整个民族的力量，打击内外的敌人，以求自身的独立与解放。

没有全般地充分地把民族解放的任务摆到第一位，同时没有把这种任务和社会改造的任务有机地联系起来，这是目前一部分进步的经济学者所犯的第一个毛病。

第二，那些经济学者在中国社会经济的性质的研究上，的确用过很大的功夫，特别从两次热烈的论战——

中国社会史论战和中国农村社会性质论战以来，一般研究中国经济的朋友们对于中国经济的结构，确乎已经具备了相当的认识。这种研究的成果，一面是最近十年来社会实践的结果，同时又使这种实践推进了一步。

然而不幸得很，我们研究中国经济的朋友们因为研究材料的缺乏，特别是因为自身实践的不够，对于最近时期内——或是说，从一九三一年以来的社会经济的变化，并没有给以正确的评价。在这时期，中国正从一个半殖民地变向完全的殖民地。这种情势的急转直下，已经使得中国社会的各个阶层起了很大的分化，各个阶层之间的对比也有很大的变化；这种分化和变化对于反帝国主义统治的民族阵线的建立，可以说是非常有利的。

首先我们要说一说民族资本的阵营里面所起的变化。过去我们认定：外国资本强烈的压迫，使得我们的民族资本，失去独立发展的可能；同时国内革命势力的发展，又剥夺了民族资本反抗外国资本和削弱封建势力的最后勇气；结果我们的民族资本为要维持其丰厚的利润起见，为要保证它自身的存在不受致命打击起见，就很自然地向外国资本投降，向封建主义妥协了。

这一种对于中国民族资本的估量，到现在是不是还算正确呢？是的，这种估量在基本上还是正确的，然而估量得并不够，特别在政治的意义上是不够的。我们知道，从一九三一年以来，中国所受日本帝国主义在军事上、政治上和经济上的进攻，已经使得整个中华民族的生存碰到了最后的危机，这其间大部分民族资本家也早已感到致命的威胁。不消说得，日本的资本靠了它雄厚的军事政治力量，向中国国民经济进攻，结果民族资本的阵营，在他们没有重新英勇地参加广大的反 × 民族阵线之前，只有被打得七零八落，毫无存在的余地。在另一方面，民族资本买办化的**必要**虽然增加了，可是，买办化的**可能**却在一天天减少，因为第一，日帝国主义对于中国的统治一天天趋于独占，其他帝国主义已经遭到最后的排挤；第二，日帝国主义对中国的统治一天天采取直接统治的方式，买办资本的功能已经在一天天缩小。这样中国民族资本在它主观上已经只有死路一条。

在这种情势之下，中国民族资本，甚至于一小部分的买办资本（特别是那些给日本帝国主义以外的帝国主义谋利的买办资本），对于日本帝国主义的进攻，可能不立即投降，而且有参加整个民族反 × 阵线的可能。日本在华的猖狂走私，迫得全中国的民族资本家不得不起来作最后的呐喊，这不是明显的例子吗？

其次，我们要说到农村中间的地主和富农。不错，中国的地主和富农到如今还是用着半封建的剥削方式（富农有一部分是用资本制的）收夺下层农民的血汗，特别是地主，他们还是国内封建势力的主人翁。然而我们单是这样估量是不是够了呢？不，还是不够的。在日本帝国主义对于中国的掠夺正在猖狂进行的时候，中国的地主，特别是富农，是可能起着某种程度的反抗作用的。当日本的军阀和资本家抢到了我们的东北四省以后，一面实行大规模的武装移民，一面便随意没收当地人民所有的土地。东北的地主和富农在这里所受到的损失和威胁，使他们部分地可能同情甚至参加当地大众对日本帝国主义的抵抗。而现在，在绥远，在察北，在冀东，在河北，甚至在宁夏、山西、福建等地，日本都随意在抢夺和强买土地，建造飞机场和军营，或经营植棉场，鸦片田等，这无疑也会威胁到地主富农的身家性命和地田房屋。因此关内的富农，他们的经济状况一天天在恶劣了，同时他们以小资产者的资格可能蕴藏着一种热烈的爱国情绪，而参加反抗国外民族敌人的民族阵线。

所有这些，我们前此都没有周详地估计到，而这种新的估量，对于目前正在进行着的决定民族存亡的决斗，却有非常大的意义。因此我说，我们的经济学者对于最近期内中国社会成分的比重及其地位的变化，并没有去充分的估计，去充分地把具体材料加以整理，确是一个很大的缺点。

第三，我们过去研究中国经济的朋友们，对于具体的中国经济问题，大多只有抽象的公式的说明，不是说半封建的半殖民地的经济本质，便是说民族资本买办化，交通工业军事性，银行资本二重性等等。我们并不是说指出这些本质的说明不对，而是说，只是这样指出还不够。我们不用具体事实来充实公式，倒以抽象的公式忽略了丰富的现实，那是不应该的。尤其是，在过去我们对于中国经济的研究太偏重于理论上“破”的工作，而很少注意到理论上“立”的重要。所以，在这中华民族生死存亡的最后关头，我们中国经济研究者的新的特殊任务，应该是从事研究以国防为中心的经济理论。我们应当更加倍的努力，来研究各经济部门的生产装置和技术机构，以及自然资源与劳动力的分配，以便建立起抗敌条件下的经济统制，乃至完成全国上下的经济总动员以保证我们对敌抗战的全面的彻底胜利。这个新的任务，在我们目前研究工作中应该占有最主要的地位。我们要严正地纠正过去把技术的范畴与社会的范畴机械对立起来的错误，我们要从民族的经济总动员的观点，来分析社会的和技术的构成，而把这两种社会的技术的范畴正确地联系起来。

自然，这一个新的任务，决不是几个人写一二篇文章所能完成的，它需要研究中国经济的人们共同来努力。

（钱俊瑞）

第二讲　列强对华投资问题
——“利用外资”乎？“资本侵略”乎？

我国近十年来，特别是在签订《塘沽协定》、偏安局面粗定以后，列强对华投资问题，便充分热烈地讨论起来。英美要通过国联对华技术合作来对中国的半壁江山，进行资本的洗礼；日本却断然表示拒绝（四·二七《天羽声明》），而自己单刀直入地和中国“亲善”，于是乎有中日经济提携（一九三五年），华北经济开发（一九三六年），驯至于有“经济外交”下的两项合作（一九三七年）等主张提了出来。人家对于我们，既然“寤寐求之”地这样热烈多情，在我们中国，便应该有许多热烈的反应才对。所以有人主张在“利用外资”的大纛下面，不论英美德日，一概欢迎；另外有人认为这是“资本侵略”，统统关门拒绝。究竟应当怎样，这就需要我们来研究列强的对华投资问题了。

我们为了易于正确的解决这个问题，首先有研究一下列强对华投资的本质和历史的必要。

一　列强对华投资简史

一般而论，帝国主义对于殖民地和半殖民地的关系，是推销商品，独占原料和输出资本，列强之对于中国，当然也不外乎此。自从鸦片战争（一八四二年）失败以后，我们闭关自守的大门被打破了，英法等国在我国沿海的贸易便迅速发展起来，租界逐渐推广到全国，沿海和内河的航行权，逐渐落到外人手里，洋行制度也深入内地而确立了输出入独占的基础。直到一八九五年为止，外国资本虽则在我国有小规模的零星的产业投资，不过它的主要活动的倾向，是在推销商品和购买原料；此外如建立租界，开发沿海及内地交通，和布置洋行制度等，目的也只在于促进对华贸易而已。但是，从一八九五年中日战争以后，情形便大大不同了，列强在华开始了强烈的资本战，划分势力范围的运动，便极度猛烈起来，甚至要瓜分中国。这就是说，帝国主义列强对于我国的关系，从输出商品的贸易关系，进到输出资本的统治关系了。为什么原因呢？这是在于第一，从一八九五年起，世界资本主义进化到帝国主义的阶段，竭力要输入资本到落后国家，来获取超额利润；为了保护投资所在地的资本的安全，需要在当地获取军事上政治上的特权，划定资本活动的势力范围。第二，中国在中日战争中败北以后，皇帝地主所领导的独立自主运动，既然失败，从军事工业的移植，转而进到一般资本主义生产制度的输入运动，也就完全绝望（在当时的统治阶层是如此看法的）。于是，外国资本的侵入中国，是更加便当了。二万万两战费的赔偿，使媚外的满清政府完全倒在外资的怀里。（当时借的法俄借款和两次英德借款中，有百分之七〇，约合英金十八万五千三百元，是在伦敦偿付作日本的赔款。）因此，外资的侵入中国就往往运用政治借款，和铁道借款等形式，换得了许多政治经济上的特权，奠定了外资统治中国的基础。第三，在中日战争以后，《马关条约》容许日本有在中国内地设厂的权利，此例一开，便马上给各国引用最惠国条约的规定，作为列强所共有的权利。这样，外资便可自由地侵入了中国的各个经济部门（特别是垄断重工业的部门，如煤铁），而得充分地利用我国廉价的原料和剥削低贱的劳动力；这一面替中国树立了近代化的基础，却同时也替中国独立自主的国民经济的发展前途，钉上了重重的镣铐。

到一九三一年为止，列强资本已经在中国的各个经济部门，建筑起雄伟的吸血的宝座，四万五千万的中国人民，都呻吟在这个巍然的宝座之下。中国二十余年来之陷于内战，灾荒和贫困之中，主要也就是受了这个列强资本统治的恩赐。（中国的封建势力当然也扮演着重要的角色。）下面是列强资本在我国各经济部门的投资数额和发展倾向：

	1914 年		1931 年	
	百万美元	%	百万美元	%
政治借款	330.3	20.5	427.7	13.2
运输	531.1	33.0	846.3	26.1
邮电及公共事业	26.6	1.7	128.7	4.0
矿业	59.1	3.7	128.9	4.0
工业	110.6	6.9	376.3	11.6
金融业	6.3	0.4	214.7	6.6

续表

地产	105.5	6.5	339.2	10.5
输出入	142.6	8.8	483.7	14.9
杂类	298.2	18.5	282.8	8.7

（引自雷麦:《列强在华投资》）

分别的说来，政治借款大多是赔款，其次是军政费，都是用来进行内战，消灭异己的（如像一九一三年袁世凯的善后大借款）。这些借款，不仅是非生产的，完全是在吸取中国人民的膏血，而且还因此而丧失了海关权，盐税管理权等，直接贻祸于独立自主国家的生存。政治借款的数额，虽则比例上是减少了，但绝对额竟增加了百分之七二。至于以铁路交通等名目借入，而实际充作军政费用的，尚未计算在内。

投资中数额顶大的是运输事业，主要集中于航业和铁道，这不仅是列强借此来开拓中国市场，而且是为的要靠它来确立势力范围、便于军事统治，这就是帝国主义初期经营殖民地的重要手段。其中属于航业的，几乎全部是直接投资，压迫得华商航业，永远翻不转身来。属于铁道的，凡是外资直接建筑管理，和借有外资的路线，共计一一七八〇点九九公里，几占全国铁路的百分之九〇以上。[1]这种喧宾夺主的情形，岂不是一幅神情毕现的写照？

邮电公共事业的投资在二十年间，增加了一倍多，全国百分之六〇的电力，都被控制在外商手里。矿业方面，主要集中于煤铁两项：煤生产的百分之六〇左右，铁生产的百分之九五，都由外人直接投资或借款经营。它们的目的只在掠夺重工业原料，竭力避免在中国建立起真正的重工业。在轻工业方面，则集中于纺织烟草诸业，使民族工业岌岌乎难保苟安的地位。

外资在金融业方面的发展最足惊人；以近二十年而论，外资增加了三十四倍以上，上海外滩一带，汇丰沙逊的巨厦雄姿，便是威临中国金融货币市场乃至整个国民经济的象征。至于地产投资也增加得很快，它和金融

[1] 关内铁路包括广九路（一四三点三公里），北宁路（四六五点八），京沪路（四〇四点五），沪杭甬（二八六点七），道清（一六五点四四），津浦（一一〇五点〇），平汉（四三四点六），滇越（四七〇点〇），正太（二七八点二），胶济（四五六点三），粤汉（一二四一点四），陇海（一一〇三点〇），南浔（一二八点三），浙赣南玉段（六六五点〇），同蒲（三九六点〇）。关外只计算奉山（四一九点六），中东（一七二一点〇），南满（八一四点八）三线，其他都略去了。

业有不可分的联系，它也是使中国通商口岸繁荣，使当地中国人民，没有立足安身之地的原因。以上海中区的地价而论，每亩从 1903 年的一三五四九两飞涨到 1933 年的一三二四五一两，约为增加十倍，都成了外国地产商人荷包中的利润！

至于输出入方面的直接投资，据刘大钧先生一九二八年统计，美国在华的进出口商有一二九家，日本有一〇〇家，美法两国也不在少数。这许多输出入公司，凭借着历史上的优势，成为推销商品吸收原料的大机关，垄断了中国的国际贸易。直到现在，中国和世界的关系，还要透过这些输出入公司的媒介才得发生。每年十万万元以上国际贸易的商业利润，固然是一笔极大数目，并且因之而能垄断了我国国内外航业的运输费用，其数目也大足惊人。

上面历史的叙述和分析，使我们可以看得清清楚楚，数十年来中国和外资所发生的关系，我们完全被“资本”所侵略了，说是“利用外资”来开发中国，恐怕谁也不会相信吧？

二　各国对华投资的阵容

但是，因为资本主义的发展是不平衡的，所以列强在华资本势力的发展，也同样是各有轩轾。大概说来，一九一四年以前，英国资本在中国占着“惟我独尊”的地位，奠下了在华经济势力之坚实的基础。一九一四年以后，特别是在大战期内，日本资本在中国发展的迅速，也实在是空前的，日本占领中国领土的野心，就此随着这一时期投资的发展而成熟了。大战以后美资在中国的发展，也非常迅速。日美资本在华的发展，在外表虽同样是采取跃进的方式，但前者是以东三省为投资的重心，采取露骨的经营殖民地的姿态，后者却没有特殊地带可资依附，只能单纯地偏重于利润的追求。至于德国资本在大战刚刚结束以后，几乎完全覆没了。根据雷麦氏的统计，到一九三一年为止，列强在华投资的消长趋向如下表（单位百万美金）：

	1902年		1914年		1931年	
	投资额	%	投资额	%	投资额	%
英	260.3	33.0	607.6	37.7	1189.2	36.7
日	1.0	0.1	219.5	13.6	1137.9	35.1

续表

俄	246.5	31.3	269.3	16.7	273.2	8.4
美	19.7	2.5	49.3	3.1	196.8	6.1
法	91.1	11.6	171.4	10.7	192.4	5.9
德	164.3	20.9	263.6	16.4	87.0	2.7
意	——	——	——	——	45.4	1.4
其他	5.0	0.6	29.6	1.8	120.6	3.7
总计	787.9	100.0	1610.3	100.0	3242.5	100.0

现在我们就把在中国最重要的三个投资国家即英日美来逐一加以说明。

英国在华的资本势力，到现在，的确不能像二十世纪初期那样，占着绝对支配的地位，可是它的力量，却还大有左右操纵的可能。它在金融方面的势力，实在高人一等，以汇丰银行为中心，还有麦加利有利大英三银行和中英银公司福公司两个投资新迪加在环绕着。在过去，它曾用政治借款的方式，操纵了北京政府的生命，替帝国获取不少的特权。一九一四年，中国有百分之四二的政治借款是英国供给的。目下这许多英商银行还是中国官僚“血钱”的避难所，它们拥有巨额的存款，足以控制中国的金融贸易等市场而有余。在交通方面，英国资本也是有特别巨大的势力。在已成铁路之中，以长江流域为中心，借有英国资本的，有平沈、平汉、津浦、京沪、沪杭甬、广九、粤汉等路践。总计在这方面未偿还的债款，还有一四四九五八九五九元（一九三五年底）。在海运方面，现在虽已有日本来作为它的劲敌，但是太古怡和的力量，还足以维持而不坠。在产业方面，英国资本主要是集中在煤矿和烟业。前者如河北的开滦、河南的中原，都是中国本部数一数二的大矿。后者如英美烟草公司，它有二万五千万元的资本，不但垄断了全国的烟叶原料，而且，它的产品竟占全中国产量百分之四〇左右。至于在纺织业方面，怡和纺织公司本来也有它悠久的历史，但大战以后，与日商的飞跃突进相形之下，却未免太过“见绌”了。

除开英国，日本在华投资的质量，确已远过于其他列强，而它的跃进速度，更非老大的英国所可比拟。三十年来，日本投资的实数，增加了一千多倍。它在列强对华投资总额中所占的百分比，增加了三五〇倍。日资在华顺畅的发展，如入无人之境的情形，这里就可看得非常明白。在列强对华的借款方面，除英国外，以日本所占数额为最大，共计四万六千三百余万日金。日本屡次以清理债务，来威胁我国政府，要求把这些旧债提供确实的担保，换成新债来作为新侵略的一笔大资本。它在中国的金融机关，有横浜正金、台湾、朝鲜、日本兴业、三井、三菱、住友、正隆等银行，还有专门在殖民地半殖民活动的银团，像东洋拓殖东亚兴业中日实业南满会社等，更是侵略中国的急先锋。在交通部门，铁路投资的实数，到后来已经超过英国，一九三五年止，未偿还额尚达二六四七八八六一六元，也比英国多些。至于航业，它虽只有三十年的历史，而日清大连诸汽船会社的势力，几已到了与太古怡和，并驾齐驱的地步。在产业部门，铁矿几乎完全在日资手里，连大冶繁昌的铁矿，都由于日本的债权，束缚得不能动弹；它在煤业方面的投资数量也很大。在纺织业方面则更加不消说得，它是有极大的势力（一九三一年时，日厂纱线锭已占我国总锭数百分之四一，东北计算在内），此外甚至在水泥、卷烟、火柴、电气诸业，日资的活动也几乎无孔不入。日本对华的投资区域特别集中在东北。日俄战后，我国自动地替日本资本在东北开了一个方便之门，成为它的活动的乐园。此外如像青岛天津上海厦门，乃是它在关内势力的重心。

美国对华的投资数额，三十年间增加了十倍，这除日本以外，是没有一国可以比得上的。不过，因为它在历史上参加对华投资的时期是比其他国家落在后面，所以美资的活动，偏重于贸易的经营，在借款上数量是很少的（一九三一年仅美金三千六百余万元）。它在铁道航运方面可以说没有什么势力（远洋航行在外），但是近年来在新兴的航空事业和公路建筑方面的活动，它是十分有力的。此外如电气事业（上海电力公司，电话公司），则摩尔根财团的势力，是不能忽视的。至于它在一切文化、教育、公益事业方面的投资，那是更值得我们的注意。

三　日本投资势力的跃进

从一九三一年之后到现在，列强对华投资的阵容，又发生了极大的变动。这一种变动，它足以使中国在某一国的资本控制下沦为殖民地，因之也可能改变了中国对于其他各国投资的关系和观念。当然在这里，这一次空前持久的世界经济恐慌有着重大的作用，但是最重要的决定因素，确是“九一八”后日本的强占东北和不断的侵略中国。

第一，五年以来，日本在华的资本势力，是无可比拟地急激的增加了。（一）在东北，一切经济部门，已经完全为日资所控制。五年之内，日本在东北的投资增加了十一万万二千余万元，而俄英美法诸国原有投资七万万元日金，现在只好陆续撤回，我国在东北的民族资本，则大多数已被没收。（二）在关内，经过《淞沪协定》，《塘沽协定》，《何梅协定》，乃至《华北经济协定》的订立，日资势力也有突飞的增长，据不很可靠的估计，一九三一年以来，日本对华的新投资，在华北共达七三三百万元，华南共达三九三百万元（一九三五年三月三一日天津《益世报》）。这个数目虽然不免稍嫌过大，却也可以想见日资激增的一般程度，例如在华北，仅仅棉纺业一项，日本新投入资本已有一亿元日金，其他如可以作为华北的满铁会社的——兴中公司，已于一九三六年初成立，天津电业、海河运输、耀华玻璃、惠通航空等公司都已陆续建立，而龙烟铁矿、津石铁路、塘沽筑港，以及化学、卷烟、面粉、毛织业等，也都已在日资的计划筹措之中。此外如开滦煤矿、启新水泥、久大制碱、华新纺纱等华北大企业，也都已在日资势力范围之内；甚至像柳江煤矿，竟被关东军用武力强占去了，长城煤矿，也被榆关日本特务机关，强迫改为中日合办加入东洋拓殖会社的资本，而劫去经营的实力。所以，日本资本的如此急剧地从东北而向华北跃进，真可以反映它大有囊括华北五省的雄图。（三）“九一八”以后，由于全中国民众抗日浪潮的高涨，日本资本向华中华南的扩张，确曾受到相当的牵制，而未能像它在华北那样顺利的进展（这里英资原有势力的强固，当然也是一个重要因素）。但是，一方面因为我们对于日本的疯狂侵略，还没有给以积极的有效制止，另一方面由于日本所提倡的中日经济提携，却曾发生了相当大的烟幕作用，所以日本资本的在华势力，整个说来，还是超过“九一八”事变以前的程度的。例如在中国本部的对外贸易中，日本所占的地位重复在一天天的增长，日本在华航业的发展，大有压倒太古怡和的趋势，日商纺织业已经占到我国纱锭总数百分之四五，而且正在以上海福建为中心，企图猛烈地向华中和华南去活动。所有这些，都已经是无可讳言的事实。何况，自从儿玉等日本经济考察团来华以后，所谓金融合作和棉业合作等，还正在开始切实进行中呢！

第二，由于日本对华投资的这样突飞猛进，英美看了自然是不肯示弱的。不过直到现在为止，英国所献身手还没有超过纯粹的防御战。反之，全般的说，它的势力是继续地在衰颓中。它在列强对华贸易中所占的地位，是一年年在低落，甚至于落到第四位，而被德国赶过了。它对华北的投资已经陷于一蹶不振的状态，而日资的势力却依然在积极的南进，侵入长江流域。为了挽回它的颓势起见，英国曾经企图透过国联技术合作，透过建设银公司，联合美法比意对中国来一次巨额的投资。可是这种企图却给日本武力恐吓住了。英国也曾经单独向日本求取妥协，共同对华投资，但是罗斯两次到东京的劝诱都失败了。于是英国一方面运用它绝对优越的金融势力，援助中国新货币制度的实行，把中国货币拉到英镑集团里去，以便巩固它在中国金融市场的霸权；另一方面倾全力于长江以南的铁道事业（透过退还庚款，建设银公司等方式），援助广东的经济建设（如自来水借款电气借款等）而积极从事开发海南岛，作为新加坡和香港的中间站。至于英国出口信用放款驻华代表柏克利特的来华，准备一千万镑的对华信用贷款，更可以见得老大帝国的对华投资，正在如何积极地企图挽回它的颓势。

第三，“九一八”以后，美国在华的资本势力，是有很大进展的。例如在列强的对华贸易中，它已升居第一位，在航空事业和公路方面，它也表现着极敏捷的活动（尤以是中国航空公司成立以后）。最可注意的是，一九三一年和一九三三年，美国曾经两次贷给中国政府约计九千万元的借款，一九三六年白银协定上还有透支的规定。此外，美国在中国金融货币市场上的活动力量，也比过去大大地增加了。新货币制度就是在英美各保相当的均势底下维持着的。

第四，我们必须要指出五年来德国在华的资本活动。到一九三一年为止，德国在华的投资数量，比起大战以前的水准，虽然还相去甚远（一九一四年共计二六三点六百万美金，一九三一年仅八七百万美金），但从“九一八”以来，它的对华投资却已呈现出非常活跃的姿态来。一方面它和日本携手合作，关于这，许柏氏（M.C.Shippe）在《论德日联盟与中国》的一文中，说得很详尽。根据本年四月十六日《华美晚报》所载汤钧先生的译文，我们可以知道：一方面，德国对华的贷款，第一次是建筑玉萍路的大借款，第二次是最近建筑湘黔路的四千万马克大借款，这“**都是德日合作联盟中所规定的**”。所以，德国在中国中部及西南部铁道建设上的投资，是含有特别的政治作用”，是在“**减弱英国抵抗日本的力量**”（见上译文）。同时另一方面，德国和日本的携手合作，不但在政治上表现得非常明显（《德日防共协定》的订立，便是个标准的例证），即在经济上也可以看得十分清楚。德国与伪满所订立的《德伪商务协定》，不但谁都不能否认它是德国变相地承认伪满的一种表现，而且在实际上它的确已经允许给予德国在伪满的特殊的通商权利了。此外在中国对外贸易上，德国所占地位已经超越了英国，特别是中国由德国输入的重工业品是在急速地增加，更给予英美重工业品的在华的销路以很大的影响。所以，德国对华投资的活跃，无疑是会引起英美资本特别是英资的尖锐冲突的。

至于法国，自从大战以后，无论商业的活动或投资的进行，都不很积极。俄国更是完全改变了帝俄时代的政策，尤其是从一九三四年中东铁路让渡以后，它在过去所投的资金大部分都已收回，资本力量已经小到不足言了。

四　结论

总括说来，在华投资的各国现在已经可以分为二大阵营，一边是日德，另一边是英美。日本在华的投资目的，已经不仅是利润的追求而是领土的占领。投资的发展，每每特别集中在一个地域，这保证它有可能占领当地，而越发有占领的需要。日本在华的投资部门，多少是带着军事性的，因此，日本对华投资的积极展开，实际就构成了军事侵略的第一步；它在“九一八”以后对东北的投资，固然是如此，即在目前开发华北经济的目的，何尝不是如此？而且，日本所投资本，不仅直接与中国民族工业的利害相冲突，它的目的，确还在消灭这些民族工业；中国的铁工业和棉纺工业，便是非常好的例子。德国虽则条件不如日本，但是它对华的投资路线目下是积极地和日本相提携，并且企图促进中国和日本妥协来分一杯羹的。所以在日本没有把我们的失地交还以前，我们绝对不能存有“利用日资”的观念，否则我们就会被敌人束缚得紧紧的不能动弹，坐待宣布最后的死刑。

另一方面，英美对华的投资关系，目下主要还是在追求超额利润；为了确保它们在华的资本市场，势必和日本对立起来，因之英美有运用它们在华的资本力量，来阻止日本继续进攻中国的可能。当然，它这样做的时候，决不会超过它们自己的利益所允许的范围；反之，在中国以最有效的手段从事自卫战的时候，它们是希望中日之间和平妥协的，这在英国表示得比较明显。但无论怎样，英美和日德在某种程度上资本利益的对立，是值得我们注意的。

所以，在目下，中国对于列强在华的投资问题，不仅仅是经济学上的问题，不能抽象地予以一般的论断。我们一面要坚决反对列强资本所给予我们的束缚，但是另一方面，我们还得充分运用五年来列强对华投资的新的情势。换句话说，中国利用外资的问题，首先应当以投资国的目的是否有领土野心为标准。因之凡是有助于我们，来打击某一最有野心的投资国家，就不妨在某种限度内欢迎外资，而利用外资。这种欢迎的限度，自然以抗 × 为最高原则。超过这个原则所允许的限度，自然是不能许可的。

（徐雪寒）

第三讲　中国金融问题

一　中国金融组织的演变

金融的意义或内容，最浅近地说来，就是金钱的流通，所以它是社会现象中最日常普遍的一种，它存在在都市里，也存在在乡村里；它出现在个人与个人之间，也出现在国家与国家之间。事实上就是因为它这样普遍或广泛的缘故，社会上才需要建立一种金融机关，来专门从事经营、调节和操纵。至于这种金融机关本身，是富有时间性的；换言之，它要随着社会的变动而发生变化。中国的金融机关或金融组织当然也不能例外。现在我们就首先叙述它的演变的经过。

中国的金融组织是顺着票号、钱庄、银行这样的系列发展下来的，其间演变的关键是商品经济的日益发展，和各帝国主义经济势力的侵入，使中国经济本身也以半殖民地的姿态，开始走上资本主义化的道路。在商品经济没有成立以前，专以经营或操纵金钱流通为目的的金融机关是不会出现的，因为那时根本还没有货币这种东西产生出来。中国社会自秦汉以来，商品经济是登上历史舞台了，因而相应地也产生了金融机关；不过因为商品流通的范围和程度都很狭小，金融机关当时也仅具雏形而已。例如直至鸦片战争以前的山西票号，它当时虽然能够影响或控制全国的金融界，但是毕竟含有十分浓厚的地方色彩。我们且举银钱的汇划为例：譬如你要汇款到别省甚至邻县去清理债务关系，就往往要受地点和数额的极大窒碍，因为各地票号本身是全靠特定的狭隘的商品流通网为其活动基础。所以到了鸦片战争发生以后，亦即五口通商被迫实现以后，山西票号就不能适应时代的要求了；当时各帝国主义国家的商品炮弹都已从"条约口岸"射入内地农村，而且一天普遍一天，因而内地对于"条约口岸"的银钱汇划就比以前增繁百倍。这样，明末时代仅具雏形的钱庄组织，当时就迅速地长成起来，替代山西票号的地位。不过钱庄这种组织，还是和以往的山西票号差不多，对于那日益扩大的商品经济，依然有望尘莫及之感。另方面，世界资本主义经济到一九〇〇年前后才正式踏上帝国主义的阶段，这就是说，自那时起，欧美各国更以惊人的速度，向中国各地推销大量的商品，积极地将中国作为殖民地市场经营起来。因此，那种空前庞大的帝国主义策动下的商品流通网，就需要一个新的与之相适应的金融流通网来支持它；但是，旧有的钱庄第一因为经营技术（如会计制度、业务组织等）和票号一样陈旧疏散；第二因为经营方式十九仍为个人企业，资本既极薄弱，对各地的金融联系又极为狭隘，却很难圆滑地担负这种任务。这样现代的金融机关——银行就应运而生了。这种新兴的银行，计有两种：一种是外商自己在华开设的，如汇丰、花旗、正金等；一种是华商迎合外商的要求而设的，如通商、中国、交通等。

以上我们说明了中国的金融组织顺着票号、钱庄、银行这样的程序演变，现在我们还要补述一点它们的近况。山西的票号，不用说，是早已成为历史的陈迹了；至于钱庄，却没有完全为银行所代替。在一九二九年世界经济总恐慌爆发以前，钱庄甚至还占有很大的势力，这在内地更明显；但是以后，尤其是自一九三二年恐慌之神开始撕破中国的假态繁荣，使时代的恶潮正面显现出来以后，旧有钱庄甚至小型银行也相继破落了。据中国经济情报社统计所得，钱庄在一九三五年就倒闭了一三二家，而且普遍各地。因此近年来各地钱庄为了本身的存在，不得不继续作最后的挣扎，形成钱庄银行化的趋势；换言之，就是在经营技术和方式上竭力效法银行。譬如上海的福源钱庄，其一切几与银行毫无差别。此外各地小银行或分支行的设立，有许多皆与旧有的钱庄相关联，这是值得我们注意的一种新演变。此外近年来还有一种新演变，与前述一种可说是相互关联的，即少数银行在这恐慌年头，却与一般钱庄相反，依然能够独步繁荣，且有日趋集中之势，即所谓金融资本的寡头化。这种寡头化的趋势在一九三四年终，中中交三行单独放款，救济市面，一九三五年春三行增资改组，以及币制改革后三行在发行上外汇上所占据的特殊地位等等事业之中，可以明白见到。江浙银行与中汇银行的合而为一，也是表明中国银行的日趋集中。从前新兴银行替代钱庄、征服钱庄，现在几家大银行又在兼并小银行了。至于外商银行在华的势力则仍巩固不移，而且以后台支持人的资格，日益增长起来，这正反映出中国金融组织的日趋殖民地化的危机。

二　中国金融资本的特质

以上我们说明中国金融组织的演变及其趋势，现在我们要说到中国金融资本的特质。

按严格的科学意义而言，金融资本乃是银行资本与工业资本的结合，是资本主义发展到帝国主义阶段的产物。在资本主义新兴期间，货币固然普遍转化为严格意义下的资本了，但是当时的银行主要只经营存放的生利业务；换言之，银行对于一般工商业只有债权债务的关系，而不负事业本身的经营责任。因此当时一般工商家与银行是对立的。金融资本则将两者统一起来。银行资本直接经营并统制好几个工商企业，这完全是资本兼并和集中的必然结果。至于中国的金融资本则与此不同：第一它不是由工业资本高度发展而成（中国工业资本本身还逗留在极幼稚的阶段上），第二银行资本对于一般工商业不但只维系着一些借贷关系，有时甚至连这一点借贷关系都要谢绝，孤立在生产的圈子之外。这是中国的金融资本最最根本的特征，严格地说起来，它只是单纯的银行资本而已。关于这点，我们可举一些重要的事实来证明。第一，譬如中国的新兴银行吧，其中以商业储蓄为命名的就占百分之六四，其他以促进工商业相标榜的银行（约占百分之二〇，如浙江兴业、浙江实业、盐业、垦业、煤业等），实际上也以经营储蓄部和信托部为主；再如作为国家银行的中央银行吧，其业务方向大致亦是如此，譬如国货银行实际上只是中央银行的分行，中央信托局更是由该行公开经营，为的就是要摆脱中央银行条规的束缚，以便作地产、公债、有奖储蓄等等非生产的，不过是有肥利可获的活动。第二，从银行对工厂的借贷关系上，亦可证明中国的金融资本是站在生产的圈子之外的。据中国银行历年的营业报告，该行对工厂放款只及对机关放款的四分之一，同时这种放款还是生利资本而非企业资本，换言之，即不直接参预生产，因之它对民族工业的前途，没有一定的盈亏负担，有时甚至为了要收回自己的本息，更给民族工业以致命的打击，亦在所不惜。例如鼎鼎大名的杭州纬成织绸厂吧，就是因为受着中国银行的债务追索而于一九三二年春停业，一九三四年秋同样闻名的上海申新五厂被日人兼并，也是由于华商银行在财政上不愿加以援助所致。这种例子，是举不胜举的。从以上两点，我们可以明白：中国的金融资本和一般生产事业的姻缘是如何微薄。同时它们也指明了中国的新兴银行，在本质上实与过去的钱庄没有差别。

那么它这种游离生产的根本特征是怎样形成的呢？这可以分成两点来说明：

第一，中国的金融资本是顺着票号、钱庄、银行的演变而一天天地成长起来，站在它背后的促动力原是帝国主义所要求、所控制的商品经济的发展。因为各帝国主义将大量的商品推销到中国各地以及向各地吸取它们所需要的原料，就非有就地的金融机关替它们经营货款的汇划不可，而钱庄和银行也是靠了替帝国主义担负这种买办的任务，才能使自己繁荣起来。这其间的情形是这样的：当外货进口的时候，钱庄就代进出口商开出

“庄票”或“公单”，外商银行就可凭着这种票单向钱庄收回货款；当土货出口的时候，进出口商所领得的是“洋款”和“洋公单”，而这种“洋款”和“洋公单”最后是靠经过钱庄而向外商银行兑换或付清的。这样货款的交割不但可以集中方便，而且币制上的隔阂分歧也可迎刃而解了。钱庄因为对外商提供这样的便利，外商就报以可观的佣金或津贴，因此钱庄就肥胖起来了。华商银行开始是协助钱庄，必要时予以金融上的通融，使顺利完成上述买办式的任务，以分一杯羹，到现在已直接起而代之了。在这里，外商银行曾经竭力维持过这种半封建的金融组织——钱庄，而华商银行为代钱庄而取得现在代理人的资格，是曾经经过不少“光荣”的斗争的。此外中国新兴的银行还竭力替外资和中国政府做一个媒介，凡中国政府机关向外借债，其本息清偿常由华商银行参预管理，例如一九三四年六月发行的六厘庚款公债，以及去年浙赣铁路公司向德国奥托华而夫工厂押借铁路建筑材料八百万元，中国银行皆负责参预偿债基金的担保。同时在华商银行资本的掩护之下，外资也能更顺利地进行其经济侵略工作，过去中华汇业银行之于日本，现在中国建设银公司之于英美，便是很好的例子。以上所说的各种机能规定中国金融资本的买办性，而这种买办性的确立，是使中国的金融资本不能向生产资本发展的第一个因素。

第二，中国银行业的蓬勃以及金融资本的成长，除掉依靠帝国主义在华的经济侵略以外，还有赖于中国政府历年所发行的公债。中国自民国建元以来，历年差不多都在内战之中，消耗掉的炮弹也随内战的扩大而一年增多一年，使增税加捐都不及应付，于是就频发巨额的公债，以资调拨。截至一九三六年初为止，历年积久未清的债款共达十四万七千余万元。按年观察起来，发行最多的年份在北京政府时代为一九一八——一九二一年，共计四万万余元，在南京国民政府时代为一九二八——一九三一年，共计九万万余元，两者恰巧都是内战最频繁的时候。不过本文应该特别注意的，是正当这两个内债发行最滥的年代，恰巧又是中国银行业最发达的年代，譬如在前一时代，新兴银行达五十余家，在后一时代亦达四十余家，这完全反映出中国金融资本的滋长繁荣，一半也是靠了内债的发行。因为每当政府当局发行新债的时候，总是财政感到竭蹶，甚至自己的统治都危在旦夕的时候，所以那怕发债的条件如何苛刻，它都愿意接受下来，何况担负重债的是劳苦人民，分沾公债厚利的又是它的同伴呢！按中国过去发行债券的情形看来，发出的新债十九是向银行抵借现款或变卖现款（概以六、七折计算），同时公债利息又定为六厘至八厘，所以银行所得的实际总利益，往往为年息三四分，这自然是可观的肥利了！因此一般官僚政客就往往将他收刮来的“汗血钱”创办银行，并吸收民间的游资，专做公债生意。政府每发一次新债，他们就更可分肥一些。这样，含有特种意义的中国金融资本就成长起来了。据一般估计，一九三六年一月所改发的统一公债和复兴公债十八万万元，大概有百分之八〇是落在金融业者手中。他们既然将大量的资本投到政府公债方面，那么要他们投资到利息比较低的甚至有危险的民族工业上面去，自然是万万办不到了。我们因为中国的金融资本跟政府机关和军事当局结着这样密切的关系，很像封建社会下的富商巨贾，放高利给封建侯主所形成的关系，所以我们称它为中国金融资本的高利贷性和封建性。这是阻碍中国金融资本不能向生产资本发展的第二个因素。

从以上两点看来，我们可以理解中国金融资本的形成，本来就和欧美的金融资本不同，它是从买办资本和封建的高利贷资本两个母胎中成长起来的，因而自始至终保留着买办资本和高利贷资本的两种特性，而这两种特性就共同阻碍它向生产资本演变，永远站在生产的圈子之外！当一九三二——三五年中国经济恐慌最惨剧的年头，工商衰落不堪，但是少数大银行反能日益发达，其原由，在这里也可完全明白了！

三　近年来的中国金融问题

上面一般地说明了中国金融组织的演变和中国金融资本的特质以后，我们还要继续谈谈近年来所发生的金融问题。这里我们要谈到两个重要问题，第一为资金集中都市和资金归农问题，第二为货币恐慌和币制改革问题。现在且从第一个说起。

农村资金渐渐地集中都市，原是半殖民地的中国经常有的现象；因为殖民地或半殖民地的主要任务之一，就是替宗主国家销纳过剩商品，而销纳这过剩商品无疑地是要驱使大批钱财，从农村流入都市——即流入帝国主义控制下的“条约口岸”。固然，帝国主义国家是要向半殖民地的中国采购工业原料的，这里可使钱财对应地流入农村；但是我们要注意，帝国主义国家向殖民地或半殖民地采购原料，其数往往较少于洋货的输入，同时又因它能够独占农产市场的价格，形成工业品与农产品的不等价交换；所以因采购原料而流回农村的钱财，只是一部分，它并不能阻止资金向城市集中。自这次世界经济总恐慌爆发以后，资金集中都市的这种现象，因列强对华倾销过剩商品较前更甚（而且还包括着过剩的农产品），就表现得格外明显。上海是中国最大的“条约口岸”，上海中外银行的库存很能作为这一集中过程的指标，今将它列表比较如下：

1931—1933 年上海中外银行存银统计表

	存银总数（元）	指数	华商所占 %	外商所占 %
1931	266，188，000	180.65	67.36	32.64
1933	547，446，000	371.53	49.65	50.35

存银指数自一八〇点六五增至三七一点五三，三年间即增一倍，其速度实足惊人，同时外商银行所占存银百分数由百分之三二点六四，一跃而为百分之五〇点三五，更能明显地证实我们前面所说的资金集中城市的原因。此外历年来内地的动乱不安，也是促进农村资金集中城市的原因之一，因为少数豪富惧怕农村动乱，也把他们收刮来的“汗血钱”存放到城市中的大银行。资金集中城市的结果，一方面是农村金融的极度涸竭，加强高利贷资本在内地的威力，和农村破产的速度；另一方面是使城市患着金融虚肿病，因为那样集中拢来的资金，在城市中也找不到安全的出路，因为城市中的工商业已随着农村破产而衰落了。于是搁在银库中的存银就更促进公债标金的投机买卖，使债券标金等投机市场，飞黄腾达起来！

在中国金融趋向这样畸形发展的时候，一部分银行家有时也把视线投到另一角落，即投到一般农村改良运动者所从事的合作事业上面去，他们喊出投资农村，发展各种合作社的口号。这一运动的开始是在一九三三年，热烈宣传是在一九三四年，到了一九三五年又好像变做一种很平常的活动了。有些人以为这是中国金融资本活动方向的转换，这未免把客观的情势估计得太高了，其实这正和金融界拨很小一笔款子，在上海办理工商贷款一样，是非常狭隘浮面的点缀工作。而且他们办理合作事业（不论信用或运销等），主要还不过想尝试以较新的方式，来兼并旧有商业资本和高利贷资本在农村中的地位，以完成它对农村金融的全面统治而已。甚至在某种场合，客观上它还是替帝国主义侵略做开路先锋。你看，在华北关于棉业合作社的工作，中国金城盐业等行过去是尽了相当力量的，现在到底给当地农民的利益多，还是给日本帝国主义的利益多呢？

其次，我们要说到近年来中国金融的第二个问题，即货币恐慌与币制改革问题。

大家总还记得，中国金融到一九三四年曾经起了一个很大的变化，这变化的关键主要是美国的购银政策。美国推行购银政策的目的，当然很多，和中国金融有直接关系的，即在以较高的世界银价将中国存银诱引到海外去，使中国感到通货收缩的威胁而向它投降，即将中国币制联系到美元上去。上面说过，近年来中国的“条约口岸”患着金融虚肿病，可是因为白银政策的关系，到了一九三四年，单是上海现银就突然减少二万万余元，这自然使金融市场倍感通货收缩的苦痛。一九三四年八月以后，甚至连债券市场也因银根紧迫而恶化，银行钱庄天天担心挤兑提现，一般物价之猛跌，是不用再说了！政府当局为了避免财政破产，曾于当年十月颁布平衡税令，以杜绝白银出口，但是贩卖白银的是英商银行，尤其是日商银行，和日本浪人武装偷运，政府是无法防止的，因此货币恐慌还是一天严重一天。到一九三五年十一月，财部遂被迫放弃银本位，以不兑现的中中交三行的纸币为无限法货。这就是著名的币制改革。固然，中国币制这样改革以后，因存银外流而引起挤兑和提现的危险，确可借法令而避免。但是，因为中国经常有着大量入超，非有大量外汇来平衡不可。那么，中国怎样去获得这些外汇呢？政府的办法是遣陈光甫赴美缔结《中美货币协定》，出售白银给美国，作为一般的外汇基金。可是，国家现银有限，既不能在平时尽数出售，就是售尽也不够维持多久，所以，如何维持新法币的外汇市场，还得另想办法。

本来，中国币制改革本身，就包含着这一种性质，即列强在华货币权的争夺战。在币制改革以前，英美靠着雄厚的经济势力，日本靠着枪杆子，着实演过一番大武行。嗣后由于世界主要列强（英美法）对于币价之稳定愈感需要，而世界货币战之渐趋于沉默之期，中国新币制的施行，方才于英美两国的某种默契，维持到现在。自然，中国币制改革之后，英美在政治上和经济上对于中国政府的发言权是大大地增强了，这原是它们为了牵制日本露骨地侵略中国所运用的一种手段；而它们这种手段本身又提供了一种可能，使英美对于中国问题在某一角落首先开始合作，可是列强在华货币权的斗争却并没有就此终结：日本一再企图在沪发行日本纸币，以捣乱金融，一再在沪制造暗杀案，中山秀雄案萱生案等等以谋造成恐怖，扰乱市场，一再设法复活中华汇业银行，以求扩大其金融势力，所有这些企图虽然都曾失败了，却并不是最后的失败。（例如冀东伪币在津市之流通，中华汇业银行复业声浪之继续地在提出等。）日本最后将用战争来答复它在货币战上的失败，是非常可能的。

至于中国币制改革的利弊，对于中国整个政治经济的影响如何，这完全在于中国自己。不错，中国之不能保持货币权的独立，依旧不失为中国半殖民地经济的本色，是有待于彻底击退列强在华的统治势力，以谋中国国民经济独立的发展的，但是，假如由币制改革而能便于国家财政之改善，便于巩固全国的统一与充实抗日的准备，便于接受友邦经济上的援助，以驱逐我们最大敌人在华的一切努力，乃至在外交上便于与英美法苏取得一个相当有利的关系，那么这也未始无利于国家。总之，中国施行新币制的能否有助于中华民族解放的前途，完全在于我们怎样去运用这点上面。

（骆耕漠）

第四讲　中国财政问题

一　什么是财政

在我们中国，大家对于财政问题是不大关心的，以为这只是“主其政”“在其位”者的问题。譬如在前清，做户部尚书的，只是替皇帝筹钱，可以满足皇帝和皇室的挥霍奢侈。到了民国时代，做财政部长的，也只知道如何借外债，发公债，在银行里押得动款子，想得出加税的新花样，总之有办法来“开源”供军阀们的养兵内战，就算得上好部长，而且还可以“立致巨富”呢。至于如何减轻人民的负担，力求国家支出的合理，强固国家的财政基础，发展民族的经济力量，那是主管财政的人所很少想到的。这样处理财政，就是根本不会明了财政的社会意义，这样的财政，必然会遗害国家和人民的。

崔敬伯教授说得顶好："从来言财政者，多认为是国家的财政学，而忘掉是人民的财政学；甚至仅认为是替统治者筹款管钱的技术问题，而忘掉是替大多数民众图谋幸福的主要工具。那样的财政，仅是聚敛的别名；那样的财政，仅是暴君的工具！"不过，说来也真可怜，崔教授所痛斥严责的财政观念，在中国老百姓头脑里，倒反是"天经地义"，视为当然的呢！

自然，根本说来，在怎么样的社会，便有怎么样的财政。资本主义社会里，国家既然是资产阶级统治人民大众的工具，所谓财政，也不过是资产阶级透过国家的机构，向人民搜刮了来维持统治人民的机关（国家）而已。就像英美那样，国家财政顶修明顶合理（就对资本主义各国家而言）的国家，其一小部分间接税的收入，固然是取之于人民大众，就是一大部分直接税的所得，名义上尽管是征收资产阶级的利润所得，要他们从荷包里挖出一点，但归根结底，还不是出之于作为剩余价值的劳工们的血汗？至于其他收入如像公债，政府还是要从赋税上面来偿还的，结果不仅是人民大众出钱，资产阶级在买卖公债时还可赚一大笔钱呢。可是这样收来的钱，只有极少一部分是用来办理社会利益事业的，如像社会保险，失业津贴之类，最大多数倒用来维持庞大的军备，去侵略殖民地半殖民地，替资本家找商品的市场和资本的出路，乃至于养着警察来镇压罢工，养着法官来保护自己。所以，在资本主义国家里，顶顶开明的财政，实际也不过是把一国国民的财富收入，重新来分配一下，使得富者愈富贫者愈贫的工具罢了。

上面一段话，是说明现社会财政问题的主要本质和阶级根性。不过在这里，并不是叫我们丢开许多具体的阶段，来高高在上地空谈财政本质的。就是在私有的资本主义的社会里，财政的优良与否，合理与否（以资本主义为标准），对于社会经济的发展，人民大众的利益，还是有极大关系，需要极大改进的。譬如说，一国财政的收入，假使主要依靠于海关的进口税，那就会不敢采取保护关税的政策，来阻遏洋货输入以保护本国工业，结果是使本国工业不能发展。又如只管增加工业税（统税之类），或是税制施行的不良（如像中国的二级税制），便会直接摧残民族工业的萌芽。至于偏重间接税而忽略直接税，那就会使本来穷困的人民负担更重，一般人民的购买力将愈益低落，而社会的不安也将更形严重。在支出方面，假使只在提供少数野心家的挥霍，招兵买马，从事内战，而忽视了生产上教育上国防上的合理支出，那么结果是使国家内乱不息，生产永不发展，而亡国之祸，就会接踵而至了。自然，我们应该知道：一国的财政状况，是由当时该国的政治经济条件所决定的；半殖民地半封建的中国，当然也不会例外。但是我们却更不应忽视：财政对于当时政治经济状况也具有反拨的能动的作用；财政的改良和合理化，是有可能促进国民经济相对的发展，消除政治不安的因子，减轻人民大众的负担的（如易间接税为直接税）。而这种财政问题的解决，是可能在不变革现社会机构的范围之内完成的。它虽不能消除私有社会中财政问题的根本矛盾，却可能使矛盾的解决，向前接近一步。

上面是说明财政问题的本质意义，和相对的作用。了解了它的本质，我们就不致被许多巧妙的理论所欺骗，认清了它的相对的作用，我们才会毫不放过一切变革它的机会。

二　现在中国的财政是怎样的

说到中国的财政问题，本来应该包括中央财政和地方财政两方面。在前清，一切收入都是皇帝的，所以也无所谓中央与地方之分。民国以来，到廿五年为止，中央财政所编制的正式预算，不过几次。这种预算有几多效用，有多少人来尊重它，甚至到现在还是疑问。各省政府之编造预算的，亦不过十次，省份既不普遍，根据预算实行的当然更少。在民国十七年以前，军阀实行割据，截留税收，使中央和地方财政混乱到了极点，根本无从分别。这种情形，部分的甚至到现在还继续着。不过，从大体上说来，中央财政是一国财政的主体，一国财政机能的特殊性和病态倾向，主要地可以在中央财政上反映出来；而地方财政的种种特殊情形，决不会和中央财政毫无关联的。所以我们在本文所要研究的主要对象，是中国的中央财政。

远的不去说它，我们就拿民十六年国民政府奠都南京之后的中央财政来说。在这里，我们显然可以找到下列几个主要现象。

第一，**中央财政的极度膨胀**。我们假定把民国十六年的预算额作为一〇〇，那么民国廿五年的预算便激增至六五六，即使以民国十七年的作为一〇〇，国民廿五年的也还增至二二七了。中央财政膨胀率的这样巨大，是很少见到的。本来，一国的财政，应该是该国国民经济状况如实的反映，国民经济向前发展，一国财政便向前膨胀（同时也是改善）。我们从中国的国际贸易来观察，假定民国十六年的输出入总额为一〇〇，那么民国廿五年即减为八九，其中出口贸易甚至已从一〇〇减为七七。假定从全国农产物总输出值来观察，以民国十九年为一〇〇，那么民国廿五年（为首十月）是七二点〇四（同时期财政指数从一〇〇增到一三八点九三）；假定再就工业总生产而言（包括在华外厂的发展），民国廿一年是九九点五，到民国廿五年前六个月是九五点四一（而同时期财政指数则从一〇〇增到一四七点四七）。所有这些统计可以具体地说明：中国近年来的国民经济是随着民族危机的加深，正在一天天地趋于崩溃；因之也证明十年来的财政膨胀是和国民经济的发展背道而驰，是非生产的过大的膨胀。这种膨胀必然会反拨搏来，给予国民经济的发展，以极不良的影响。

第二，**支出膨胀的破坏性**。形成财政预算极度膨胀的主要原因，就是不能节流，换句话说，即由于支出的过度膨胀。而且岁出二倍以上的膨胀（以民十七年为一○○）其内容又是非生产的，破坏性的。例如民十七年时，军务费共计二一○百万，到廿五年即增至三二七百万元；但它在总支出中所占的比例，从百分之五一点○减至百分之三二点二。就是以廿五年表面的预算而论，占百分之三二点二的军费支出，还是不能说少的。何况这里还有双重的欺骗：第一，预算上的军费数字，是很不可靠的，实际上该项支出，每年要超出预算非常之多；民廿五年只是购械费一项，预算仅一千二百万，决算时即增至六千二百二十余万（尚有几笔军火不计算在内），已经超出了五倍。第二，预算上的每一项目，并不能完全代表某项目的支出。例如实际上政务费一项就包括不少军务费的账在内，又如民廿四年以后教育文化费中有一大笔是军事教育费，建设费中也有一部分纯粹是军事性的建设，抚恤费的增加，完全是内战中官兵死亡增加的表示，特别是异常庞大的补助费（在廿五年为一〇五一九五千元），最大部分便是把某一地方的国税收入，用补助费的名义半强迫地拨给当地军阀去扩充军备，因之完全是军费支出。所以把这二者都加起来计算，十年来的军费支出在岁出总额中所占的比例至少是会维持着它原有地位的；而其绝对数额可怕的增加（远较预算上为大），乃是整个财政膨胀的最主要的原因。这耗尽国家脂膏的军务费用，除了极小部分用于国防的军事而外，其余主要部分是内战的资本！

说到支出膨胀的破坏性，债务费是忘不了的。债务费的支出实数，民十七年是一五九百万元，民廿五年预算增至二三九百万元，在总支出中所占比例，从百分之三八点五，减至二三点五。无论从实支的增多来说，或从它所占的成数上来说，中国岁出中的债务费无疑是异常庞大的负担。然而实际的危机还不仅如此，民廿一年和廿五年两次国内公债的大整理，都把公债还本日期延长了。例如单就统一公债的整理而言，财部债务费支出每年可省七千二百万元；所以，中国实际所负的债务，应比预算上大得多，现在不过把一部分负担延迟到后几年去偿还罢了，将来还不是由国民出钱吗？

至于政务费方面，照预算上看来，十年中都有飞跃的增加，从百分之六增加到百分之四一点九，计加七倍。不过上面已经说过，民国廿四年以后，许多军费都转加到政务费里去，所以，政务费实际的增加决没有这么大，这是可以断言的。从政务费本身而言，教育文化费实业费建设费的增加，当然是好的现象（虽然其中有许多是假的），不过像外交费那样，简直毫无增加，若以廿二年到廿五年比较起来，反而一直是减少的；弄得驻外使领枵腹从公，情报宣传，都是无从做起，外交的阵线，可说是残弱不堪了。又像占政务费支出五分之一的财务费，即以廿二年和廿五年相较，计增加十三倍之多，其扶摇直上的姿态，大足“雄视同侪”。然而十年之间，财政税收，不过增加二倍有余，那么十三倍财务费的支出当然是有极大的浪费！这种浪费，像内务费等，都是不免有的现象。所以，即使政务费是实际增加了，假使这种增加大部分是由于浪费，那么也显然不是财政上的好现象。

第三，**双重不合理的国税收入**。为了适应膨大的支出，收入也非膨大不可，其开源办法之一，便是增加税收。本来，一国税收的增加，要以国家经济的发展为前提，才是正常而合理的现象。但在我国政府的主要收入是关、盐、统三税，民十六年时共计三二百万元，占总收入的百分之二一点一，民廿五年预算七九〇百万元，占总收入的百分之七二点八，十年来共计增加廿五倍。这三种税都是间接税，这三种税的实际负担，结果全部落到平民大众身上。间接税在国税收入上占着这样重大的比例，是各国所没有的；间接税以这样大的速率增加起来，十年之间平民大众的负担增加廿五倍之多，更是任何国家所没有的。这是国税收入第一种不合理的现象。

其次就这三种税而论，廿五年的关税收入占总预算的百分之三一点三（最高是二十年度，占百分之五四点二），其中进口税经常占着百分之八五——九〇的地位，换句话说，中国财政的来源，主要是靠着洋货输入的。所以自从民十七年关税税率改变之后，曾经三度的修订，这在表面上，似乎是关税已经自主了，其实却始终没有跳出财政关税的窠臼。因此，以保护国内工商业为原则的保护关税政策，也始终未能实现。这种不合理的实际例子，真是不胜枚举。

盐税是众所公认的恶税，因为它几乎完全是小民们的膏血。然而十年之间，盐税收入，竟增加了三倍，在盐税的五次整理和改订中，都是为了加税。一九三七年四月每担盐税普加建设捐一元，和新盐法中将纳税单位每公斤修改为市斤，法律上增加盐税一倍，还都不算进在内。所以东北失陷后所损失的每年一千余万元的盐税，年来不但已由关内同胞来负担，而且大有超过之势了。盐税加征的结果，弄得华北人民各处争吃有毒的硝盐，曾经引起了几次大规模的屠杀惨剧。

至于统税的不良，更是直接摧残民族工业的一种力量。一是增加税率，二是改变税级，前者增加民族工业的负担，后者便于在华外厂的发展。十年之间，除廿二，廿五两年外，年年都有加税的新的花样。所以自从民十九年创办统税起，七年之间，预算收入已经增加五倍。而这七年，却正是民族工业遭逢大恐慌的艰苦年头。这是国税收入第二种不合理的地方。

第四，**财政对于金融资本依赖性的增加**。由于间接税的一再增加，依然不能弥补这样膨大的支出，所以十年来中国财政的主要特征之一，便是赤字财政的形成，而终年借债度日。民十六年度，短绌数为三百万元，一直增加上去，到廿五年度竟达二二二百万元，增加七四倍有余。这些短绌数额，全靠借债来弥补。北京以来政府时代，全靠外债来挹注的，国民政府奠都南京以来，主要是依靠借内债（十年中共借外债九千四百七十余万元，不及同期内债二十分之一）。发内债，需要手续费，也需要折扣和利息，十元内债只能当作五元半化（据孙怀仁先生统计）。政府在这骇人的高利贷吸血之下，当然只能寅吃卯粮，债务越负越多。从民元到民廿五年，共计发行过公债二八八八百万余元，其中在民十六年以后十年之中所发行的，占百分之八〇弱，约二二六八百万余元，民元到民十六的十五年间，倒反只占百分之二〇强，约六二〇百万元。除开已偿还的，现在财政部还负十八万万元（此外还有几笔公债，以及铁交等部所发行的，不计算在内）的债。公债之外，尚有短期借款，银行透支暂垫，为数也不算少。十年之间发行公债和暂借的日益频繁，正表示出中国财政对于金融资本依赖性的增大。自然，在这十年之间，中国金融资本迅速地畸形地在成长，乃是提供中国财政趋于这种倚赖性的客观条件，但是我们不应忽视，财政上的公债政策和借款政策，同时又是促成金融资本集中和成长的主要杠杆。上面说过，公债的发行差不多有一倍的利息，都是装入了金融资本的腰包。因此十年来通过中国的财政机构，压榨了国民大众的收入（间接税），便由公债的方式，集中成为这样一个伟大的，但与生产远离的金融资本！

三　抗敌时期的财政怎么办

就上述四点来看，中国平时的财政，已经孕育着若干重大的危机。支出方面是不合理，收入方面是不公平；收支两相抵消，经常总存在着赤字状态。这样的财政，在国家没有甚大危险的当儿，已经是劳民伤财，借债过日，阻碍社会发展，而增加贫富对立的了。

但是不幸得很，中国现正处于民族危机极端严重的时期，目前成为全国生死存亡的问题，就在于如何抵抗侵略，保卫祖国。因之，中国财政当前的任务也就在于解决如何能够维持长期抗战的军需的问题，使得我们的战斗力能够维持不坠，而且极度发扬，以争取最后的胜利。很明显的，在这时期，按照原有的财政方针和财政机构，绝对不能应付这样重大的负担，因为，在支出方面，要有非常巨大的军费（军队维持费，作战消耗，动员费用等），而且时期还得非常长久；但在收入方面，因为重要海口既有被封锁的可能，则作为财政上主要收入的海关进口税，便会大受打击；同时在沿海一带盐税区域和通商口岸，也有被扰乱的可能，盐税和统税的收入，也自然就会减少；此外更主要的，目前在财政上借以维持现状的公债发行和透支垫借，在那时候，必将大感困难。例如从走私猖獗，华北问题愈趋严重以来，财政危机也跟着日益严重起来，便是最好的一个证据。所以，旧的财政机构是非适应着改变不可的。

首先，要使国家支出完全适应新的要求而改变。当然抗战期中，最大的支出还是军费，不过那时候的军费，性质已经完全变过，不是过去维持军阀割据进行强盗内战的资本，而是争取民族生存的抗战要求了。同时，占岁出总额百分之三〇左右的债务费，也应当完全省去，因为外债本息，属于英美法诸友邦的，可能争取它们的同情而允予缓付，属于敌国的，自然可以完全取消，而内债本息，本着有钱出钱的原则，缓付也是不成问题的。其次占岁出总额百分之四〇左右的政务费，也可能大大的节省，一切骈枝机关，浪费，都可以减低到最少限度（在民众救亡组织广大开展之下，是可能减低的）。在抗战中不是必要的建设，也可以暂时停止。这样一来，平时种种不合理的支出可以大大省下来，用以挹注长期抗战的军费支出。

其次，关、盐、统三种税的收入虽然减少了，但正可以用新的办法来开源。第一，没收敌国一切在华的投资，和亲敌汉奸的一切财产，充作抗敌军费。第二，以有钱的出钱为原则，积极推行直接税和土地税。前者现在已经开始征收所得税，这是极为合理的财政收入，但是因为治外法权的关系，外商拒绝交付，成效尚未显著；后者则还在准备中。我们认为中国虽然贫穷，但在国家危急存亡的当儿，一切资本家和地主们，是有“毁家纾难”的必要和可能的。特别是上述两项税则的施行，更有使财政收入变成更合理一些的作用存在。第三，在广大的爱国运动开展之下，可以募集爱国公债，爱国特别捐，华侨救国捐等；在帝国主义违反民意的侵略战争中，尚且能向民众募债，骗钱，何况我们为了救亡图存？第四，在普遍的爱国高潮中，的确有集中全国廿亿盎斯以上白银的可能，用来作为发行准备和外汇基金，使得抗战军需的要求，更有充分满足的可能。最后第五，对日抗战是为着维护正义的战争，必能获得全世界人民大众的同情，因之，举借外债的可能性是增加了。总而言之，抗敌战争爆发以后，虽则现有的财政收入会大受影响，可是更充分更合理的收入，是可能在新的基础上完满地达到目的的。

上述收支双方，可说已经把我国财政上平时的病态，自然而然的完全改正过来了，虽则悲观论者和恐敌病患者，都在异口同声地以为中国太穷，财政上经不起跟敌国长期作战。殊不知道，对敌抗战是我们民族国家生死存亡的战争，同时又是国际上正义的合理的战争。在这种新的主观和客观条件下面，尽管平时的财政没有办法，而非常时的财政政策反是尽足应付的。这里，最主要的原因，就在于到那时候，财政是和民族的命运，最大多数人的命运，团结在一起了。同时，抗敌战争又正是改革目下国家财政的绝好机会，新的更合理的国家财政，一定可以在抗战过程中形成起来！

（徐雪寒）

第五讲　中国贸易问题

一　国内贸易与国际贸易问题

说到贸易这个问题，它的范围原是非常广的。按照普通的办法，应该把它分成为国内贸易和国际贸易两种。所谓国内贸易，即指以某一国家为范围的商品流通而言，所谓国际贸易，即是指各国相互间的商品流通而言的。

自然，这两种贸易的关系和相互间的影响，实际上是异常密切，甚至往往是很难划分的。比方，我们平常所说“生意的好坏”，有许多地方恰好就是这两种贸易之综合的表现；换句话说，这两种贸易的内容，往往是可以同时包括在某一批生意内的。因为某种商品的流通，最初只是限于国内，后来到了某一场所，是可能再流向国外去的。举例来说，上海粮食业商人向内地去收买粮食的时候，买卖双方（至少是卖方）最初可能只知道是限于国内的流通，可是到了上海，往往马上或是再经过了一次或若干次的转手，就可以成为国际贸易的对象了。所以，国内贸易可以只是限于国内贸易，却也可以同时就是，或者后来又是属于国际贸易的范畴里去了。

另一方面，假如我们反转来说则一切国际贸易照理都非经过国内贸易的过程不可。不过，例外的地方当然也有。比方，本国的消费者或是某一生产部门，他们所需要的外国货物，他们可以直接向国内的外国企业机关去购买，同时，在国内的外国企业，他们所需要的许多生产工具，特别是机械之类，他们可以直接向他们的祖国去订购。这就是所谓国内外贸易直接交换的方式。这种国内外贸易直接交换的方式，在一个完全独立自主的国家，它所占整个国际贸易的成分，究属还是非常少的。除非在殖民地或半殖民地，例如在我们中国，这种贸易的数额，或在整个国际贸易中所占的成分，实际上是可能相当大的（这点我们留待下面再详细说），因为外商在华所占的经济乃至政治势力，委实是太大了。

至于国内贸易与国际贸易相互间的影响，一般说来是会发生相互间的推动作用的。不过，严格地讲，那就要看各个经济部门的实际情形，和一国经济的发展程度等具体因素了。在资本主义国家，国际贸易的发展，完全是由国内经济的发展来决定的；国际贸易也可说是国内贸易的展开（不是严格的说法）；但在殖民地半殖民地国家，国际贸易的发展，主要是表示帝国主义经济侵略的加强。国内贸易往往要受着国际贸易的甚大影响。这种情形，在中国当然也不会例外的。

关于中国的国内贸易，我们觉得问题似乎比较少些；一来因为大家从日常生活中对于某些问题就比较得容易了解，二来因为国内贸易所涉及的问题，不但范围比较小些，就是内容也比较简单。反之，关于中国的国际贸易问题，就复杂而庞大得多。本来，国际贸易问题远较国内贸易问题为复杂，这在任何国家都是一样，不过在半殖民地的中国，似乎更使人难于了解罢了。

因此，我们在这里所要讲的，预备以国际贸易问题为中心，而以国内贸易问题的解释，附带地插在里面。

二　中国国际贸易的特质

中国的国际贸易，一开始就以帝国主义对华的商品输出——特别是资本输出的姿态，表现出来。因此，当国际帝国主义的贸易战争愈益剧烈，关税政策愈益成为它们保护国内市场的武器时，它们便用暴力和欺诈，夺取了中国的海关权。中国所征的关税税率，一定要首先得到列强的同意，这就是所谓协定关税。这样一来，中国关税的作用，不但不能作为保护国内市场和产业的武器，反而倒可以保障外货顺利地输入中国。说得更加透彻一点，中国的关税，简直成为列强保护外货输入中国的利器了。

直到一九二八年，国民政府才自动宣布了中国的海关进口新税则，并于翌年二月一日正式实行了。可是实际上新税则的内容，并没有超过列强过去所同意的税率。一九三〇年十二月廿九日，当局又宣布了国定税则的条例，并于翌年一月一日实施。不差，这次国定税则的内容，比起过去的新税则来，协定的成分确又减少了些，可是当时还存在着中日互惠协定，使国定税则不能完全摆脱协定关税的成分。不但如此，后来中国当局于一九三三年五月廿二日所宣布的国定税则，乃是有利于英美，而一九三四年七月所施行的海关进口新税则，完全为的满足日本的要求。中国关税变来变去，始终脱不掉出主入奴的半殖民地状态，变成了外交上或财政上的牺牲品，而中国国民经济和民族资本的利益，却依旧毫无保障，弄得哭笑不得！自从日本制造了冀东伪组织，非法减低关税，以便利走私之后，中国关权又受一直接打击。近来日本还是积极要求减低全国对日关税，威迫利诱无所不用其极。关税税权的不能完全独立自主，乃是中国国际贸易的第一个重要特质。

所谓“以农立国”的中国经济，它所表现的落后性，直到现在没有消失。欧战期间中国的民族资本虽曾有过一度的活跃，可是大战一告结束，民族资本就经不起外资的一击；过去的活跃终于只是昙花一现，此后不但一蹶不振，甚至越发陷于没落，崩溃或被外资收买的境地。在此情形底下，中国对外贸易的内容，不消说得，仍然只是以原料农产品去换取列强的工业品而已。很明显的，中国在这种国际贸易中所受到的不等价交换的损失，是非常之大的，尤其是在这次世界经济恐慌期内。这种不等价交换的性质，也就是中国国际贸易的第二个特质。

由于外商在华经济势力的强大而普遍，造成了我们上面所说的国内外贸易中直接交换的有利条件。所谓直接交换有二种方式：外商在华设立公司，一面向农民或其他直接生产者收买原料或手工业制品，一面就以它的全制品来作为付给他们的代价，这是一种方式。外商在华设立工厂，一面向当地的直接生产者收买原料，所产工业品或加工制品，除开销售中国市场而外，还可以作为中国的输出品，向其他国家去销售，例如中国大宗出口蛋制品或纱布等。这种外商工厂，在它的发展过程中，当然是需要机器等件的，这些生产手段，他们自然可以直接从他们本国运来，根本用不着经过中国国内贸易的手续，这就是所谓直接交换的第二种方式。其实，不但如此，中国国际贸易上主要的进出口商家，大多还是外商，中国对外贸易（输出入）可说完全在这些外商进出口商家操纵控制之下，中国的工商企业是几乎无权过问的。外商在中国对外贸易中所占势力的巨大，正是中国国际贸易中的第三个特质。

很显然的，综合上面三个特质，谁还能否认中国国际贸易的半殖民地性呢？

三 列强对华贸易战的新趋势

这里我们可以分两方面来说明：第一是近年来列强在对华贸易中所占比重的消涨和变化；第二就是最近列强对华贸易中商品内容的变化。

大家知道，在“九一八”事变以前，日本在列强对华贸易中所占的比重，不论进口或出口方面，都占着首位。“九一八”事变以后，它所占有的首位就让给美国了。这是因为一九三二年以后，海关统计数字不再列入东北贸易数字的缘故。假使把日本对东北的贸易和在全国的走私货物，统统加在海关统计数字上去计算，那么很显然它是依旧占着首位的。这是“九一八”前后列强对华贸易的一种新趋势。其次就中国本部（东四省除外）而言，美国对华贸易在“九一八”后确有积极的推进，占了第一把交椅，而同时，德国对华贸易飞跃增长的速度，不但远过于美国，简直是中国国际贸易史上罕有的现象。它在列强对华贸易中所占的比重，是一年年的增加，它由第四位而升居第三位，在一九三六年上半年的进口贸易中，它甚至排挤日本而跃居第二位，在一九三六年二月，它竟雄居过首位，而以一九三六全年来说，它还依旧保持着第三位。德国对华贸易的如此激增，正与日本对华贸易实际上的继续增大相适应着。结果是大英帝国被挤压而退居了第四位。美国对华贸易相对的不振也是事实，这是最近列强对华贸易的又一种新趋势。这两种趋势，我们都可以把它们放在上面所说的第一个方面去观察。

说到第二方面，我们可以指出一个特点来。这就是，列强在对华贸易的竞争中，最近已愈加倾向到积极争取原料上面去。中国近两年来出口贸易的逐渐增进，到了一九三六年来尤其显著，这的确是无可否认的事实。同时，这种出口的增加是由于粮食或其他农产原料出口额的增加，也是无可讳言的事实。但是，这些事实告诉了我们什么呢？显然的，这是反映出列强的准备战争确是已到了空前迫切的程度了。而且同时也反映出，半殖民地的中国，主要要用原料和农产品输出额的增加，来抵补它国际收入中的巨额亏损的。这种现象，当然不单是中国有之，即在其他半殖民地国家或弱小民族，也都表现得非常显著。（参阅《现代殖民地经济论》，新知版）

四　中国国际贸易与国民经济

在最近二年来中国国际贸易入超额的逐渐减少中，在中国出口贸易额的绝对或相对的增加中，我们常常会听到或看到，说这就是中国经济好转的表现，这就是中国国民经济复兴的先声。可是另一方面，我们却又到处可以看到：工厂是在不断的关门或拍卖，商店是在陆续的倒闭，劳工大众的生活是在日益恶化（由于物价的高涨和收入的减少），农民大众的境遇依然是在愈趋贫苦，知识份子的失业人数且在日益增加。所有这些铁一般的事实，难道可以说是中国国民经济好转甚至复兴的结果吗？假使不然，那么跟中国国际贸易中所表现的不是发生矛盾了吗？

对于这两个问题，我们可以肯定地作如此的答复：第一，上述那些铁一般的事实，不但决不是中国国民经济好转的反映，而且倒是国民经济慢性崩溃的具体表现。第二，对于中国入超减少和出口贸易增加的估计，不是失于不正确，就是太过乐观。那么我们怎样从中国国际贸易上来观察国民经济呢？

简要地说，首先我们应该注意的一点是：海关册中的统计数字究竟有多大的正确性，和进出口额增加的意义究竟在那里？我们认为，假如不把近二年来私货进口的较精确的数额加在海关册中的进口额上去，那么所谓入超的减少，完全是离开事实的空架子。因为洪水泛滥般的私货进口，不说它公然侵害了中国的关税主权，反而还要颂扬入超减少的如何光荣，那简直是自欺欺人罢了！纵使进口数额的确是在减少，也决不能断定这就是中国国民经济好转的反映，因为中国进口贸易额减少的主要原因，只有两种可能：一种是中国一般购买力的降低，纵使外货倾销进口，也找不到主顾，另一种是外商在华工厂的积极发展，致使中国人的消费，可以购买外厂的产品，以代替外货的进口。这两种原因无论属于那一种，或者两种原因同时并存，都不能作为中国国民经济好转的反映，那是再明显也没有的了。

其次我们就得注意，中国出口贸易所增加的是什么东西，然后我们才可以说：出口贸易的增加究竟对于中国国民经济有多大的利益。不消说得，中国出口贸易中增加的商品，大部分都是粮食，农产原料（如棉花等）和军需原料（铁砂、铜砂、钨、锑等等）。我们上面已经说过，这些货物出口的增加，只能证明帝国主义列强正在加紧吸取中国原料，说是国民经济的好转，还是谈不上的。因为经济落后的中国，只有工业化的长足发展才是国民经济好转的真实基础。何况，日商最近半年来收买大批的粮食，特别是小麦和盐，假如这些货品也是造成出口增加的主要因素，那么我们可以断言，这种出口的增加，不但无利于国民经济，并且是大有害于国计民生的。至于棉纱火柴输出的增加（主要是输到东北及南洋），主要是在华日厂的产品，那也未见得是中国之福吧！

所以，我们对于中国目前的国际贸易，不但不可能存着任何乐观的奢望，而且应该认清楚：在上述中国国际贸易半殖民地性的特质一天没有铲除，中国的国际贸易是一天不能有利于国民经济的；特别是在这中华民族危急存亡的关头，我们必须要求政府当局：为了保护我们奄奄一息的民族工业，应该切实制止走私，而绝对不应减低关税；为了更积极地准备自卫的民族抗战，为了抗战一旦发生所必须积存的军粮民食和军需起见，应该有计划的调整出口贸易，而用有效方法，制止敌人收买我们的粮食和军需原料。

（姜君辰）

第六讲　中国工业问题

一　中国工业的发展过程

我们这里所说的中国工业问题，是专指资本主义生产的近代工业而言，一切手工业或工场工业的没落过程，是略而不谈了。大家都知道，一国工业的发展程度，就是表示一国经济的发展程度，它跟整个国家的命运有重大关系。

中国近代工业的发展，开始于帝国主义列强之侵入。自从一八四〇年鸦片战争以后，满清政府为了自救，就在封建统治的基础上面，兴起军事性工业的移植。在一八六二年到一八八一年之间，江南造船厂招商局马尾船政局都先后成立。但它的发展，和整个国民经济是绝少关系的；换句话说，这种军事性工业的移植，并不建筑在一般国民经济的发展水准上的。到了一八九四年中日战争之役，跟着军事的失败，就完全暴露军事工业移植的无能。而满清政府逐渐由排外而媚外，军事工业移植也就遭受了严重打击。

中日之役满清政府的屈服，使中国工业发展进入了另一阶段。丧权辱国的《马关条约》承认日本得在中国任何通商口岸上从事工业制造，各国跟着也相继获得这个十足半殖民地性的特权。接着一八九七年《中德胶澳条约》，规定德人有在铁路沿线采掘矿产之权。这种种特权之夺取，正和一般资本主义国家走向帝国主义的步调相一致，所以此后资本向华输出，就分外激烈，而且侵入到了中国的各工业部门，由轻工业到重工业。在这个当儿，中国的官僚资本和地主资本，也稍稍开始向工业投资。这是中国工业化的开端，也就是中国近代工业发展完成半殖民地化的重要阶段。

一九一四年大战爆发以后，中国工业进入了新的阶段。一方面是各帝国主义在中国的势力对比发生了变动：英俄法德意奥等欧洲国家因为忙着欧洲方面的分赃战争，不得不在亚洲殖民地半殖民地市场上暂取退守政策。美日两国资本就趁此千载难逢的机会向中国大举进攻；而日本则因近水楼台的关系，它在中国的投资这时期更有突飞猛进的发展。另一方面，战时的较好的市场景气，以及参战国资本之暂时的退守，竞争势力之相对的减轻，为中国民族工业之发展造成了比较有利的条件。这时中国官僚的掠夺蓄积和地主的地租蓄积，也转向工业方面进出，便形成了中国民族工业底“黄金时代”。

但是这“黄金时代”保持得并没有多久。大战一告结束，战时的好景气就接着消逝。各国资本又重新回到了中国市场。从此幼稚的民族工业又走入了厄运。特别自从一九三二年以后，民族危机和工业危机完全并合在一起。另一方面，战后的恐慌时期，正是列强资本侵入的新的时期，而一九二八年起白银狂潮下的资本流入，更是可惊。

从中国工业的发展阶段上，我们首先可以知道：整个工业部门是列强资本和民族资本的对立矛盾体。这种对立的矛盾体之发展，是决定中国工业前途的趋向的。现在我们进而研究它们双方的形势。

二　列强资本的机能

列强资本向半殖民地国家的移植，一方面固然诱发了当地土著工业的兴起，但另一方面更重要的作用，就是使当地的资本主义生产，不能有正常的发展。这里，我们首先观察它在整个工业中的雄健的势力。

在重工业部门中，列强资本占有极优越的势力。在煤矿总投资量中，日资占百分之一一点七三，日英德与中国合资者，占百分之四〇点五，纯粹华资仅占百分之四八点二二。就中国本部各大矿的产量而言（一九三三年），日资占百分之二九，英资占百分之二三点五，德资占百分之一点一，至于东北部分，日资煤矿产量占百分之八四点一，名义上土著资本还占百分之一四点九。假使连东北在内计算起来，全国煤矿业中，外资的势力，更雄厚了。

在铁工业里，列强资本更是独占鳌头。中国每年新式开采的矿砂，约有二百余万吨，其中有百分之六〇左右在东北，完全是日本资本，中国本部的九十万吨左右的产量中，有百分之九〇左右是和日资有关，而完全受其控制的。每年新式制炼的四十余万吨的生铁，日本资本占百分之九五以上。中国著名的炼铁工厂，汉冶萍公司的汉阳厂大冶厂，都借有日资，受其控制。

动力工业的电气业中，一九三四年全国发电容量计四九六一四〇千瓦，外资占百分之五〇（二四四六四五千瓦），中外合资占百分之三，纯粹华资仅占百分之四七。在造船工业中，英资七家造船公司，密布于上海九龙香港天津，计资本一一〇〇〇千两，三五〇〇千元，八〇〇千镑。

在轻工业中，以纺纱工业为主，列强的势力，是不可摇撼的。以一九三六年为标准，日英资本，占纱锭总数百分之四六点八，占线锭总数百分之七三点四，占布机总数百分之五五点一。此外如卷烟工业，外资产量（以箱为单位）占百分之五一，销量占百分之五三（一九三五年度数字），这里还没有把生产品的真正价值量考虑在内，假使把外资多产上中级烟，华资多产中下级烟计算起来，那么，外资的比重，一定更加大了。

从上面列强资本的喧宾夺主的情形看来，我们可以得出几个重要概念：第一，列强资本是中国工业发展的触媒体，而这个触媒体现在倒是反客为主，成为民族工业的眼前死敌。第二，列强资本特别在重工业方面占有绝对的优势，它的目的既在阻碍中国工业的独立发展，同时它又实行自然资源的掠夺，它决不想在中国建立真正重工业，譬如铁矿业只把开采了的铁砂运回去，炼成生铁输进来，造好机器贩卖给你，生产手段的生产就被垄断了。第三，在轻工业方面，它也能共享低廉原料和滥贱劳动力的福，再凭借其雄厚的资本，和民族资本做死对头。日本纱和华纱的竞争，英国卷烟和中国卷烟的竞争，是使民族资本陷于困难境地的主要原因之一。这种致命作用，它还透过减低关税，商品倾销来完成。还要用垄断原料（如日本垄断华北的棉花，英国独占鲁豫皖的烟叶），非法剥削（如日本纱厂对于中国劳动者的殖民式的榨取），来增强力量。

所以，列强资本的工业发展，是对中国整个国民经济不利的，它以本国的资本利害为前提，势必阻碍和牺牲中国民族工业的前途。

三　残垒自守的民族工业

民族工业就是中国人自己所开办的工厂，这种工厂愈发展，那么民族的生产力便有畅通发展的前途，然而，为什么现在在中国列强资本愈益强大，而民族工业倒反愈趋式微呢？这是因为民族工业的“先天不足”，和“后天不良”。

所谓先天不足，就是民族工业内部所存在的矛盾和症结。第一是民族工业的买办资本性。中国民族工业原由买办资本转化而来，它们一方面替列强做经济侵略的先锋（推销商品的买办）同时在不和列强资本发生利害冲突的条件之下，也从事获取产业利润的活动，所以说它是买办性的民族资本。这种买办性的民族资本，随时要求托庇在列强资本之下，而牺牲自己（民族资本）的独立发展的前途。所以开平煤矿要依附在英资开滦之下，中原公司（“五卅”的抵货运动所助长的）愿意归并于福公司（英资），中国纱布交易所可以开拍日纱；而火柴业的民族工业，也可以和日本资本合作，办理全国火柴联营社。买办性的民族资本，是要牺牲民族资本的独立自主的发展前途，甘充列强资本的附庸的。第二是民族工业的半封建性。官僚资本和地主资本（两者都是封建的超经济剥削的原始蓄积）是民族资本的一个重要构成部分。它们既不敢牺牲其封建剥削的经济利益，实行土地革命以扫荡一切封建残余势力，同时对那用不平等税制，减低关税，经济割据，苛捐杂税等桎梏来妨碍自己发展的政治组织，也不敢提出半句抗议，实行一点改革。第三是民族工业的借贷资本性。中国任何企业组织，都以获取非企业利润性的利息为最低目标。不管企业的盈亏如何，也得支付固定的高额官利；企业有盈余时，则以红利形式，几乎完全分光。所以，民族工业的企业精神是丧失了，资本积累不可能，生产能力改进不可能，企业内部机构的陈旧窳败，使它丧失和外资竞争的能力。转而造成向银行高利借贷，形成债务经营的饮鸩止渴的局面，如华商纱厂的利息负担几乎占到生产成本费的三分之一，而一般华资煤矿，逐年来都有产量减少，利息增支的情形。结果往往是借用外债，或者是受外商管辖兼并。汉冶萍的例子是太旧了，裕元北洋华新等纱厂的拍卖，倒是眼前的好例子呀！

这种先天不足，假使后天能够比较有利，民族工业未始没有转好的前途。不幸它的外在矛盾又是这样严重。中国民族工业的发展，是在一八九〇年以后，特别是在一九一四年以后。这个时代，正是世界资本主义走上独占帝国主义时代。列强对华的资本输出对于民族工业的打击，已如上述，而殖民地的分割运动，更是直接威胁到它的存在。其次，国内一切半封建因素的梏桎：如像不断内战，市场割据，农村的封建剥削，苛税杂捐；交通缺乏和运费高昂等，都使稚弱的民族工业，处境分外困难。

这许多内外矛盾，造成民族工业的半壁江山，气息依依的局面。我们在下面分别加以叙述。

在矿业中占第一位的是铁矿。中国每年用新法开采的铁砂二百万吨左右，除了一百十余万吨是完全日本资本而在东北之外；民族资本年产八九十万吨，大冶约三十八万吨，象鼻山约七万余吨，繁昌约二十八万吨，当涂约二十万吨。但他们所借的日债，差不多多过于资本，每年得强制输出全部铁砂给日本。第二是采煤。中国本部年产煤仅二千一百万吨，而外资关系的各大矿竟占百分之四〇，华资各大矿仅占百分之二八，小矿占百分之三三，这更表示出华资煤业生产力的低下。中国本部每人每年煤消费量仅〇点〇四九吨，与英国的三点九吨相较，固有天渊之别，连跟意大利的〇点二，日本的〇点五五，也相距十倍。至于石油采掘量，中国本部每年仅二千余桶，锰钨锌等军需原料品的采掘，更是用原始的手工业生产了。

在冶金工业中，民族资本更衰颓得可怜。民族资本的龙烟公司，汉冶萍公司，宏豫公司，和兴钢铁厂，早已停止产铁，仅有谌家矶六河沟公司年产一万七千吨（一九三四年）左右，保晋公司年产三千六百吨左右。至于有炼钢设备的汉冶萍公司，和兴厂等早已停止，仅山西商才钢厂及各兵工厂稍有出产，每年不过一千吨。所以中国每年要从外国输入六十万吨的钢铁。换句话说，我国最重要的钢铁生产，完全是依赖外国的。此外锑砂产量占世界百分之七〇左右，钨砂产量占世界百分之四二，但这些都是手工业生产，中国并没有一家有近代设备的炼钨炼锑的工厂。这样看来中国民族工业，对于有色金属工业，几乎还在原始时代，然而友邦侵略中国的战争，已经进入机械化时代了。

和采矿业冶金业有密切关系的是机器工业，然而，直到现在为止，我国整个机械需要，都是仰赖外货的，以一九三五年计，输入机械共值约七千万元。主要都是电力机动力机纺织机，包括列强资本的投资作用在内（如日本纱厂之扩充，庚款退还部分之工程建设），然而这些都不是“机械之机械”，和重工建设没有多大关系。全国有机器厂五百六十余家，然而资本数量不过六百余万元；规模最大者不过五十万元，普通都是数千元到二三万元的，所以多以修理及制造零件为主。交通工业更是如此，一切机车车辆，都仰赖输入，各铁路机器厂只能修理和装配。造船业有五六十年的历史，但是它的前途依旧十分暗淡，除了江南造船厂和马尾船政局稍有政府生意之外，其他都只能造小汽船或修理机件。这是因为中国航业生命完全被控制在英日各国手里的缘故。化学工业还在萌芽时代，十万元以上资本的制盐厂，只有五家；制酸厂十二家，仅有两家资本是在一百万元以上的。酒精业虽则只有五六年的历史，成绩倒比较可观。

半殖民地殖民地工业的一般特征，本来是生产手段生产部门的微弱不振，民族资本在轻工业方面，总比较占着一些优势。那么中国民族资本在轻工业方面的情形怎样呢？纺纱业是民族资本的骄子，然而我们上面已经说过，日英资本在这里也有决定的势力。自一八一九年至一九三五年，日商纱锭增加七倍，而华商纱锭只增加了三倍，同时期间华商布机只增加三倍强，而日商布机增加到二十倍强。近三四年来，民族资本在这里已经危局难支；以一九三三年和一九三六年相较，华商纱锭从百分之五七点一九减到百分之五六点八五，线锭从百分之三三点二五减到三二点五三，布机从百分之四八点二三减低到百分之四七点九五。一九三七年的情形更恶化，因为日本以津青为中心，大大地扩充了纺织业呢。

缫丝业更是不堪回首话当年。以上海为例，卅年前的一九〇九年已有厂三五家，丝车一一〇八五部，到了一九三五年，厂数反减少到只有三三家，车数仅七六九〇部；距一九三〇年最盛时厂数一〇七家，车数二五三九五部，更减少得可怜。

火柴业曾盛极一时，但现在是托庇于日人势力，以求苟安。卷烟业中，民族资本的生产品价值，不能超过总生产品价值百分之四〇。精盐业受财政部严格限制，不能畅快发展，仅面粉业里，民族资本有比较完整的壁垒。

上面所说的是中国民族工业残破的阵营，这残破阵营，外受列强资本的侵略，不平等条约的束缚，国内半封建势力的摧残，内因本身矛盾的存在，究竟能维持到如何地步呢？

四　民族危机与民族工业

无疑的，民族工业假使不能肃清其内外矛盾，争取其独立自主的发展，那么它的前途是暗淡的。

自从一九三二年中国的经济恐慌爆发后，整个民族工业的命运，本来已经危如累卵。列强资本一天天增大，民族工业到处没落碰壁。然而在目前，国土的沦陷，民族危机的迫切，使这残破阵营，更是危在旦夕。友邦的当前要求是“农业中国工业日本”，那么民族工业何以自处呢？在中国，一九三二年起的经济危机，包含着这种特殊的性质，即民族危机是和民族工业的命运，完全关联在一起的。

第一是自然资源的丧失 东北的失陷，使民族资本丧失巨量的重工业的自然资源，计百分之七三的铁藏量，百分之四八的石油藏量百分之六四的矾石，菱镁矿百分之百（均为全国计算）。在目下华北政权处于“半满洲国”式的当儿，我们的自然资源虽然名义上还没有直接丧失，但实际上已是友邦经济开发的对象。华北五省（绥察冀晋鲁）的自然富源，计有：全国煤藏量百分之五四点五（为日本之十六倍），铁藏量百分之十五，棉花百分之四二，小麦百分之二六。自然资源的损失，特别是煤铁等重工业资源的丧失殆尽，一方面是增强敌人侵略和进攻的力量，另一方面是使民族资本丧失独立发展的前途，使生产手段生产的工业，无从发展。

第二是国民经济生产力的丧失 随着土地的沦亡，附着在这些土地上面的工业企业，也都被敌人所掠夺。在东北，民族资本所组织的企业，全部被没收被充公被封闭了，没有一家能幸免的。帝国主义者可以允许你做官僚做豪绅，却不答应你掌握工业生产的经济命脉的。

这就是亡国之痛。就民族的立场说，这种生产力的丧失，在某种程度内比自然资源的丧失更为严重。东北的煤产量占全国百分之三〇，铁砂产量占百分之四六，生铁占百分之七〇，石油占百分之九九（以一九三二年为标准）。这里总生产数（一〇〇）是连中国本部土法生产的也都包括在内的，否则东北所占的比重还要更大。生产力的丧失，对于国力的损失是难于计算的。

第三是兼并收买和强占　这是目前民族工业没落的悲惨的景象。柳江煤矿被关东军（这是友军！）强占了去，裕元华新裕大等纱厂，被日本强迫收买，使天津的华商纱业，一扫而空；在友邦的资本和军力之下，华北正在奖励植棉，全国火柴业亦在被日本所劫持。外如走私对于民族工业的打击，日本资本在华中、华南的跋扈，在在都告诉我们，假使再不保卫华北的话，再不奋起抗战的话，昨日民族工业在东北的劫运，便是今日中国民族工业的归宿。

国民经济建设运动是包罗万象的，是伟大的；但不如敌人所进行的“农业中国”来得有力，也不如“华北资料开发”来得实际。为了替中国工业留下一点点生路，为了民族经济独立自主的发展，一切民族资本家应当起来抗争，一切同胞应该为收复及保障工业资源，为保护民族工业而战。

（徐雪寒）

第七讲　中国农业问题

一　中国农业的特殊性

要解说中国农业问题，首先要说明中国农业的特殊性。因为中国在农业方面所成为问题的，实际上都和那种特殊性有密切关系；我们甚至可以说，那种特殊性，就是中国农业问题所由形成的基本事实。

不过中国农业乃是整个中国经济的一个部门，因而要说中国农业的特殊性，就要从中国经济的特殊性上来认识它的意义。一般论中国经济的人，大概都不会忽视它那“半殖民地的”或“半封建的”性质。农业上之特殊性，也就不外是整个中国经济之“半殖民地的”或“半封建的”性质的部分的具体表现。详细说来，中国农业具有半殖民地的半封建的特殊性，这也规定了中国农业上所发生的一般问题的动态和实质。

因之中国农业经济必然要显出下列的形态：即一方面横受帝国主义的压迫榨取，和对于帝国主义经济的隶属依存，形成世界帝国主义原料生产的园田。同时，却又正因其成为帝国主义的隶属，成为帝国主义的商品和资本市场，并提供原料的地域，而必须要配合着保持其落后的封建的关系。因此，中国的农业，就是在帝国主义摧残与封建势力剥削的两重压迫下，苦苦地挣扎着。所有中国农业上的问题，从这里都可以得到基本的理解。

二　中国农业问题的全貌

中国农业既有上述特殊性，它成为问题的，就不只是某一部分或某一方面。所有农业全体，都在腐烂崩溃过程中。就全般经济立论，农业是一个重要生产部门；我们且把农业生产的各方面的现象，分别举出一个轮廓。

第一是农业劳动生产力的低下　农业劳动生产力的

大小，大体可以说是取决于两件事实：（一）农耕资本的配合，（二）农业经营的规模。而这两者又正相关联着。以前者而论，农耕资本大体包括有四个要素，即土地、农具、农耕家畜及劳动力。中国土地价格在农业资本中所占比重一向都非常之高，普通约占百分之八〇以上，而且近数十年来的中国兵乱灾荒，并不曾怎样阻止土地价格的一般增加趋势。用在土地上的资本成分愈大，则用在其他要素如农具劳动力等方面的比例愈小，结果无论农具和农耕家畜，都简陋而且缺乏，劳动力极度低廉，而这些事实，恰好构成小规模的零碎经营的前提条件。据说（见马扎尔 Madjar 所著《中国农民经营的经济及其发展诸倾向》），百余年来，中国农民所经营土地的平均亩数，在日渐减少，至最近亦然。在一七一一年每人平均为九〇亩，一七七二年为二六亩，一八一二年为二一亩，一八八〇年为一〇亩，一九一四年为五亩，战后为四点二五亩。经营规模愈小，农业劳动生产力就愈形低下。

第二是农民与生产手段的分离　农具、家畜、特别是土地，是主要的农业生产手段。中国封建制度虽在解体过程中，但促成中国封建制解体的外来资本主义势力，却又因其有通过封建势力以支配广大的农民阶层之必要，不但在某种限度上缓和了封建体制的彻底崩溃，而且还不断地助成土地之封建式的集中。当然，土地价格过高，也是农民由其主要生产手段即土地分离的一个次要原因。照前述那位著者在同书中的统计：中国的佃农在一九一二年占全农民的百分之二八，至一九三三年则占百分之三二，同时自耕农则由百分之四九减至百分之四五。自耕农的减少，自耕农耕地的缩小，都是表示农民与土地分离现象的日益显著。

由以上两种现象，我们知道中国农业生产上的动态，是向着崩溃之途迈进的。和上述两种现象同时发生的，还有**农业生产技术的日益衰退**。东西学者常常论到中国的农业技术，例如提到灌溉，施肥以及协同耕作等事项，而尤其注意到灌溉方法。如其说灌溉大业，要仰仗一个依赖田赋为主的集权政府来主持，那么假如在分崩离析的政局之下，集权政府可以依靠关税或鸦片特税来维系其原有的政治势力，就不但没有进行大规模灌溉事业的可能，而且也没有非进行那种事业不可的急需。

于是，空前的水旱灾害，乃连续光临，连带着国际资本主义的侵蚀，以及政治军事动乱而日益增大增强的破坏与榨取，遂不期然而然在中国农业的整个生产行程上，造成下列几种现象：

（一）因为农民被迫离村，和无法获得再生产的手段，而使耕地荒废的范围，愈益扩大。

（二）荒地范围扩大，同时对于勉强耕作的土地，在经营上又不绝增加其零碎分割的程度，结果是农业生产愈形减退。

（三）灌溉破坏，肥料缺乏，农具家畜种子残缺，再加上适当的人工的缺如，于是在生产量减少之外，更引起农业生产物恶化的情形。

（四）不论是耕地缩小，农业生产物减退，以及农产物恶化，结果都要引起农民失业，贫困和饥饿。这种结果，又会转过来变成农业劳动生产力低下，农产物减退的原因。

总之，这一切，是中国农业生产行程崩溃的一般现象，同时亦是摆在我们面前的中国农业问题的全貌。

三　中国农业问题的症结及其动态

我们如其不能默然让中国农业这样崩溃下去，对于农业上发生的这些问题，就不能不求出它的根本原因。说到这里，依然要回到我们前面说过的中国农业的特殊性：即中国农业问题的症结，在于遭受帝国主义的侵蚀和封建势力的剥削，帝国主义与封建势力的苟合，所由维持的生产关系，所由形成的顽硬外壳，使箍在它里面的农业生产力，失却发扬滋长的生机，以致引起全面的溃烂。

最近人们从农业观点来论中国社会各阶层的生产关系，多用下表来表示：

帝国主义布尔乔亚		农业劳动者
军阀，官僚，劣绅	……农民	佃农
地主，富农		贫农
商人，资本家，高利贷者		中农

上表不过是一个大体轮廓。地主、劣绅、官僚、富农乃至军阀高利贷者，通常都是息息相通或一身兼为数

种方式的农民压迫者。同时在农民方面的佃农、贫农、农业劳动者间，也没有怎样严格的界限，许多农业劳动者，同时又是佃农，或半自耕的贫农。但无论如何，剥削者和被剥削者之间的显然的分野，却是构成农业生产关系的枢纽。要就此种根本事实，来说明中国农业生产力横被摧残或农业生产行程日趋崩溃的究竟，我们须把帝国主义与封建势力，在现阶段所加于中国农业的破坏压力，略加说明。

一九二九年以来的世界经济恐慌，加深了帝国主义国家之间争夺商品及资本市场的矛盾冲突，这种冲突引起军需原料的需要，更使它们不能不在封锁它们自己的殖民地以外，再加紧向没有防卫力的半殖民地角逐。我国东北及华北的失陷和特殊化，就是那种角逐最明显的表现；我们如舍此不谈，而只说到它所及于中国农业的一般恶果，则有：

（一）农业原料的国际依赖化或殖民地化　帝国主义在这方面的作用，是一面由于破坏中国的民族工业，另一面由于军需原料的需要，使中国农业原料增加其对于各帝国主义国家的依存性。所谓“工业日本，农业中国”，固然是表示日本愿望的有力说明，同时其他帝国主义者亦莫不在作此打算，作此活动。我们试一检察近数年中的桐油、生丝、棉花、茶叶的出口数字的变动，就可说明这一点。

（二）农产品价格的跌落　单就农产品的对外依存性说，其价格无疑会受国际市场的影响，和国际及国内资本家的操纵；而各种洋货（农业方面的）的大量倾销，又使有些供国内需要的农产品（如米麦等等），闹出丰年成灾的怪现象。至若大丰之年（一九三六年）的粮食飞涨，那是由于汉奸或奸商们所造成的特殊现象。

（三）农村副业的破产　农村副业在中国农业经济中的重要作用，是大家都知道的。帝国主义用倾销政策给予农村副业以彻底打击，这是各种统计数字都可以证明的。

（四）农村金融的涸竭　帝国主义在这方面的破坏作用，是直接间接操纵中国的金融脉络，捉弄中国的货币制度，使原来保存在农村方面的少些活动资金，都汇集到沿海大口岸，然后一批一批的注入它们的金库。当然中国的农村动乱，也是农业金融涸竭的一种原因，但如追究农村为何发生动乱，那又不能不由帝国主义来分担一大部分责任了。

至于和帝国主义侵蚀作用相配合，或者借帝国主义来延续它的生存，增强它的魔力的封建势力，那是用下面几种的活动来发挥腐烂和破坏作用的：

（一）高利贷的活动　随着农村破产，或金融涸竭而肆其淫威的，就是旧式典当，旧式放款以及在某种限度内的新式农村贷款一类的高利贷活动。从事这种活动，不单是国内的土豪、商人、买办资本家，就是对中国乐善好施的“友邦”人士，也特别努力。华北的天津济南青岛，华南的厦门福州乃至长江流域的上海汉口等地，都有他们在从事此种活动。

（二）捐税徭役的榨取　事实上，高利贷活动不但和帝国主义的榨取方式配合，也和封建榨取的其他方式配合。例如，由外货倾销所造成的巨额入超，由工业破产所造成的失业洪流，乃至由都市及农村失业动乱所要求的救济与镇压，在在皆有促使中央和地方政府收入减少支出增加的倾向；换言之，即有增繁增重其捐税徭役的必要。结果就引起普遍增加捐税和徭役；废除苛杂的效果如何，是众所周知的。

（三）圈地和土地掠夺　这种活动的前哨（日本帝国主义在满洲华北各地，任意圈划中国人民土地，这里且不论及），主要是所谓“匪区”的扩大，但其实除江西、福建、四川、湖北、陕西、甘肃等省“匪区”而外，由高利贷压迫，由水旱灾压迫，由捐税徭役压迫，而实行离乡别土的众多农民所遗下的土地，不也是在多种方式之下，集中到贪官污吏土豪高利贷者的手中了么？至于官圈或非官圈的土地的用途，那并不是用以从事较大规模的或大规模的新式经营，而是多半让它荒废。此外，由筑堤筑路导河作坝所圈占的大量土地，虽其作用不同，然在某种方面增大中国农业的灾难，则并无二致。

总之，上面这种种事实，是帝国主义与封建势力共同摧残中国农业的如实说明，而本文前节所说中国农业生产行程总崩溃的真相，或表现在那种总崩溃现象中的各种农业问题，从这里，都可以得出解决的途径或端倪。

四　今后的救济方策

关于中国农业生产行程总崩溃的救济方策，即是关于农业问题的解决方策，这里没有详细解说的机会，不过根据我们前面所论到的中国农业问题的症结，也可以知道，当前国内学者及行政当局所提倡的或进行的许多方策，都不曾触到痛痒之处。例如实业部的改进农业四年计划（目前已在部分进行中），如发展农业金融，设立耕地合作社、设置农业仓库，实行农业推广，筹设并整理全国农事试验场，设立农具研究制造厂，改进蚕业等等，就计划本身看来，也很头头是道，但一把帝国主义和封建势力的破坏作用，以及已经破坏的深度，一加考量，就知道这种枝节的改良的办法，决没有很大用处。即使在极短的期间，在极小的地域，对于奄奄待毙的农村，能有万一的救助，但是对于陷在总崩溃惨状的全国农业，并不能有济于事。至于在这种救济办法之外，提出了五颜六色的农村统制方案，如像土地统制、农村金融统制、农村生产统制、农产物运销统制等等，都和实业部的四年计划一样，没有收到多大实效的可能。因为在帝国主义力量深入内地，而又参错着封建势力的国度里，施行任何统制的结果，终会发现“此路不通”。因此，真能解决中国农业问题的方策，只有下列的途径：

（一）中国农业问题的解决，和整个中国经济问题的解决，不能分开。

（二）铲除帝国主义和伙同帝国主义狼狈为奸的封建势力，是解决中国经济问题，也就是解决中国农业问题的主要关键。

（三）所以研究并施行如何打倒帝国主义及封建势力的步骤，那才是解决中国农业问题的开端。

（王渔邨）

第八讲　中国交通问题

一　中国的交通事业

交通是指两地的人民互相来往互相传达音信而言；因而所谓交通事业，就是指的便于两地人民来往的各项建设与设备，譬如土路、公路、铁路的开辟和修筑，海空航行线的建立，以及车辆、船只、飞机等设备，更广泛点说，邮电事业的开发等等，都包括在交通事业这一项目之下。这种交通事业的发展，无疑是能够促使工商业前进的，因为它使商品的流通范围扩大起来，同时又使商品的流动过程迅速起来。我们总还记得十五六世纪西欧指南针的发明，以及航海术的改进，十八世纪火车与汽船的发明，对于欧陆各国的产业勃兴，起了如何策动的力量吧。不过在另一方面，我们更应认识，交通事业的发展本身，在根源上还是受着工商业——更明确点说，是受着当时社会生产诸力以及生产诸关系的发展所规定的。譬如上面所说的指南针和航海术的发明和改进吧，实际上全在当时兴盛的商业资本主义经济（以工场手工业为其主要基础）积极要求向外扩大市场这一刺激之下，才形成这样可能的。假使当时英伦三岛，欧陆诸国，以及地中海北岸诸重要城镇，商业资本还未曾充分发达，工场手工业还未曾烂熟到力求国外市场的地步，那么这些发明与改进之是否能够存在，就简直是难以想像的事。至于火车与汽船，更是英国产业革命直接的产物。再就中国为例，说远的，如指南针航海术都发明在千余年之前，但终未尝发现新大陆，甚至还不曾被广泛应用而稍加改进；近的如一八六九年时，满清政府以二十八万两规银赎回通车未久的外人敷设的淞沪铁路，并将路轨撤毁，投诸台湾海中，一方面固然和民间的猛烈的排外心理以及闭塞风气有关，而另一方面更重要的，正是说明中国当时的商品经济极形狭隘，对于那种新式交通工具，还根本感觉不到需要。所以社会的交通事业，在根源上是随着该社会的工商业的发展而发展的，虽然在它发展以后能有促进工商业再向前发展的反拨作用，然亦不过止于反拨作用而已。

这一定律应用到先进的资本主义国家是完全符合的，譬如产业革命在英法德诸国先后登上历史舞台以后，铁路与轮船就相应地发展起来，苏彝士运河也开辟出来了。但是因此就说这一定律能够依样葫芦地完全适用于中国，那未免就要陷于太机械，太单纯的错误。因为一谈到中国的任何问题，我们就不得不注意中国社会的半殖民地性。中国自一八四二年鸦片战争以后，特别自前世纪的九十年代以后，早已不是一个主权完整的国家，它的一切设施都要受外来帝国主义的摆布，交通事业当然不能例外。因此在羊角车、骡子和苦力载运着货物的山路旁边，会有恶魔一般的火车的行列窜过；在大小帆船密集的口岸中间，也会有高大的轮船出现，近数年来就连飞机和无线电站也在内地露面了。这些指明中国新兴的各项交通事业是早熟的，不是顺应着中国本身工商业的发展和要求，而是由各帝国主义国家偏面地移植过来，因此这些新兴的交通事业，十九都控制在外来资本之下，都替外货外资侵入效劳，同时各种交通事业的发展，也不会是中国国民经济（民族资本）发展之必然的前提或结果。

各帝国主义国家这样努力地将各项前进的交通工具移植到中国来，当然是不怀好心的，它们的唯一目的，即在确立它们的侵略基础，并使各项侵略得以顺畅地发展：第一，它们的过剩商品可以不受山路帆船的限制，得到大量地迅速地流入中国的穷乡僻境，将所有的农民都束缚在它们的资本之下；第二，它们的海陆军必要时亦得以顺利地开入内地，支持并扩大它们的侵略或镇压殖民地革命。近年来因为世界经济恐慌的影响，不特中国本身渺小的交通事业受到打击，就是列强在华的交通事业也感到不景气，这是事态的一方面。同时在另一方面，因为列强备战的猛烈以及加紧对殖民地的侵略，中国的交通事业又以战神吹打手的姿态繁荣起来。这种变态的繁荣，更因近年来中国内地政治上和军事上的不安，而被人为地促进。这是中国近代交通事业发展史中应加注意的一种新趋势。

以上我们对于中国的交通事业作了一个总的说明，以下对于四大交通部门——航运、铁路、公路、航空，加以个别的检讨。

二　喧宾夺主的航业

中国的新式航运业是帝国主义一手造成的，远在前世纪六十年代就出现了，我们可以将它分成国际和国内两方面来检讨。国外航业就是和别国的海运往来，表面上是采取互惠的原则，即相互开辟一定的商埠，容许彼此商轮往来。但是因为中国的国际贸易完全被帝国主义所垄断，贸易的最大部分是外货的大超，输出的土货也全由条约口岸的外国洋行经手包办，再加上自己又没有雄厚资本来支持海外航运，所以实际上海外航业全是帝国主义独霸的世界。譬如一九三二年中国各口岸往来外洋的船舶共计四四五四〇八〇五吨，其中华轮只占百分之七点九。再如上海一埠吧，一九三三年往来外洋的船舶共计一七八八一九二八吨。其中华轮仅占百分之〇点八。这种比例关系，自海禁开放八十余年以来，丝毫没有改善，每年运费损失之巨，在数千万元之上。至于本国的内河航业，本来是一国国家主权所在，对于外轮并不开放的，但是中国却是例外，容许列强在我们的珠江长江海河甚至深入湘江川江，经营定期航业。中国国内航行权的丧失，开始于一八四二年的《南京条约》及一八五八年所缔结的中英《天津条约》。（该约第四十七款称："英商船只得在约内准开通商各口贸易……"。此外该约第三十款及三十一款亦有连带关系之规定。）嗣后各国按照互惠协定，享受同等权利，这样中国国内航行权就对列强全部开放了。而且在这方面，华轮因资力有限，经营不善，又全为外轮所操纵，例如在本世纪初年，外轮有一五二〇〇〇吨，华轮仅五四〇〇〇吨，仅及前者三分之一，这种喧宾夺主的形势，近年来仍无多大变更。中国航业之半殖民地性，由前述两方面看来，真是毕露无遗了。

我们假使要想更具体地晓得中国民族航业难与外轮抗衡，以及近年来所受经济恐慌的打击如何严重等情形，只要提到招商局的改组就可了然。该局开办迄今，已有六十余年，一九三二年冬，终因"九一八""一·二八"等影响，无法支持，交由财交两部整顿，但是整顿迄今，该局所负的巨额债款，仍无法应付。每年营业利润，不足偿付所欠英美银行的外债。一九三七年起，该局欠汇丰的债务办法解决，此后的情形或许会稍有生气。至于外轮，它们虽然也受经济恐慌的影响，但是它们可以用雄厚资本及各种特权来打击华轮，以弥补其损失，所以英商的太古、怡和，尤其是日商的日清、大阪等公司，近年来仍能扩充其业务，维持其原有势力而不堕。

说到这里，我们要来看看英日两国在华的航业争霸战。本来，英国在华的航运势力较日本强得多，尤其是当“九一八”“一·二八”事变前后，因国内抗日抵货运动的热烈，英商遂更占优势；不过近一二年来，英日间的阵容已生变化。第一，中日“亲善”政策推行的结果，日轮在华已毫无政治上的阻力。第二，近年日本对华贸易昂首突进，日本航业自然就积极活跃起来。尤其重要的，自一九三四年八月以后，源源不绝的私货，使英商（华商当然不用说）在华北华中的货运，大受打击。第三，华北政权的日益傀儡化，日本资本对华北的控制，天天加强，使日货输入华北，日资投入华北也更加积极，这无疑的就使华北航运，落入日本手中。在日本侵略下，英轮固然也相形见绌，不过受到损失顶大的，总是华轮。华北几家较大华商航业公司陆续都被日本所强制收买，今日的华北航业，已步东北后尘了。华南和华中的华商航业，虽则竭力挣扎，但也奄奄一息，勉强自保而已。所以，我们应当特别注意：近年来日轮这样猖獗，很明显地和它对华整个侵略的加紧，是保有密切关系的。

三　突飞猛进的铁路

各帝国主义国家对于中国的铁路敷设权，比对于中国的内河航行权更加注意，因为它不仅可以使商品普遍流转，而且铁路所经过的地方还会变成它们所独占的势力圈，所以中国铁路的发展史，同时就是列强在华的争霸史，过去如此，现在也还是如此。

中国的铁路建设虽然早在一八六三年就已发动，但是显著地进展终在一八九〇年以后。各路的兴筑虽然大部分皆为借款方式或合资方式，但实际已与割让无异（其中获得路权最多的为英国，日法德次之），所以直到目下为止，我们的铁道部却不能算是国有各铁路的主人，而是这些铁路的债务奴隶。据最近发表的统计，国内各路所负债务，尚达十二万万元以上，外债占十分之九，每公里约负外债十万元以上，中国的铁路事业过去所以不能正常地发展，负担巨额外债也是主要原因之一。我们晓得自顾孟余氏于一九三二年掌理铁道部以来，历任铁道部长都曾运用各种“整理”方法，将各项铁路收入增加起来，但结果仅使伦敦我国国有铁路的债券行市转趋稳定和上涨而已，对于中国铁道主权的收复，国民经济的发展，究竟很少补益；所以铁道部的一切努力，在客观上不免是为帝国主义效劳了。

其次，我们更须注意到最近新筑若干铁路对于中国国民经济的影响。最近所完成的正在积极兴筑的最重要的铁道，是粤汉路、钱江大桥、玉萍路、陇海路及同蒲路等等。我们首先要指出，这些新铁路还是和外资有着密切关系：粤汉路是英庚款，钱江大桥大部分是英款，玉萍路是法西德国和意国资本，陇海和同蒲又都和法资有关。光是利用外资我们就说是替帝国主义者效劳，事情决没有这样的简单。问题是在：我们利用外资，对于我国国民经济和抗敌御侮工作的进行是否有利？平心静气地说，目下中国的铁道建筑，已经摆脱了四十年前完全受帝国主义强制支配的路线和划分势力范围等的错误，这是差堪告慰的。但是假如说这就是国内工商业发展的反映，或者说，这就会促进民族资本独立的发展，那未免是过于主观的论断了。不要说在破产中的民族资本，决不能成为促进筑路的主力，就拿这些新筑铁路所经过的路线来说，它们也还是贯通腹地，分别联接着在帝国主义金融军事控制下的各主要条约港口的。这就是说，它们只便于外国商品和资本的侵入，只便于中国土产原料的被掠夺，而因此所造成的所谓“市面的繁荣”，不过是半殖民地化过程的繁荣而已！一九三六年粤汉路筑成了，大家都以为湘米销粤的问题便可以解决，但是结果倒反引起外商和贩洋米的买办们联合进攻，结果洋米免税记账，倒反造成了奖励洋米输粤的现象。所以，建筑铁路是否就会有利于中国的国民经济，还是要看其他社会条件来决定的。

说到抗敌御侮，无疑义的，建筑铁道是可以巩固国防的，但是另一方面，假使我们不了解抗敌战略上的意义，同时又不能适当地去布置战线的话，它也可以是

“自撤门篱”，中国著名军事专家杨杰将军曾经指出，中国应当采取长期抵抗的疲敌战，以抵抗日本侵略，争取最后胜利。因为我国具有采用这种战略的二大条件：一有广漠无际交通不便的领土，二有取用不尽的自然的人力的资源。然而现在所积极兴筑的陇海浙赣粤汉三大干线，都是自东到西，自北到南地贯穿着中国腹地，而个别地联接到海州上海广州，完全在敌人海军力量所能控制下的口岸。这样的铁道建设，技术上的错误，至少已经自毁抗敌战略的有利条件，同时在客观上又为敌人造成海军登岸后进攻的优势了。

最后，我们在这热闹的“铁道年”中，还要郑重地提醒大家的注意：这一二年来，我国的四大干线，北宁平京平汉平绥，不仅变成了日本私货侵入的大动脉，而且已经变成日本运兵装械侵占华北的主要根据了。尤其荒谬的，日本还在强迫我们兴筑津石路，以便取井陉的煤，拊晋省之背。所以，假如一面为了国防而兴筑新路，而另一面又为了邦交而奉送干线，那就是极端矛盾的事情。但是不幸得很，我国铁道事业却正在这种矛盾中挣扎呢！

四　一日千里的公路

行驶汽车的公路在中国是比较后起的交通事业，它引起我们的注意，还不过是这六七年来的事情。中国全国的公路在一九二一年仅一千余公里，到一九三一年才增至六万六千余公里，截至一九三五年为止，更增至九万公里以上。公路建设这样迅速地发展，其主要原因，一九三五年的《中国经济年报》曾有极透彻的指出，它说："政府当局以这样大的努力和千万元的金钱来进行公路建设，最最重要的原因就是便利运兵剿赤。前几年赤军主力在江西，所以江西公路发展特别快。一九三五年赤军主力西移到湖南、贵州、四川、陕西一带，于是这些地方的公路运动，也就俄然而起了。以四川为中心的川黔、川鄂、川甘、川陕、川康等路，皆先后动工兴筑了。公路发展依附军事的特质，这是极其显著的例子。"，因此，那怕近年来国民经济日趋衰落，公路还是可以单独繁荣的。

在这样的契机之下发展起来的公路，要想在营业上获有盈余，当然是困难的，所以除掉贯通省市的少数干路外，大多皆在亏蚀之中。路政当局为了减轻损失就将客货车价增高（一般总要比火车取费高过三倍），结果就连促进工商业的反拨作用亦难产生。我们假使想全盘理解公路建设对于社会经济的影响，我们还该把视线投到公路建设的过程中去。第一，年来筑路经费，大半皆用各项捐税名义，取自民间，同时筑路的工人，大半又是徭役式的征工，所以人民对于公路有二重负担的痛苦；第二，公路所经各地，往往要毁坏田产，据估计目下被毁者已达一万万亩左右，这对于农村生产力的破坏，又是一个极有力的杠杆。所以对于目下公路建筑的单独繁荣，确是付了巨大的代价的。

说到现在，全国和平统一的前途，正在大大的开展；公路建设此后或可减少军事上被动的成分，所谓无计划的筑路和浪费的不经济性，或者也可随之避免。因此，不论旧公路的整理和新公路的建筑，今后都应当以注意国防为原则才对。这样，不但消极的不致自毁长期疲敌战的优点，而且积极的还可以适当利用公路的长处以增长抗战的力量。

五　天下三分的航空

民用航空事业可说是交通利器中最进步最锐利的一种，同时也是军事设备上最重要的一角，而且这两者的关联，比商轮与兵舰的关联还要密切和容易转化。在第一次大战中，航空机主要用于侦察，但在未来大战中，它将是主要的作战工具。所以近年来英美列强除掉拼命赶造兵舰以外，还要努力航空"建设"。中国是未来大战的主要对象之一，因此列强的航空战线也就布防到中国国境上来了！

在中国交通史上，航空事业的出现比公路还要迟，真正开始的年代是在一九二九年，到现在还只有七八年的历史。在这七八年间，起初只是美德两国资本的对抗竞争，到现在加入了日本，造成了天下三分的争夺现象。美帝国主义第一因为与中国远隔重洋，第二因为中国的铁路事业，它差不多没有占着份儿，所以它非向这新兴的交通事业加倍努力不可。因此中国航空公司就于一九二九年在它的扶翼之下成立起来，名义上虽为合资，实际上则全为美国资本所操纵。中国的航空交通大半都握在它手中，它历年营业发展之迅速，可从下表看出：

年份	飞行哩数	乘客哩数	乘客人数	邮件公斤数
1929	93,167	106,375	354	3,932
1933	1,024,963	1,451,384	3,000	49,216
1935	1,950,000	5,875,000	10,400	64,000

德国资本争夺中国航空霸权的代理人是欧亚航空公司成立于一九三一年，规模较小于中国航空公司，它的业务，也日在发展之中，例如：

	飞行哩数	客运人数	货运公斤数	邮运公斤数
1931 － 1932	136,200	941	4,131	412
1933 － 1934	486,902	1,074	4,302	4,079

至于号称三大公司之一的西南民航公司，其营业范围只能限于一隅，甚少发展，正与招商局为怡和、日清所压倒一样。年来除中国欧亚两公司力图发展，相互竞争以外，法国也在暗中活跃，与宁桂当局密谋开办中法航线。英国因为过去在这方面落后一步，年来亦加倍努力，想使香港变为远东航空的中心，把帝国远东航线从印度新加坡一直延长到香港，英法列强在这方面的竞争虽然非常激烈，不过都没有独特的成功。

直到最近，中美直航的试飞成功，英国同意以香港为美国航机的终点，中英美三国航线都在香港接通以后，远东航空界已经发生了新的剧变：第一，中国全部的航线（惠通公司除外）已经成为英美在远东航线的一部分，而且直接受其控制；第二，英美远东航线的妥协，透露出英美在中国问题上相当合作的前途。

然而此外，却有非常不祥的现象，这就是中日合办的惠通公司已于一九三六年十一月开办。它有航线六条，不但网布冀察两省，将华北交通直接和东北航线联接起来，而且自一九三七年六月一日起，已经实行将与东京直接通航了。这是日本帝国主义在交通方面征服华北的又一巨大成功，而是我国民用航空事业稀有的耻辱。惠通与中国欧亚最大不同的地方，便是它带有更多的军事侵略性，少具商业性。实际它是受着关东军和华北驻屯军的节制，只是军部用飞机队的变形罢了。

以上我们已将中国交通事业的四个重要部门，加以扼要的叙述，其中有两根红线差不多是贯穿着每个部门，一是列强对华交通事业的策动与争夺，一是国内外的军事要求使各项交通建设更畸形地发展。因此我们可以说，中国交通事业的发展不是本国国民经济发展以后的产物，而是适应帝国主义开发市场，征服落后国家的要求。到目前这战云密布的年头，它更能在国民经济的废墟上继续成长起来，这是中国交通事业的特质。这一特质在过去赐与我们的是苦难和悲惨的牺牲，将来呢，也将是更大的苦难和更悲惨的牺牲。所以当这危急存亡之秋，我们非用集体的力量将这特质摧毁，使中国交通事业的开发，变为我们国防自救的武器不可！

（骆耕漠）

三联经典文库第二辑简目

《游击战教程》　明凡 / 著

《游击战术纲要》　陶剑青 / 编著

《汪精卫卖国的理论与实践》　钱俊瑞 / 著

《抗战以来》　韬奋 / 著

《陕行纪实》　楚云 / 著

《随军散记》　沙汀 / 著

《被日寇囚系半载记》　王研石 / 著

《倭营历险记》　房沧浪 / 著

《活跃的新西北》　田影 / 编著

《保卫华北的游击战》　刘清扬　陈北鸥等 / 著

《徐州突围》　《徐州突围》编委会 / 编

《沦亡的平津》　长江　小方等 / 著

《淞沪火线上》　胡兰畦等 / 著

《瞻回东战场》　长江　罗平 / 著

《东线的撤退》　胡兰畦等 / 著

《抗战中的西北》　徐盈 / 著

《鲁闽风云》　徐盈等 / 著

《西线生活》　西北战地服务团集体创作

《中国解放区见闻》　［美］福尔曼著 / 朱进译

《全面抗战论》　潘汉年 / 著

《日本的间谍》　范士白自述 / 尊闻译

《日本大陆政策的真面目》　国难资料编辑社 / 编

《民众动员论》　李公朴 / 著

《中国外交史》　钱亦石 / 编著

《太平洋军事地理》　蒋震华 / 著

《世界经济地理讲话》　思慕 / 著

《列强军力论》　［德］马克斯·威纳尔著 / 宾符　仲持　梅益等译

《近代国际关系史》　张铁生 / 著

《太平洋现势手册》　沈志远　石啸冲 / 编著

《近代世界政治史》　钱亦石 / 著

《从战争到和平——一九四五年的世界政治》　乔木 / 著

《战后日本问题》　思慕 / 著

《最近一年间的国际动态（1946.7—1947.6）》　《东北日报》社 / 编

《论政党》　翟放 / 著

《法与宪法》　韩幽桐 / 编著

《中华民国宪法刍议》　罗家衡 / 著

《民主·宪法·人权——作之民》　费孝通 / 著

《宪法论初步》　潘念之 / 著

《对反民主的抗争》　韬奋 / 著

《农村改进的理论与实际》　江恒源 / 著

《上海产业与上海职工》（上下）　　朱邦兴　胡林阁　徐声 / 合编

《陶行知教育论文选辑》　　陶行知著 / 方与严编

《中国通货膨胀论》　　杨培新 / 著

《中国及其未完成的革命》　　H·普拉特著 / 蒋天佐译

《中国的建设问题与人的训练》　　卢作孚 / 著

《论中国特殊性及其他》　　艾思奇 / 著

《中国经济问题讲话》　　钱俊瑞　徐雪寒　王渔邨　姜君辰　骆耕漠 / 合著

《中国经济的道路》　　许涤新 / 著

《中国财政之病态及其批判》　　孙怀仁 / 著

《官僚资本论》　　许涤新 / 著

《五四运动之史的评价》　　陈端志 / 著

《中国通史简编》（上下）　　中国历史研究会　范文澜 / 主编

《论文学的工农兵方向——读〈在延安文艺座谈会上的讲话〉》　雪苇 / 著

《中国近代史（上编　第一分册）》　　武波 / 编著

《文学百题》　　傅东华 / 编

《中国史学之进化》　　周谷城 / 著

《论民族形式问题》　　胡风 / 著

《论批评》　　荃麟等 / 著

《中国史纲》（第一卷上下、第二卷上下）　　翦伯赞 / 著

《近代中国思想学说史》（1–4）　　侯外庐 / 著

《中国政治思想史》（上下）　　吕振羽 / 著

《中国哲学史纲要》　　向林冰 / 著

《中国政治史讲话》　　钱亦石 / 著

《中国社会经济史纲》　　王渔邨 / 著

《新财政学大纲》　　千家驹 / 著

《太平天国革命运动论文集——金田起义百周年纪念》

　华北大学历史研究室 / 编

《理性与自由——文化思想批评论文集》　　胡绳 / 著

《战斗者的诗人》　　黄药眠 / 著

《国语文法》　　曹朴 / 著

《教育哲学》　　张栗原 / 著

《妇女问题讲话》　　杜君慧 / 著

《婚姻 · 子女 · 继承》　　沙千里 / 著

《性教育新论》　　布士克　雅各生合著 / 董秋斯译

《狱中杂感》　　杜重远 / 著

《七人之狱》　　沙千里 / 著

《爱迪生传》　　伍况甫 / 译

《歌德自传》（上下）　　歌德著 / 思慕译

《尼赫鲁自传》　　［印度］尼赫鲁著 / 毕来译

《列宁传》　　［苏］凯尔任采夫著 / 企程　朔望译

《罗斯福总统传》　　C. Mackenzie 著 / 张尚之译

《托尔斯泰传》（1–3）　　［英］阿尔麦 · 莫德著 / 徐迟译

《革命文豪高尔基》　［美］亚历山大·康恩著 / 韬奋编译

《鲁迅纪念特辑》　新中国文艺社 / 编

《回忆鲁迅先生》　萧红 / 著

《人民文豪鲁迅》　平心 / 著

《亡友鲁迅印象记》　许寿裳 / 著

《鲁迅思想研究》　何干之 / 著

《鲁迅研究》　夏征农 / 编

《过来的时代：鲁迅论及其他》　雪峰 / 著

《电影戏剧表演术》　洪深 / 著

《日常心理漫谈》　［美］约瑟夫·查斯特罗著 / 曾宝菡译

《心理常识漫话》　朱智贤　杨云美 / 著

《读书的方法与经验》　王任叔 / 著

《美国黑人生活纪实》　［美］加德维尔　斯坦倍克著 / 董秋斯译

《初访美国》　费孝通 / 著

《事业与成功》　［美］马尔腾著 / 汪原放译

《萍踪寄语（初集）》　韬奋 / 著

《一生的幸福前途——〈生活周刊〉信箱选集》　生活书店 / 编选

《深刻的印象》　生活周刊社 / 编

《海外的感受》　生活书店编译所 / 编

国家出版基金项目
NATIONAL PUBLICATION FOUNDATION

《三联经典文库》

第二辑

2012年国家出版基金项目

三联经典文库

146

论中国特殊性及其他

艾思奇 著

生活·讀書·新知 三联书店

图书在版编目(CIP)数据

论中国特殊性及其他 / 艾思奇著. -- 北京 : 生活 · 读书 · 新知三联书店, 2014.1

（三联经典文库第二辑）

ISBN 978-7-108-04664-2

Ⅰ. ①论… Ⅱ. ①艾… Ⅲ. ①马克思主义哲学 – 文集 Ⅳ. ①B0-0

中国版本图书馆CIP数据核字(2013)第246501号

146 论中国特殊性及其他

责任编辑 邵慧敏
封扉设计 蔡立国
责任印制 常宁强
出版发行 生活 · 讀書 · 新知 三联书店
(北京市东城区美术馆东街22号)
邮　　编 100010
经　　销 新华书店
印　　刷 北京鹏润伟业印刷有限公司
版　　次 2014年1月北京第1版 2014年1月北京第1次印刷
开　　本 787毫米×1092毫米 1/32 印张 10.25
字　　数 144千字
定　　价 38.00元

《三联经典文库》出版缘起

适逢生活·读书·新知三联书店八十华诞，为弘扬传统，接续文脉，回报读者，服务社会，我们决定策划出版《三联经典文库》。

1932 年 7 月，生活书店在上海创办，此后，读书出版社和新知书店相继成立。本文库第一辑、第二辑所选图书，来自于这三家出版单位及其分支机构，以及 1948 年生活·读书·新知三联书店成立后的出版物，始于 1932 年，截至 1951 年，两辑各一百种。此为第二辑，涉及政治、经济、社会、军事、思想文化诸领域，涵盖专著、文集、散文、小说、诗歌、传记、报道等体裁，既有直面现实、追求真理、讴歌真善美、抨击假恶丑的原创作品，又有引介世界各国先进文化、传播新知、开启民智的迻译之作，真实记录了那一代知识分子的思考与探索、理想与愿景和对中华民族文化传承与创新所做出的努力与贡献。

本文库所辑入各书，多为名家名作，在版本方面，以初版一印本或经著译编者审定、修订、增订过的版本为首选，因此本文库又具有较为珍贵的版本价值和收藏价值。

本文库还将编选续辑，使之成为恢弘文化工程。诚挚希望读者给予批评和指正，帮助我们完善编选工作，再现三联经典作品之风采。殊为遗憾的是，由于年代久远，一些原著译编者及其后人未能取得联系并奉付稿酬，诚盼版权所有者与我们联系。祈愿三联前辈所创造的精神财富能薪火相传，为中华文化的伟大复兴增光添彩。

《三联经典文库》编辑委员会

2013 年 8 月

凡　例

一、本文库为重排本，由繁体字竖排版改为简体字横排版。

一、以忠实于原作、整旧如旧为编辑原则，对当时使用的专有名词、外文译名，以及民国时期的语言和特色予以保留。

一、原书注释如旧，编者所出的注释，均以“编者注”标明，以示与原书注释的区别。

一、对原书残缺或字迹漫漶之处，以□示代。

一、对繁简文本转换时的“如右”、“见左”一类，对应改为“如上（前）”、“见下（后）”。

一、对原书中各种错讹脱衍之处，直接订正，不再以其他符号标示。

一、对数字、标点符号的用法，在不损害原文语义的情况下，做必要的规范。

一、本文库各书均前插原书书影、原书版权页和文库版“本书出版说明”。

一、本书出版说明的撰写，以客观中立为原则，扼要介绍本书的内容、版本流转、著译编者的情况。

本书出版说明

本书收录了作者于1936-1940年撰写的论文三十篇，分四部分，按写作时间编排。第一部分包括《目前中国文化界的动向》等十一篇，主要论述在民族革命战争的大背景下，如何认识文化运动、联合战线、爱国主义、知识分子、马克思主义中国化等问题；第二部分谈哲学，包括《民族解放和哲学》等七篇，阐述在民族解放的实际问题上哲学所承担的任务，对比形式论理学的原理及缺陷，深入分析辩证法在其基础上的批判吸收，并论述辩证法唯物论的特点、研究目标及研究步骤；第三部分论文艺，包括《海涅的政治诗》等六篇，其中涉及对海涅政治诗的评论，新形势下对国防文学的提倡，继承发扬旧文艺传统的目标和基本方式，以及对文艺工作者关注时政的倡导；第四部分为杂论，包括《我怎样写成〈大众哲学〉的？》等六篇，谈及作者写作和翻译时的感悟和心得，就事业和职业间关系问题为青年解惑，也谈及民主原则、难民等问题。

本书由辰光书店于 1941 年 5 月初版，此次出版即以此版本为底本。

艾思奇（1910-1966），原名李生萱，云南省腾冲人。蒙古族后裔。早年留学日本。1935 年加入中国共产党，任上海《读书》杂志编辑。1936 年与李公朴、黄洛峰等创办读书生活出版社。1937 年赴延安，历任抗日军政大学主任教员、中央研究院文化思想研究室主任、中共中央文委秘书长、《解放日报》副总编辑。1949 年后，历任中共中央党校哲学教研室主任、副校长，中国哲学学会副会长，中国科学院哲学社会科学学部委员。1966 年 3 月在北京逝世。著作有《哲学与生活》、《艾思奇文集》，主编《辩证唯物主义与历史唯物主义》等。

生活 · 读书 · 新知三联书店

2013 年 8 月

辰光书店 1941 年 5 月初版书影

論中國特殊性及其他

著者 艾思奇

印行者 辰光書店

代售處 全國各大書店

實價國幣三元四角
（外埠酌加郵運費及匯水 成）

中華民國三十年五月初版

HK 辰0143

原书版权页

目次

目前中国文化界的动向

“衣食足而后知荣辱”，这句中国的旧话，曾经被许多人误认做历史唯物论的说明，其实这样的说明，和真正的历史唯物论是离得很远的。“知荣辱”（或者扩大一点说，“文化”）虽然和衣食有不可分的联系，而且历史唯物论也必须要承认这联系，这联系具有各种各样的条件和形态，并不是刻板的公式，并不是一定在衣食足的时候就有文化，衣食不足就始终只是野蛮的。事实上常常相反，就目前的世界来说，最不知耻的黑暗的人群，最大的文化的毁灭者，正是要从那衣食太丰足的人们中间去找，而衣食感到恐慌的人群，却往往是前进的生活和文化诞生的基础。自然，这里是有一个例外的，那就是苏联；只有在苏联，那生活和文化的提高才常常和衣食丰足的程度形成正比例的发展，因为他们的衣食的丰足，是自己创造得来，而不是从另外的人群或国家掠夺来的。

衣食（或者一般地说，经济生活）和文化确实有密切的联系。人类的经济生活是人类文化的基础，而人类的文化又只是经济生活的上层建筑。但这种联系，并没有证明有钱人一定文明和穷人一定野蛮。这联系只是表现为这样的事实：哪怕是在社会上处于被屈辱的地位的人，哪怕在这地位上不断地感到经济生活的恐慌和穷乏，如果这恐慌和穷乏是逼着他们向上，逼着他们对屈辱和被掠夺的现状起来反抗时，他们的反抗的努力就是“知荣辱”的表现，他们在反抗的努力中就同时会促进（至少会要求）了文化的向上。反之，对别的国家或人民实行侵略掠夺，或者帮着侵略者掠夺别人，以达到自己的丰衣足食的人，才是真正“不知耻”的人群，是文化的破坏者。

中国的近代史，是在帝国主义的侵略之上发展过来的。在这被侵略的过程中，中国的民众是一天比一天更广泛地陷入屈辱和穷乏的深渊里，同时也就是被迫到不能不起来反抗的境地。而另外的少数人，特别是为要维持丰衣足食的优越生活的人，却不能不一天天地投降到帝国主义的旗下。在这两种极端化的过程中，是存在着许多游移的中间层的，他们可以成为反抗的战士，也可以成为奴隶，然而他们终于是要分化，而在二者中间选择一条道路。这是中国近代史上的内在的矛盾，这使得中国近代社会发展中的一切纠纷都带着民族革命的意义，带着做奴隶者和反抗斗争实行者中间的争斗的内容。做奴隶者在文化上所走的道路是开倒车的路，是毁灭文化的路。只有反抗的战士的道路才是前进的路，才是促进文化的路。

这样的两条路，是在中国近代史一开始的时候就摆列在我们民众的前途上了，但如果不是发展到了目前的阶段，也许这不至于带着这样特别的明显性和触目性而暴露出来的吧。目前阶段的中国历史，是走进了新的形势中，而中国的广大民众，也获得了一种新的觉悟。敌人使中国殖民地化的行动，是在目前的阶段上进展起来，从各国的势力范围圈进入到一国的独占，从间接的政治经济支配到直接的干涉的掠夺（如走私等）。这一切，使得游移的中间层也不能再游移了。做一个保卫国家的战士呢，还是做一个出卖民族的汉奸呢？目前的情势逼着人不能不快快选择一条。然而敌人的直接干涉和掠夺，使得做汉奸的人的活动范围也缩小了。只有反抗才是出路，虽然这也免不了牺牲。要做无耻的汉奸而保持生活的优越，却并不是绝对稳妥的事，所以，目前的形势要我们选择的已不是做奴隶而荣耀，或做战士而难免牺牲的两条路了，目前的中国民族只有一条生路：这就是为国防而战。

为国防而战，是目前中国最广泛的民众所急切需要的行动。这需要是最广泛的（各阶级各党派），因为敌人的新的侵略动摇了最广泛的人民生活的基础，使他们在经济上都感到了恐慌，使他们因此不能不走向“知耻”的道路，这使各阶层各党派的一切知耻的人们不能不团结起来，发动一个联合的抗敌运动，这就是所谓联合战线的客观基础。在文化上，这联合战线就反映成进步的方面，联合战线推动和促进了目前中国文化的运动。

另一方面，在目前的新形势之下，拼命走着死路和出卖民族的汉奸也并没有完全消灭，只是他们所赖以立足的基础都极脆弱，甚至于说不上群众的基础。就是投降敌人，也不得不在表面上揭着虚伪的抗敌幌子；而在群众不受欺骗的时候，就只好更无耻地实行疯狂的压抑。愈是脆弱无力的存在，就愈是猛烈地想维持它自身的生命。在文化上的表现也是一样的。在目前，奴隶的开倒车的文化破坏者和联合战线的文化运动形成了尖锐的对垒，而且是特别明显和暴戾。

联合战线上的文化运动表现着一些什么特征呢？这表现在全文化领域的实践的总动员上。文化运动的联合战线运动是在政治经济和军事方面的联合战线基础上产生的，反过来，这文化运动又要用它的全力去帮助和推动政治经济和军事方面的联合战线。文化领域的实践的总动员，就是为要完成这样的一个任务。目前动员的状况，是集中在两个中心问题上：第一是对于文化的大众化的彻底的关心。文化落后的中国，大众化的运动是迫切地需要着的。尤其因为联合战线运动的最重要的基础是下层联合战线，要巩固下层联合战线，就必须使广大的下层民众更正确地理解联合战线的意义。目前的通俗化运动和新文字运动在这一点上是很重要的，虽然这两种大众化运动的作用并不仅仅限于帮助联合战线运动，然而在目前，它却必须以这为主要的任务。因为它的更高的作用也是得要在联合战线的斗争中去争取，去发挥的。

第二，是文化各部门的国防化的动员。目前文化界已经在热烈地讨论着“国防文学”，“国防科学”，“国难教育”等方面的问题，这是说，文化界各部门的人们，现在都在努力着抗敌救亡的组织。他们是要把一点一滴的有用力量都毫不遗漏地使用到救国运动上，他们要宝贵一点一点的力量，所以不论是在文化上所占的部分，派别，凡是愿意站到联合战线上来的文化人，都得把他们的特殊技能贡献给目前的任务。文化的国防化运动，显然和大众文化运动是分不开的：没有大众化运动，国防化运动就不能深入民众，没有国防化运动，大众化运动也只是空洞无内容的东西，大众化的形式，国防化的内容，是目前文化界的实践总动员的完整的姿态。

然而，目前中国文化运动的本质是什么呢？这文化运动是取着爱国主义的现象形态的，而在现象底下包含着的是什么本质呢？通俗点说，同是爱国主义，可以包含着种种的本质。我们的敌人也谈国防，但他们的爱国主义是包含着帝国主义的侵略性质；苏联也谈国防，而这个爱国主义里所包含着的本质是社会主义国家的和平政策的一方面。我们的国防又有什么意义呢？

要解决这问题，先得看一看我们的社会经济的发展是在什么阶段，我们眼前的革命是什么性质。但这需要太长的解释，这样小小的一篇文章里是容纳不下的，现在不能详细讨论，我只想顺便提一下叶青的“外铄论”。因为对于这问题有密切的关联。外铄论对于中国社会的发展有歪曲的见解：第一，它认为中国近代社会的发展全然是受“外力”即帝国主义势力的左右，因此，第二，它主张中国社会的发展是“不合规律的”，它可以“斩断了历史发展的线索”。对于这样的见解，现在也没有篇幅来详细批驳，我们只把正确的见解拿来给它一个对照，就可以现出它的鬼脸。正确的新方法论指示我们，一切发展都必然有它的规律性。揭着新方法论招牌的叶青，在中国社会问题上突然主张没有规律性，这是什么意义，聪明的读者一定可以猜透。

实际上中国社会的发展是有规律的，而且是依着一般社会发展的规律而前进。封建社会经过资本主义的阶段才能达到高级社会，这是一般的规律，因此，半封建的中国社会也必须经过资产阶级的民主革命的阶段，这是第一。其次，中国近代社会的发展受帝国主义的极大影响，这是不错的，然而这只是极大的影响，却并不是中国社会发展的全部根源。这影响是使中国发展的规律性表现出特别的形态，因此中国虽然经过资产阶级的民主革命，却并不一定要形成完整的资本主义社会，才过渡到更高的社会。但这并没有斩断了历史发展的线索，只不过缩短了这线索，甚至于可以说是促进了这线索的发展速率。

民主革命是反封建的，在外力侵略者存在的时候，它同时又是反帝国主义的，爱国主义的。民主革命表现为爱国主义，并不只是从中国今天才开始，欧洲过去已经有过很多例子了。中国的情势和从前欧洲的不同的一点，只是：中国是受着强力的帝国主义的侵略，自己的民族资产阶级简直没有机会生长起来，因此资产阶级自己没有能力来领导这一个民主革命，他们不能够形成这革命的主力。帝国主义支持着中国的封建势力，使他们强化，借此实行他们的侵略和掠夺。然而他们愈更想强化封建势力，却同时愈更促进了民主革命的发展，因为民众在这样的情势之下愈更痛苦，而反封建反帝的要求也愈更强烈。

这样，目前中国联合战线上的爱国主义的本质是很明白的，这就是半殖民地的民主革命，而且是它的最高形态，是决定生死存亡（或是解脱锁链或是全殖民地化）的最高形态。

爱国主义文化在中国的本质也是民主主义的。它和帝国主义的爱国主义的侵略性质完全不同，因为它是进步的，斗争的，而后者却是破坏的，掠夺的。但它也不是简单的欧美资产阶级民主主义文化的重复。就好像它在政治运动上已经有了更坚强（不是资产阶级）的主力一样，在文化上也吸收了近代科学的最新成果，而有了更正确的理论基础，同时也就有了更正确的策略和战术。

新的文化是在斗争中发展下来的，也要在斗争中走上它的更辽远的前途，在沙发的软垫上想建设新文化，那是空想。因此，最后我要敬告一般迟钝的文化建设家，如果真心要在中国文化界上留一点功绩的话，就该站到国防文化的联合战线上来，明白地揭出战斗的目标，具体地确定策略和战术，忠实地执行下去。

（一九三六年）

青年与战争

这一个题目是《现世界》的编者出给我做的。题目出了出来，自然是要说一些话。然而话却不容易说。如果要我板起脸孔，向青年朋友们不负责任的开教训，这或者比较简便些，但我做不来这一套，因为我自己也是青年；又如果可以说些空空洞洞的搪塞话，自然就没有什么困难，因为这只需要能够在言词上掉弄几下花枪，背一背公式，引证一些名言。然而这是不应该的，因为空论无补于实际。那么，我要怎样来说，才能够对于青年朋友们贡献一点真正有益的意见呢？

我想，我应该先把说话的对手方看清楚。我现在要讲“青年与战争”，自然是对着青年朋友们说话。但是不是全世界的青年呢？显然不是。这篇文章是不会送到全世界青年们的眼睛里去的，即使把它写成一篇对全世界青年而发的宣言，也是枉费笔墨。不要说全世界的青年，就是缩小一点，说全中国的青年吧，也仍然太大了。因为中国的青年并不是一个模型造成的，他们说的话也不能老只是这一套。走到农村里去，我们可以看见农村的青年，这些青年和都市里的青年显然不同。不论就生活条件或文化水准来说，农村和都市都是有很大的悬隔的。在职业方面，青年们所处的境况更是千差万别。他们有的在商店里，有的在军队里，也有的在学校里，有的生活在苦痛的深渊中，也有的过着骄奢淫佚的少爷生活；更有多数是失业流荡在街头。我能够把应该对农村青年说的话拿来对学生们说么？我能够把对苦痛的青年们说的话拿来向少爷之流的人说么？我能够把有职业的青年们听得入耳的话来安慰失业者么？自然每一个青年，不论是什么地方什么职业里的青年，都应该向前进，这是一个不能移易的原则。怎样才算前进呢？这也有一定原则。譬如说：你应该把个人的利益看轻一点，把社会的利益看重一点；又比如说：你应该明白，只有整个民族解放了，你才有真正的出路，所以你应该把全生命奉献给民族解放的运动。这一切一切，都是目前的神圣的原则。我如果单单抓着这些最高原则来说话，也一定可以做出一篇冠冕堂皇的大文章，适用到一切生活条件中的青年朋友身上去。然而这样的文章，给真正在生活中，在实践中斗争着的青年们看了，就未免要说这是太空洞。原则固然是神圣的，但要紧的是要能够主要地运用，才会成为活的原则。不然，无论怎样漂亮的理论，都只等于空洞的咒语，虽然也可以兴奋一下听众的情绪，但并不是现实的真理。

因此，我说话的对手方要有一个限制，所说的话也得要尽量地具体，我不必夸大说要向全中国青年宣言，我也不是对最下层最苦痛的青年说话，因为这些话直接达不到他们的耳朵，虽然最下层的青年们的苦痛是和我们的话题分不开的。我们的谈话，只能是对青年知识分子，而且是知识分子中的比较进步的人，也就是在目前严重局面下想尽一点改变现状的任务的青年人。

但现在的题目是把青年的名字联系到战争问题上去，并不是要谈一般的青年问题，因此现在得把话头转到战争问题上来。说到战争，我们也得要很具体的来谈，不要抽象的战争问题。这就是说：我们不能空空洞洞的说战争的好或坏，不能空洞地主张青年们要参加一切战争或反对一切战争。我们只应该这样问：目前我们会遇到一些什么战争？目前的战争的性质是什么？我们青年在目前的战争中应该尽一些什么样的任务？

只有虚伪的人道主义者才会说一切战争都是罪恶，他们会说：一切战争都是人类的自相残杀，而自相残杀是不对的，所以要反对战争。他们不知道，人杀人的事情，不一定是要在战争的时候表现。像帝国主义的侵略，在表现上甚至于会带着“亲善”的面貌，而无形中却不知要杀死多少人；他们不知道，同是战争，同是人杀人的现象，然而有一种战争，在实际上却能够消灭人杀人的罪恶，譬如民族革命战争，是对于帝国主义侵略的反抗，表面上是人杀人的手段，实际上却是反对人杀人。虚伪的人道主义只看见表面，而看不见实际（或本质），因此会反对一切战争，甚至于反对大多数人所需要的民族战争。

然而我们不需要战争狂。民族革命战争只在反抗侵略的范围内值得我们赞美。帝国主义者的侵略战争也常常揭着民族主义的旗帜，但这是另外一种相反的东西，它的目的不是反抗侵略，而是掠夺别人和屠杀弱小者，用民族战争的名义来巩固少数金融寡头主义者的无上统治权，只有这样的帝国主义者，才会盲目地崇拜一切战争，才会努力制造侵略战争，才会需要战争狂。

目前的战争和人们对于战争的态度，就常常有以上两种恶劣的倾向和特性。一方面是渴血的帝国主义者制造着战争狂，在法西斯蒂主义支配的每一个帝国主义国家里，军备的扩张和偏狭的民族主义宣传，实行着激烈的竞赛。另一方面，有虚伪的人道主义者在那里空口诅咒一切战争，实际上却放弃了反对战争的真实力量，或者如像一部分僧侣教士之流的人，把侵略的罪恶交给上帝或神灵去做来世的惩罚，而在现世却反而叫人忍受侵略，忍受压迫；还有，弱小民族国家的不抵抗主义者也是可以归入这一类的倾向的。不抵抗主义者不知道用自己的力量去反抗侵略，想把制裁侵略的任务交给不可捉摸的世界公道，希图坐享现成，或者想用“以夷制夷”的方法，美其名曰“利用帝国主义的矛盾”，希图侥幸避免侵略。这一个倾向，我们可以把它称做“超然的和平主义者”，所以叫做“超然”，并不是说它能够超乎战争之上，而是说它离开了争取和平的实际行动，只超然地空谈和平，甚至于反而会助长了侵略战争。

在火药气弥漫全世界的今日，一个进步的青年不应该是战争狂者，而应该是一个和平主义者。然而也决不应该做一个超然的和平主义者。他应该很切实地研究目前威胁着世界人类的战争的性质和反对战争的方法，他不用美丽的空话来诅咒一切战争，而要考虑怎样用实际的力量来消灭侵略战争，也就是要用斗争和战争来反对侵略战争。自然，这一个任务并不是青年所特有的任务，凡是真实爱和平爱自由的人，不论中年老年，都应该而且实际上已经去努力实现这个任务。我们已经看见，目前整个世界已经分成了和平阵线和侵略阵线的两大营垒。真正爱和平爱自由的人都站到和平的阵线里来，只有靠着这坚强的阵线（而不是靠空洞的道德教义），才能够打击侵略战争的组织者的势力。是的，和平阵线上的任务并不是青年人的特殊的任务。然而一个前进的青年，在目前，他对于战争的态度，就是要毅然决然地走到和平阵线里来，做一个热烈的反帝国主义反侵略战争的斗士！

目前的和平阵线是具有世界性的。因为侵略战争所威胁着的是整个世界的和平，所以和平阵线也就要动员世界的力量。但它的表现是各式各样的。在国际关系上，和平阵线的表现是外交的和平政策，是集体安全制度的拥护；在帝国主义者国家的内部，它的表现是人民阵线的斗争和黩武主义的反对；在殖民地半殖民地及弱小国家，它的表现是民族革命战争，是各阶层各党派的抗敌联合战线。中国是半殖民地的国家，民族危机的加紧，使联合战线的任务分外地迫切重要。如果要我对中国青年说话时，我自然要说，如果你们是爱和平爱自由，如果你们是要做一个前进青年的，那就应该毅然决然地起来为联合战争而努力，应该努力去组织民族革命战争，与乎反对侵略战争。

但前面已经声明过，我现在不是对全中国一切的青年说话，而是对比较进步的知识分子的青年朋友。这理由，不单只是因为这方块字的文章不能够普遍到全中国的青年，并且也因为，中国也有不少的青年朋友在生活实践中有了相当的经验，他们已经明了自己的任务，和怎样实现自己的任务的方法，他们的认识也许超过了我，比我所知道的更具体，更丰富，更真实，我所说的话，对于他们仍不免太原则，太空洞，我号召他们为联合战线而努力，这完全是多余的事。在这样的意义上，我可以说还没有资格向他们说话。我的说话只是对于比较前进，或者努力前进，而在工作上比较少有经验，或者还感觉到动摇的朋友们。他们在自身方面还没有把握到坚定的认识和方针，然而有着良好的倾向和热情，他们应该被动员起来，更正确地执行他们的使命，并且以他们为媒介，去唤醒这方块文字所达不到的，另外一些在生活的苦痛深渊里沉睡着的青年们。

是的，如果要把青年和战争联系起来的话，那我们立刻就可以回答说：现在中国的青年是遭逢到了一个神圣的民族抗战。每一个愿意前进或努力前进的青年，都要做这个战争的组织者和推动者。一个民族抗战的组织者和推动者并不是由于战争狂，而是相反地为着世界的和平阵线的利益，为着自己民族的生存和利益，也就是为着自己的生存和利益的斗争。在一切社会运动中，青年们总是最热情，最勇敢的，我们的青年也要以同样的热情和勇气去推动民族抗敌联合战线的工作。

联合战线的工作是最繁难的工作，因为它要联合利益主张完全不同的各党各派的人们。这是要有极大的勇气而同时又要有极大的忍耐，要有充分的热情同时又要有清楚正确的认识。在联合战线上如果不能把握到很正确的政策，就会弄到联而不合，弄到反而自己分裂。联合战争的目的是准备战争，然而要使这战争圆满地组织起来，所走的道路，却不单只是战争的道路，却要应用巧妙的政治策略和切实的教育宣传。

我们的青年每每有了极大的勇气而没有极大的忍耐，他们每每能够抱着充分的热情而来，不及考虑到正确的认识，结果常常会走到错误的道路上去。在联合战线的任务前面，青年朋友们的过分性急常常是左倾幼稚病的原因，对于事情的成功希望得太急，对于战友的行为的纯洁性太过于苛求，对于理论的原则拘泥得太过分，结果常常不知道细心体察客观状态，不知道一步步依着客观形势而促进战友的联合，太快地提出过高的要求，使许多有联合可能的人们不容易马上接受，甚至于因此吓走。这种现象，是在我们青年朋友中常见的，他们的目的虽然在联合，而实际上却成了关门主义，这是目前急需克服的青年朋友们的缺点。

我们现在不是谈联合战线，关于这些工作问题，这里不打算详论下去了，青年与战争的题目也就此可以告了结束。现在中国的青年，是应该努力去组织民族抗敌的战争，也就是反对侵略战争。而在这民族革命战争的组织过程中，首先要克服青年特有的一些弱点，去完成民族各党各派的伟大联合。

（一九三六年）

中国目前的文化运动

文化在中国，是非常庞杂而又极不平衡的。因为它是建立在中国这样的社会经济基础上，而中国的社会经济现象也正是非常庞杂而又不平衡的缘故。农村和都市的经济上的悬隔，也使得文化上发生悬隔。内地和沿海各省经济上的差异，也形成了文化上的差异。在上海这样大的都市中，我们可以看到近代最尖端的物质文化的存在，而在社会的下层以及内地农村里，甚至还有许多无文化可说的地方。自然我们不能忽视，中国的经济在本质上是半封建制度，在文化上也以封建性为支配的基调。旧礼教的变相的教义仍在社会上层广泛地宣扬着，至于社会下层的大多数人仍没有脱离了旧的俗流文化（像旧戏，旧小说，鬼神迷信之类）的影响。虽然这些东西已经是在不断地表现着动摇和崩坏的征候，并不能够获得大多数民众的坚信，但复古的倾向却是到处存在着的，而且还有人在不断地努力想加强这种倾向。

在这半封建的基调里面，各种各样的文化要素搀杂着，于是就有了目前中国文化上的庞杂而不平衡的现象。这种的现象是怎样造成的呢？我们要说，这是由于过去的新文化运动没有完成它自己的任务。过去的新文化运动，是在辛亥以前的康梁时代已开始了，它的任务，在这一开始时就是反封建的。康有为的君主立宪运动，就是反封建的一个最好的表现，但这运动结果是失败了，接着而来的辛亥革命，也没有把封建制度真正推翻，只把军阀的封建制代替了君主的封建制。在文化上虽然从西洋搬进了一些自由、平等、博爱的观念，但并没有明白地确定了新文化的意义，没有用新文化来动摇过孔教的一导。“五四运动”是比较彻底的新文化运动，新文化在这里有了自己的科学方法，它反对迷信与独断，对于一切都要问为什么。这样和封建的文化明白地对垒起来。这一个运动自然也留下了许多新的和进步的东西，文字改革和白话文的提倡，新的科学思想和方法的介绍，对孔教的积极的攻击，以及后来一天天占势力了的新社会科学思想的出现，都不能不说是“五四运动”的功绩，但这一个运动的社会基础并不坚实，它没有能够打倒了自己的敌人，完成应该完成的使命，只留下了一些功绩，同时仍然让旧文化并存下去。

两次的新文化运动都没有完成，它只好把自己的战斗的血渍，和旧文化的残遗一同留传下来，目前的我们，就是这些血渍和残遗的承受者，因此我们所遭遇到的文化现象，是一个非常庞杂而不平衡的现象。

但这一个文化现象，在目前是要再来一个新的运动了。

这一个运动是怎样的东西呢？这是以爱国主义为直接的主要内容的文化运动。这一个运动的发生，是由于民族敌人的猛烈的新的进攻的刺激，是由于亡国的危机的迫切，是由于民族敌人不但要灭我们的国家，而且正在用种种方法想毁灭我们的文化，使我们在文化上也要成为他们的奴隶，敌人要叫我们修改教科书，要叫我们消灭一切爱国的文化运动，敌人仇视我们的一切有关国防的物质科学的设备。敌人所要毁灭的不单只是新的文化而且也仇视我们旧文化里的有价值的要素，他们设法阻止民间的爱国连环图画的流行，旧戏中有爱国意义的《风波亭》、《走麦城》之类，他们也设法使它不能上演。

是的，他们也曾替我们宣扬孔教，也曾派僧侣来帮忙佛化，在中国许多地方强迫着建筑了一些寺庙。是的，他们也好像在替我们保存国粹，替我们宣扬旧文化。然而他们是要我们保存糟粕，把旧文化中的最有毒害的东西发挥出来。我们认为孔教是独断和迷信，而他们却要巩固这样的一个“教”。倘若单就孔子的伦理哲学来说，个别的部分也未尝没有可以采取的地方，譬如说“礼义廉耻”罢，倘是真正的“知耻”应用到目前的情势上来也未尝没有用处，因为现在最大的耻是国耻。然而敌人绝不愿意我们知道这一个大耻，却替我们奖励迷信的孔教。

这样的情形下所产生的新的文化运动，和“五四”时代及其以前的文化运动自然是不同的。就是它以爱国主义为直接的主要内容。

“五四”时代及其以前的文化运动，从根本上来说，也是带着爱国主义的意义的，辛亥以前的改革是由于屡次受到帝国主义侵略的刺激，“五四运动”的爆发，也和国耻有密切的关系。但那时帝国主义对中国国民的侵略压迫，是通过了封建的统治势力，因此，就像政治上的运动是以反对封建统治为直接目标一样，文化运动的直接目标也是旧制度和封建文化。在政治上，打倒军阀和打倒帝国主义是同样重要的，而在文化上，却特别着重反封建的运动。“五四运动”以前的文化运动上的爱国主义，是从改造自己出发的。但现在的运动，是在敌人的直接猛烈侵略的处境之下发动，自己改造的余裕已经没有了。敌人要并吞的是整个中国，即使是封建残遗，倘若是想走活路的话，也只有走上爱国主义的一途。所以，现在是要集中一切有爱国意义的文化成果，不管是旧的也好，新的也好，一致地去发挥对付外敌的作用，而不单是在自己内部做反封建的工作了。

这并不是放弃反封建，封建残遗在目前仍是最容易被敌人利用的东西，对于封建残遗的毒素，我们仍同样要抱着最大的警戒。但我们不需要“五四”以前那样单纯的反封建。就是封建文化的遗产或封建文化的代表者，倘若他能发挥出一定的美点，或者在爱国运动上有一点一滴的助力时，我们都可以接受它。我们还需要封建文化中有用的精粹，但我们也要毫无顾惜地排斥有毒的渣滓。我们不需要“五四”时代那样对旧戏持完全排斥的态度，我们还需要现在被禁上演的那一些东西。我们要排斥和忠君同类的盲目服从的思想，但如果有人讲民族气节，我们仍可以接受它。

爱国主义的文化运动完全是民主主义的性质，并且是要在民主主义的精神之下结合成文化上的联合战线。不论是资本主义的文化要素也好，封建的文化要素也好，不论是实验主义也好，社会主义也好，只要你所发挥出的是美点，都竭诚欢迎你到这运动中来，或者换一个说法，目前的新文化运动应该是一个爱国的自由竞争场。不论它的爱国兴趣浓厚也好，淡薄也好，甚至于没有一点爱国的表现也好，只要不是帮助敌人，这里都有它的一席座位。但这运动希望它尽可能地要在爱国方面有点作用，如果它的爱国的作用愈更发挥得多，那它就愈更出色；最能够发挥这种积极性的文化，在这运动中就会站在主导的地位。

这是我对于目前中国文化运动的一点原则上的见解，这是急需积极地做起来，而且需要“五四”时代以来的文化人大家合作的。

（一九三六年）

论民族不自信

中国现在还没有把民族的自信建立起来，虽然有好多次数，也曾为着民族的生存实行过激烈的争斗，总只是局部的行为，没有形成全民族的反抗运动，没有建立起全民族的必胜的自信心。“一·二八”的战争和喜峰口的抗战，虽然得到了广大民众的拥护和援助，但却毫无结果地告终了。眼前又发生了绥远的抗战也得到了更广大的民众的拥护和援助，但一直到现在，仍只是在孤军独战的状态中，许多人还采取坐视的态度。或者只声明要慎重对付，而不用实力去援助。当敌人的飞机帮助“伪匪”抛掷着炸弹的时候，我们的飞机，却令人发生“到哪里去了”的感想！

中国民族现在还不能把自己整个的力量拿出来，还没有相信这整个的力量足以克服敌人。过去虽然有人不断地驳斥过“唯武器论”的错误，但仍然有不少的人在宣传着，而且相信着，说中国在目前绝对不能反抗，因为武器和物质的准备不足。另一方面，又有人宣扬着一种过分自恃的理论。以为中国即使不反抗，也不会灭亡的，中国是地大物博，人口众多，敌人要吞也吞不完，要杀也杀不完。我们尽可以放心，再等五十年，让我们准备好了，然后反抗也不迟。

我们耳朵里面所常常听到的，就是这一类不自信的理论，或者是过分自恃的理论。过分自恃和不自信是互为表里的，因为现在不自信，所以才用过分自恃的大话来自欺自慰。因为现在不肯反抗，才用五十年后再来的话，把自己的责任推到将来，实际上却一点真正的自信力都没有。

为什么中国现在竟还不能建立起真正的民族自信力来呢？

最近承朋友的邀约，去看了一部新出的影片《狼山喋血记》，里面的故事，恰可以用来帮忙解释这一个问题。这影片描写一个被狼群围困着的村庄，村庄里的人的生活，被狼骚扰得昼夜不宁。有一天，狼群大批地来攻袭村庄，一个勇敢的猎户，带领着许多人起来反抗，终于把狼驱走了。但因为另外的一些人不能抵抗和防守，一只逃散了的狼窜进一家人家里，咬死了小孩子。村庄里的人不怪自己不能一齐抵抗和防守，却怪那勇敢的猎户为什么要放枪，为什么要带着大家去打狼，大家都攻击他，弄得这位勇敢抵抗的战士几乎不能立足。

中国的民族难道没有这样勇敢的战士，能够带领着大家去驱走侵略的狼吗？当然有的，他们曾屡次站起来抗敌，然而因为别的不抵抗者吃了窜走的狼的亏，把气忿发泄在他们头上，于是他们也屡次被自己的人攻倒了。他们本来可以做一个建立民族真正自信力的奠基者，然而经不起自己民族内部的打击，把屡次要建立起来的自信力屡次失去了。

这样的事，在中国历史上是很早就有了的，中国民族现在所以还缺乏着自信力，这是在很长的历史里就有着根据了。

就鸦片战争来说吧。那时林则徐和广州民众的反抗，不是很成功的吗？然而侵略的狼窜到别的省份去咬中国人，结果林则徐被自己的上方贬谪了。在中法战争的时候，冯子材将军不是在谅山大败了法国军队吗？但因为敌人另外去找满清政府算账，冯子材的功勋就被埋没了。抗敌的将士们受到这样的打击是要感到“英雄气短”的，有心人看见了这样的一种教训，即使有满腔的爱国热情，也常常要把一股锐气消磨了。

到了民国时代，类似的情形仍然不断地发生着，而且更复杂得多。

辛亥革命虽然在表面上给我们建立了共和国体，实际上却只落得一个军阀割据的形势。连年的军阀内战，把有实力的人养成了勇于内争的恶习，军阀相互间勾心斗角地所要做的，就不外是保全自己实力、消灭异己分子两件事。甲和乙打起来时，丙就想从中取利。丁和戊争执时，就要防御着己的暗算。庚和辛斗争时，壬就看成是自己扩张的好机会。我要消灭你，不必我亲自动手，只要使你去和他火拼；你和他关系好起来，我就要挑拨离间。互相猜忌，互相防范，是内战所造成的一般的风气。在这样的风气里，人们只知道看重自己的利益，国家民族，都被丢在脑后。谁不知道一个人应该爱国，爱民族？谁不知道保卫自己的领土是做国民的天经地义的义务？谁不知道民族敌人来了应该不容情地反抗？但有实力的人会想到：自己固然可以不顾一切前来抗敌，但只怕还没有成功，就受别人的暗算，连自己的利益都不能保持。只怕侵略的狼避开了我的枪弹却利用别的势力来把我消灭。忠于民族是不错的，但因为对民族的愚忠，反而只毁灭了自己，那却是太不值得。这样，即使有了为民族生存而争斗的良心，也没有实现这良心的勇气了。

这是民族不自信的最大事实根据，这并不是在武器方面的不自信，也不是在战术上的不自信。这是对于自己民族团结力量的不自信。一切别种的不自信都没有什么，只有这一种不自信，才是民族的致命伤！既然不能团结，怎能说得上共同抗敌呢？

要想把民族不自信的一切毒害扫除，就应该先扫除这团结上的不自信，民族联合抗敌的呼声高唱了这许久，目的也就是为着这一点。

这团结的不自信，在今日，应该渐渐地减少了。因为敌人进攻的加紧，中国有实力的人得要明白，相互猜忌互相暗算的恶习，在单纯的内战里还没有什么，至多不过是自己人的火拼，你倒我来而已。然而到了现在，这恶习却成为被敌人利用的手段，它的结果是会使自己人同归于尽，一切利益全然被敌人所得。再，因为民众的鼓励和援助，一切有民族良心的人，尤其是实际上已经在进行抗敌行动的人，都可以明白：一部分人虽然不可信，然而民众的团结力量却是不可侮的。民众是抗战力量的最丰富的无限的源泉，它有保证胜利的作用。

过去的事实已经证明，我们不缺乏武器上的自信的保证，也不缺乏战术上自信的保证。“一·二八”和喜峰口的战役，都是以低劣的武器和巧妙的战术，靠着民众的热情援助而能够不过分受辱。所缺乏的是更广大的团结和联合，所缺乏的是在团结上没有得着保证充分的自信，因此抗战的当事者不能不终于和敌人讲和。现在，民族的团结又遇到一个新的试练了，这就是绥东战争。眼前的消息，虽然都是胜利的，但这样的孤军独战，能说不会和“一·二八”、喜峰口的战争一样地无结果吗？全国的民众是纷纷地起来援助了，但有实力的各派，还没有什么明白的态度表示出来。我们是多么希望他们能趁这机会，给我们民族团结的自信力来一个确实的保证啊！

（一九三六年）

论爱国主义

一切名词和概念的应用，都是有历史性的。同一名词因它出现的历史时代不同，就有不同的内容。辩证法这名词，在古希腊时代，只是指一种辩论的方法，以至于求知的方法。而在近代，却明白地用来代表世界和思惟发展的根本法则。浪漫故事在中古时代是指骑士和美人逸话，近代浪漫主义却另指文学上的一种派别。在近十几年来，浪漫这名词在中国人日常谈话中常常谈到，那又是指生活没有规律的意味。如果现在有人反对谈辩证法，说这是复古，说这是回到二千年前的希腊时代，那必然要被人笑他无理取闹。如果有人认为浪漫这两个字用不得，因为现在已经没有中古的骑士与美人了，这也难免要被人看做愚顽糊涂的罢。

名词是给人应用的，人的时代不同，这名词的用法也就不同，它也就被人给与了不同的时代意义。要紧的问题，是名词的时代基础是不是存在，新的内容和意义是不是存在。对于一个名词的评价，也就要从这具体的时代的事实上去判断。我们虽然不赞成像胡适先生那样，专谈具体事实而反对用抽象名词，但我们也反对专从抽象的凝固了的意义上去推敲名词，而忘记了它的具体的时代内容。

这种情形，似乎是不会有的。谁会把目前常常听到的辩证法误认做古希腊的辩证法呢？谁会在听见人说某某行为浪漫，就把某某误认做中古的骑士呢？除了患神经病的人，怕不会有这种时代混乱的怪思想吧？然而不幸得很，这种时代混乱的怪思想，却常常会在非神经病者的“理论家”“哲学家”中间发生出来。

譬如救国和爱国这两个名词吧，在中国这两年的危急存亡的关头，是被全国人迫切地提起来，当做政治文化运动的总目标了。自然，这名词在过去也曾被人利用到坏的倾向上去。国家主义者曾经用“国粹”，“爱国”的名义替北洋军阀服务过，帝国主义者曾用国家的名义号召他们的劳苦民众去进行侵略的战争，社会爱国主义者曾经用保护祖国的名义把工人驱使到第一次世界大战的战场上。但很明白的，现在谈到“爱国”，“救国”，是有着现在的时代的根据，和国家主义社会爱国主义的爱国救国完全有着不同的内容。现在来批评爱国救国这名词时，只能问它在目前中国民族的生存上是不是有着迫切的需要，是不是有着进步的意义。如果撇开了这具体的内容不讲，单把过去被凝固被恶化了的意义拿来充填在它里面，以为凡是谈到爱国的人，就是国粹主义者，都是社会爱国派。这种思想，在哲学和理论上只是没有历史眼光的形而上学的思想，在表现上只是一种神经病的无理的痉挛的叫喊，而在实际上，却是对于前进的纯洁的爱国人们的卑劣的诬蔑！

中国目前的危机，也是民族的危机，救中国，也就是要救民族。于是有的人说，现在只要民族主义就行了，爱国主义的名词可以不必要，固然，中国的整个问题本来是民族解放的问题，民族主义是不错的。如果有人一定不高兴爱国主义这名词，只要不是另有作用，只要他真的为民族而战，何必一定要争执一名词的统一，事实也不是名词可以统一得了的。我们现在要注意的是事实的发展，民族的危机发展到近两年来，已经临到了国土沦丧，国家存亡的关头，在这紧急关头才促成了泛滥全国的爱国或救亡运动。那么，不管爱国主义的名词提出不提出，民族主义发展的现阶段表现为爱国主义却是事实。因为现在的任务不只是泛泛地要解放民族，而且是迫切地具体地要从救国救亡的过程中来达到民族解放了。

在这样的事实基础上来谈爱国主义，很明白的不会是第一次大战时的社会爱国主义。社会爱国主义的目的是侵略，中国的爱国主义是要救亡。社会爱国主义的目的是要把劳苦人民骗到战场上去替金融寡头送命，而中国的爱国主义是出于全民族自己的生存的要求（少数甘心卖国的人自然除外）。中国不是帝国主义国家，即使真的有社会爱国主义者转生，怕也不会发生作用吧。向社会爱国主义的风车攻击的人，未免太像吉诃德先生了。

把爱国主义指作“国粹派”或国家主义，自然也是完全抹煞事实的。它的作用是要对爱国运动和救亡运动来一个诬蔑，因为“国粹”和“国家主义”这两个名词曾被封建军阀利用，这样诬指一下，可以把爱国和救国的人也归入封建的范畴里。可惜在事实上恰恰相反，封建残遗势力常常是目前爱国运动的主要的障碍，爱国主义者在国内的工作正是民主主义和反封建。国粹派和国家主义者是要保守“国渣”而爱国主义的中心立场只是救国，只在于保障民族的生存，不论国粹国渣，凡是有害于民族生存者，都要一脚踢倒的。

就是文化上的爱国主义，也何尝不是一样。它的目标是要使一切文化力量直接间接地都成为民族救亡的力量，而对于民族和国家的生存有危害的文化（封建文化是其中最重要的）就得要无情地加以摧毁！“保存我们，是第一义。只要问他有无保存我们的力量，不管他是否国粹。”（鲁迅：《热风》）然而这却是真正的爱国主义和民族主义。

（一九三七年）

不能放松思想的岗位

在最近的《申报周刊》里，看见一篇短文，曾说到“不要忘记了思想战”。的确，思想的战斗训练，在这实际的抗战开始的时候，仍是不可忽视的。我们虽然不能说思想可以当做枪炮，可以上前线去杀敌；我们不是精神文明论者，以为单靠高旷玄妙的思想，就可以救人类救世界。我们承认杀敌的实际效果，必须在实际的战争上才能显现，改造世界也必须用物质的力量，不是空洞的思想可以单独达到目的的。但思想也有它的重大的作用。这作用虽然不能夸大地拿来代替枪炮，然而缺少了它，民族抗战的工作也不见得就可以得到最后的胜利。思想的战斗，虽然不能代替实际的战斗，但实际的战斗却必须通过思想的作用。思想作用的准确与否，和实际行动的前途有密切的关系。思想的作用是在于认识现实，看清前途，对组织的行动给与正确的指针。

目前有许多关于实际问题的论争，已经就是一种思想战。我们不能说现在的实际工作者真的都会忘了思想战，但也确有不少的人对思想问题已表现了轻视的态度。这态度根源于两个理由：第一是说，我们现在正忙于紧张的实际工作，埋头努力去做还来不及，哪有工夫去注意思想问题或理论问题？这是从工作的必要上来否定思想问题的重要性，意思是我们只需要干，不需要想。其次是认为，现在我们要一致抗敌，人人只许统一于整个的爱国热情之下，去努力，去行动，这时候不许再闹思想问题，这对于一致的行动会有妨碍；这是就工作的性质上来反对思想的重要性的，意思是思想战会破坏统一，所以现在的工作中不需要它。

这两个理由，是出于两种错误的见解。第一种错误的见解是忘记了思想和工作的关联，工作和思想虽有分别，但工作中随时有思想的运用，而真正的思想也必须随时能解决实际问题，所以，工作问题常常同时就是思想问题，思想问题也不能不常常在工作问题中具体化。倘若所谓的思想只是学究的书本上的思想，只是“纯理论”“纯逻辑”的思想，那对于我们的实践工作当然没有用处，我们也不需要这种思想。倘若我们的工作只是纯凭热情的蛮干盲动，那当然也不需要思想。然除了空理论的思想之外，我们还有不能离开实践的思想，而我们的救国工作，也必须是有整个的计划和整个的估量的工作。我们必须有坚定的一贯的态度，必须有正确的行动方法，我们必须从许多种的工作意见中找到最正确的意见，必须把不正确的意见克服，清除它的坏的影响。这样一来，就不能说我们只需要干而不需要想了。

第二种错误的见解是忘记了思想问题也有它的发展过程。只要不是学究式的“纯逻辑”的思想，只要不是离开了人类实践活动的思想，那么，它的问题的提出方式也是跟着人类实践活动的过程而不断地变化的。思想的论争在某一个时期会造成派别的分歧，但在另一个时期却也会是真正的统一所不可缺少的东西。统一抗敌的力量不能是盲目妄动的群团，而是需要最清醒的意识的结合。马路上打死汉奸的行动，是人人一致认为痛快的，但如果单凭一时感情的冲动来行动，不能够采取最好的方式，就有被人利用反而打了自己人的危险。真实的思想活动只对于我们的一致行为有益无虑，倘若客观现实具有了统一的必要条件时，最能反映客观现实的思想，一定也最能促成我们的统一。现在全面抗战已经发生，全国人应该爱国，应该一致抗敌，已经是谁也不容疑义的前提。然而在这前提之下，仍可以有种种的结论：一个结论是说我们最后必胜，一个结论是说我们将化为焦土，而敌人也没有利益，一个结论是说我们也有亡的前途，战也亡，不战也亡，与其不战不如一战。结论的不同，可以形成不同的行动；而不同的结论，又根源于不同的思想。如果我们要在不同的行动中选择正确的行动，就不能不在种种的结论中找到最合乎现实的结论，也就是要选择正确的思想。在这选择的时候，思想的争论就有了意义。

现在的思想战不是为内战而战，是为抗战而战，不是为要给各派人分门别户，而是为要决定最好的方法走上共同的前途。不是要打自己人，而是要在打汉奸的时候防止误打了自己的人。不是为存宗派的独占权利，而是要尽各人最大的民族义务。这是思想战的目标，站在思想岗位上的人是不能放松自己的任务的。

但这只是一个大的原则，要使我们的思想战在实践中发挥最大的力量，是不能停止在空洞的大原则范围内来讨论的。思想的讨论，必须在各种更实际的日常工作问题中具体化起来，我们要把正确的理论应用到最切实的问题里去，而不要盲目的，没有原则的工作。我们要有工作的理论，要通过理论去工作，才能把工作和理论同时健全起来。

我们的实际工作者，在工作中有了充分的思想的自觉么？虽不能说全然没有，但却决不能说充分。试看吧，抗战发生了，是人人积极地向前去做的时候了，然而却有不少的人很消极，很苦闷。这不单是由于碰到了事实阻难，也还由于对工作没有思想上的确定的把握。有的人在诅咒团体无用，把组织看做精力的浪费，半悲观地去做他们的小组的工作。有的人却又因为找不到组织，因此说工作全无办法，有的人只管组织，组织的空架子有了，却不晓得从何做起。倘若我们有了思想的自觉的话，我们是不是应该排击那组织的至上主义和工作的高蹈主义？我们是不是应该正确地来了解工作和组织的辩证法的关系？我们是不是应该从正确的把握中来彻底清除自己的无益的苦闷？

工作者没有思想的自觉，那么，群众又怎能有思想的训练？热情，愤怒在这抗战的期间是不会缺少的，而且只怕太多！我们缺少的是冷静的考量，坚定的认识。打汉奸的热情可以被抓手来利用，却不会想到应该有计划地来杜绝汉奸的根源。马路上无辜的人被打得半死，战线上大群的汉奸纵火却无可如何。这一方面固然是由于民众组织的工作不够，另一方面也正由于思想的训练没有普及到下层。我们现在还有人轻视民众的力量，以为单靠军事就可以杀敌，又有人太轻视军事的作用，看见民众运动不能立刻展开，就非常悲观。我们现在还有着种种单纯的，片面的，形而上学的思想，在千万人的头脑里横行，阻碍着最全面抗战力量的结合。

困难是要一步一步克服的，是要把各种工作配合在全面的战争中来克服的。我们不是观念论的精神文明主义者，不把思想战当做万能的法宝。如果没有军事的、政治的、经济的，以及一切实际的民众工作做基础，那么，思想战就毫无意义。然而在这些基础之上，如果竟忘记了思想的战斗和训练，那也必然会在过程中产生莫大的困难和苦痛。因此，我希望在实践工作中努力着的战友们，不要忘记思想的自觉，不忘记在这条线上设立一座警戒的岗位。

（一九三七年）

文化在抗战中

现实是一个矛盾而复杂的东西。目前全面抗战的展开，自然是中国民族史上最光荣的大事，然而就在这时，我们的知识分子、文化人，却感到了极大的苦闷。

抗战一来，文化全没有了，我们文化人无用了，——较极端的人这样想，战争中间，也许还需要文化的罢？但我们平素的工作习惯，已经不能在战时应用了，我们不知要做些什么才好，——较中庸些的人也这样想。

这是真的吗？

是的，文化全没有了，敌人的炮火炸毁了我们所有的大学，倘若我们的眼光只是看在这几座大学上，那文化确是被破坏完了。

是的，文化全没有了，倘若我们所谓的文化，不过就是在课堂里悠闲安静地把教科书智识往学生脑里强注，使学生仅为了会考和文凭而消耗尽一切的智力，那么，这种文化也确要告终了。

是的，倘若我们以为文化的意义只在于写了稿子可以卖钱，那文化确是没有了。

倘若我们以为教育一定要有和平的大学和课堂，写稿一定要有安定的房间，倘若文化人仅仅有这一点自信，那么，当这一切都在敌人的炮火之下化成了灰烬的时候，我们还有什么事可做呢？

从这一切方面来想时，抗战是破坏了文化，破坏了文化人工作的余地，使许多文化人闲下来，在街头彷徨、苦闷，不知道做什么才好。

但这并不是真理，事实的真理是在另一方面。

我们的抗战自然直接是军事的抗战，但同时间接地也是经济的、政治的、外交的抗战，更不能离开文化的抗战。经济、政治、外交等等的动员，是军事抗战不可或缺的后盾。文化的动员，也是决定抗战胜利的一个必要条件。

因为我们的抗战和敌人相反，敌人是在进行帝国主义的侵略战，而我们这样展开的却是整个民族的全面战。整个民族的意识觉醒的动员，是我们所需要的，民众愈更对抗战的内容理解得深刻、正确，愈更能形成伟大的自发的力量。但民众意识的动员就有赖于民众文化水准一般的提高，就有赖于文化的抗战。

我们的文化战也和敌人的相反。我们的抗战是要靠民众文化的提高而得到展开，敌人的侵略战却靠文化的毁灭来加以维系。我们的敌国已经不能再是先进的文明国了，为了侵略，他们要用“千人针”“护身符”之类的迷信来稳住自己畏战的士兵心理，要用忠君保皇一类的封建观念来压制人民对于战争和社会的科学认识。敌人不单只用炮火轰毁了我们的文化机关，也用欺骗和压力毁坏了自己。

我们却绝对需要文明，更多的文明，战争的教训逼着我们非提高整个民众的文化不可，也只有提高整个民众的文化才能保证胜利，找出生路。

举一个最小的例子来说说罢。近来社会上盛传敌人会放毒瓦斯，民众是不能不设法防备了。怎样办呢？我们看见过投机的中药店，替大家开了许多方子，贴在马路旁的墙壁上，让老实的民众照抄下来，药店就可以借此发一笔小小的财，但对于民众的防毒，实际上有什么好处呢？

为着抗战，我们必须把这些骗人的封建文化的渣滓毁弃，使民众普遍地了解科学的防毒知识，也惟有使民众利用合理的防毒方法才能够真正保全抗战的人的力量。

再举例来说罢，我们固然有很多军民能够了解抗战的意义，对于抗战能够抱着真正牺牲的态度。但我们也不能讳言，还有不少的人，甚至可以说是多数的人，存着动摇的，甚至于畏惧抗战的心情，他们怀着自私的、个人打算的思想，想逃避，想苟安。

倘若文化活动能在抗战中提高民众的认识，清除个人主义的、动摇的意志，打破逃避苟安的幻想，那么，文化工作不也正是我们抗战中最必要的一部分么？

我们能说抗战中没有文化，能说文化人无用，能说他们没有事做吗？

很明白的，答案一定是一个“不”字。很多的事情，正等着要我们去做，正等我们通过这抗战去把民众的文化水准提高。只是，使我们不惯的是文化工作的内容、方式，都要改变了。

我们不能否认文化人过去对于民众的生活多少总有些隔离，现在却要快快地打破这隔离的现象。我们固然不必把一切文化人都从教室和亭子间里赶出来，不必完全废弃一切学校教育和编写工作，但他们应该有大部分从安定的闭塞的屋子里走出来，走向更下层的民众中间去。

文化人要过一过更现实的生活，在生活中进行他的文化工作。现在大家都以到内地去相号召，这是对的。与其集中在一个高峰上，让四面八方当做特殊人物来仰望，倒不如变成一个平凡的人，变成农民、难民、商人——

不要颓丧，让我们勇敢地面对这有史以来最光荣而艰苦的日子！

（一九三七年）

谈谈边区的文化

文化的发达，需要一定的物质发达的条件做基础，在地方偏僻、经济落后的边区，文化的发展自然受到很多困难的限制。然而由于抗战的刺激，由于政治力量的推动，边区文化是在主观的努力之下把许多困难克服，使自己的水平提高到平常的状态里万万不能达到的程度了。在交通这样困难的地方，食粮上的生产只有小米杂粮，人民的生活是极度的苦寒，文化的基本原料如纸张之类的供应，是在最低限度的水准上，在这样微薄的基础上，能够建立两个大学程度的抗战教育机关：陕公和抗大，包容着几千以上的学员；有印刷机关，经常出版一种有全国影响的杂志《解放》，经常出版一些著译的书籍。并且，以两个学校做基础，文化的其他领域也获得飞速的发展。近来，已经有许许多多歌咏队组织起来，有的歌咏队的指挥方法和技巧甚至于超过以前上海的水准。在戏剧方面也有很大的进步。此外还有许多文艺、绘画、木刻等等的艺术团体，有诗歌朗诵，有相当收到了成绩的朗诵的表演。这一切的收获，不但在这样偏僻的地方，就是其他相当大的城市，也还没有能够做到的。

但我们必须注意，边区文化的这样飞速的发展，是和它的抗战时期的性质分不开的。从它的好的特点来说，它是和抗战的任务有着密切的关联，学校进行的是抗战的教育，歌咏队唱的是抗战的歌曲，戏剧的内容也是针对着抗战。文化的飞速发展的紧张性贯串着抗战的紧张性。但也正因为这样，使得整个边区范围里整个的文化的发展，成为不平衡的状态。一方面有高度的大都市的文化，一方面还有着极落后的文化。学校闪耀着学生从各地带来的最近代的文化的光芒，民众中间却还存在着中世纪的封建的文化层。延安城的文化的高度，和边区其他各县的文化高度是有相当距离的。倘若我们要用几句话来评判边区文化在目前的成就的话，我们可以说，边区文化是在和抗战的联系当中空前地提高了。然而它的提高的程度，和它的广泛性、深入性、民众性却不能完全相称。

我觉得今后在边区文化界做工作的同志们，应该好好的注意补足这个缺点。边区文化的提高，在目前还是输入的多，而从地方上发扬起来的少。在边区这样低度的物质条件上，这种输入性质的文化要想再提高到很大的程度，是困难的。如果仅仅是这样做下去，那么目前的状态我觉得多少已经有点近于饱和的状态了。我不是说现在的工作不应该继续做，而是说应该在继续做的当中稍微转一转方向，加上一点新的质量。提高的工作要和深入群众的工作配合。民众中间现在还保存着许多有地方特色的，然而为俗流低级的趣味所腐蚀了的文化生活，在年节的关头还在做着男女调情之类的空洞无意义的舞蹈的表演，文化工作者应该走到他们中间去给以指导、教育，改善一些低级的东西，发扬他们的特色，加入抗战的内容。

目前文化的提高，能够和抗战的任务配合，当然是很好的。然而文化要尽力于它的抗战任务，也得要向民众深入，才能够达到它的最后的目的。因为目前我们的一切工作的中心，就是一个抗战的动员，不能到民众中间去充分发挥它的动员作用的文化，即使它有抗战的内容，也是空洞无益的。

（一九三八年）

社会主义革命与知识分子

社会主义的社会，在十月革命后二十二年的苏联，已经基本上建成了。马克思的科学共产主义的理想，到了今天，已在地球上一个最大的国度里成为事实。世界上看见了一个最自由幸福的国度，这个国度给国内广大的工农民众获得了富裕快乐的生活条件，一天比一天更加强固起来。

社会主义革命建设之所以能成功，首先是依靠苏联工农大众二十二年来的英勇斗争，依靠着工人阶级政党苏联共产党的正确领导，依靠工人阶级与农民的亲密联盟的力量。苏联的社会主义建设的成功，更确证了马克思列宁主义的科学的真理：即工人阶级是最革命的阶级，是为共产主义世界的实现而斗争的唯一的领导阶级。它“由于大生产中的劳动条件之故，是最容易组织起来，而它由于自己的无产者地位的缘故，乃是最革命的阶级，因为它在革命中所丧失的，并没有别的东西，而不过是自己颈上的枷锁”（《联共党史教程》第一章第二节）。科学的共产主义和过去人类历史上一切关于共产主义的思想之所以不同，前者之所以是科学的，而后者之所以始终只是空想的，主要的理由之一，就在于科学共产主义能找到而且依靠着一个现实的力量，能够依靠着无产阶级，依靠着以无产阶级为领导的工农联盟的力量的缘故。换一句话说，倘若人们想离开了无产阶级，想丢开了这唯一的达到共产主义社会的现实力量，而侈谈“社会主义”，侈谈“共产主义”，那么，不管他自己怎样，这种想法，结局至多只能是一种无知的空想。

这自然并不是说，社会上单单只有无产阶级，才是唯一的将来的主人，而社会上其他的成分，对于共产主义的实现就全然没有丝毫作用。无产阶级是社会的领导阶级，但它必须与其他一切劳动阶层联盟，来完成共产主义的事业。例如农民，苏联无产阶级的成功，就在于取得了农民（中农、贫农）的联盟。又例如知识分子，对于无产阶级的革命也是有着一定的重要作用的。

知识分子的重要作用在哪里呢?

首先，因为共产主义不是空想的计划，不是凭空造起来的空中楼阁，而是要在旧社会崩溃的基础上建立起来的现实世界。无产阶级领导建立社会主义和共产主义，必须要有一定的技术文化和物质的条件，而这些物质条件，是在旧社会，特别是在资产阶级社会的发展中间准备起来的。无产阶级在革命的斗争中，不但要依靠自己的觉悟与组织的力量，而且要能够把握和正确地应用旧社会遗留下来的一切技术文化的成果。社会主义革命决不是要破坏过去的一切，相反地，它要尽量地从过去的文化技术成果中去找到建设的条件。这样，知识分子就有了它的重要作用，因为这一切技术文化的条件，一般地都是保留在许多专门的科学家、艺术家、教育家们的手中的。社会主义的事业不能不有这一切知识分子的帮助。

其次，无产阶级的革命斗争，并不是，也不应该是简单的自发的斗争，而是在马克思列宁主义的科学理论的指导之下进行的自觉的斗争。无产阶级的自发的斗争常常只能把目的限制在很小的眼前的经济利益上，看不见远大的前途，看不见自己的阶级的历史使命。而无产阶级要得到解放，就必须要担负起自己的伟大历史使命。这就是说要走到社会主义革命斗争的道路上去，要进行推翻一切阶级剥削的制度，为建立无阶级剥削的社会而斗争。要能够进行这种革命的自觉的运动，无产阶级就不能把眼光局限在目前经济利益上，就必须把握一个“认识现在和预知未来的武器”，也就是必须把握马克思主义的科学理论，就必须有一个在这科学理论的正确指导下的强大阶级政党。因此，当联共党的前身俄国社会民主党初成立的时候，列宁曾与那些看轻了科学理论价值，看轻了无产阶级自觉运动的“经济主义”者进行斗争，并且这样强调地说：“没有革命的理论，就不会有革命的运动——只有被先进理论所指导的党，才能实现先进战士的作用。”（《联共党史教程》第二章第二节）

社会主义的科学理论，也不是从自发的运动中产生的，“经济主义”者之硬说社会主义的思想系统能从工人阶级自发运动中产生，这就是欺骗工人阶级，因为“在事实上，社会主义的思想系统，并不是从自发运动中产生，而是从科学中产生的”（同前）。马克思主义的科学理论，是总结了一切哲学、历史、人类思想史的研究的最高成果，马克思、恩格斯之创立自己的学说，是直接继承着和发扬了三种西欧伟大的思想代表，即德国的古典哲学，英国的经济学，法国的社会主义。马克思主义在各民族国家的具体应用，也必须是在马克思、列宁所完成的辩证法唯物论的理论与政治经济学的方法基础上，来研究各该民族国家的具体历史和思想史，来继承和发扬各该民族国家的伟大的代表思想。很明白的，像这样的科学学说，是不可能直接从工人的自发运动中产生出来，而常常是首先发生在具备这些科学素养的知识分子中间，发生在能够站到无产阶级中间来，为无产阶级而斗争的知识分子中间。因此，毫不足怪的：马克思、恩格斯、列宁、斯大林自己也并不是直接出身于工人阶级，然而，他们却成为工人阶级的科学社会主义思想的创始者和领导者。马恩列斯的科学共产主义，首先也常常须要经过革命知识分子，传播到工人阶级与其他劳动民众中去。这就说明在无产阶级的革命斗争中，知识分子是有着一定的重要的作用，在社会主义革命的埋论上和实践上，都是可以而且需要有知识分子来参加的。

这样，马克思主义者反对任何看轻革命知识分子的思想。说无产阶级是革命的领导阶级，说无产阶级和其他劳动民众的联盟是社会主义革命的动力，并不能降低知识分子的作用。相反地，当知识分子把握了马克思主义的革命理论，或当他们能站到无产阶级的队伍中来时，他们的作用是很大的。

但如果把知识分子的作用估量过高，也是马克思主义者所反对的。

当马克思主义开始在俄国传布不久的时候，列宁曾反对过民粹派对于知识分子的错误见解。民粹派把知识分子看做“超阶级”的特殊阶层，并且把他们看做唯一能领导革命的力量。他们以为只要让知识分子出来管理工农业，就可以达到理想的社会主义社会了。列宁反对这种谬误的见解，首先指出了民粹派所指的这些知识分子的阶级性，说：“谁能否认，俄国大学以及其他教育机关每年都造就出一些只知道求人豢养的‘知识分子’？谁又能否认，豢养这些‘知识分子’的不可少的一些东西，目前在俄国只有资产阶级的少数人才有？俄国资产阶级分子，岂能因‘人民之友’们说一声他们不必为资产阶级服务而消灭了吗？”（《何谓人民之友》）由于这些知识分子的资产阶级的性质，所以列宁最后结论说社会主义者不能把希望放在他们身上，而“要把自己的全部注意力，全部活动，向着工人阶级”（同前）。

知识分子并不是超阶级的，在阶级社会里，知识分子的一切生活行动，任何时候都和一定的阶级利害发生关系。知识分子也不能自成一个阶级，他们是服务于各种不同的阶级的。而且，知识分子的养成，需要一定限度的物质条件，而只有统治阶级，才能具备着最优越的这一切条件。因此，在阶级社会里，知识分子又常常大多数是与统治的剥削阶级的利益有联系的。在旧俄十九世纪七十年代以前，仅只有贵族、资产阶级、小资产阶级出身的知识分子，仅到七十年代以后，才开始有无产阶级的知识分子，而大多数的知识分子仍是服役于沙皇、地主、资产阶级的。很显然的，像这样的知识分子，如果说他们都能成为革命的力量，那真是绝大的错误，如果把这样的知识分子看做单纯的一个特殊阶级，甚至于把他们看做领导革命的力量，那真是绝大的荒唐。

列宁在革命中所瞩望的首先是“社会主义的知识分子”（同前），倘若说知识分子在革命运动中也有极大的作用和力量，那么首先就应该是这样的社会主义的知识分子，这样的知识分子，是已经站到无产阶级的队伍中来，和无产阶级一起进行斗争的，这些知识分子应该“掌握了科学的社会主义的思想，掌握了关于俄国工人历史任务的思想”的“工人阶级前进代表”（同前）。这样的知识分子正是无产阶级及为一切被压迫人民谋解放的知识分子。只有这样的知识分子，才能在革命运动中起最大作用。马克思主义虽然一般地承认知识分子的重要作用，然而同时不能不把革命知识分子和其他知识分子区分开来。

革命后二十二年以来的苏联，对于知识分子是采取什么样的态度呢？

由于知识分子在社会主义革命中的重要作用，又由于知识分子的阶级的性质，布尔什维克党在十月革命后，首先是要尽可能地吸收和争取旧的非工农的知识分子到革命方面，而同时并不对他们抱任何过高的幻想，甚至于不能不和他们进行一定的斗争。

在十月革命后，无产阶级的党，努力争取知识分子来参加社会主义的事业，而且也有可能的条件来争取知识分子参加这种事业。所以说需要争取他们，就因为社会主义的建设需要把握旧社会的技术文化成果。正如列宁在当时所说的：“我们知道，只有从大资本主义文化的诸要素中，才能建设社会主义，而知识分子正是这些要素。”（《论小资产阶级党派》）因此，列宁把吸收知识分子参加社会主义建设规定为当时的一个重要任务，认为要以极大的注意并勇敢地吸收知识分子，在一九一九年联共党第八次代表大会上，列宁曾以这样坚决的口气提出吸收知识分子的议案：“我们必须把他们吸收到我们的机关里来，而且为了这目的必须准备有所迁就。对于专门家我们不必维持一种烦琐的方式，我们必须尽力给他们与最优的生活条件。这是最好的政策。”（《关于党的纲领的报告》）

所以说有可能的条件吸收知识分子参加社会主义建设，是因为布尔什维克党已掌握了政权，工人阶级已是统治阶级。这统治权的获得，就是说工人阶级有可能吸收知识分子和应用一切大资本主义文化要素的可能条件。布尔什维克不依赖这些知识分子，然而依据自己的统治权，可以运用知识分子。正如列宁在当时所说的："为社会主义而运用这些知识分子的可能性，现在已经具备了。这些知识分子也许不是社会主义的，也许决不会成为无产阶级的，然而，就今天的各种事件和互相关系的客观进展来看，他们会认为，最好对于我们采取中立的、邻人的态度。我们决不要依靠知识分子，我们所依靠的，只有那率领着一切无产阶级和一切贫农的无产阶级先锋队伍。对于布尔什维克党，除此以外不能有其他的支柱。但是，依靠代表革命的阶级，和支配其他的阶级，是完全不同的两回事。"（同前）

这样，布尔什维克党在吸收和运用知识分子的努力当中，并没有对他们抱依赖的心思，而主要的还是依靠自己的阶级。知识分子中间不是没有真正革命的分子产生，"旧知识界也曾产生个别的和成千数的勇敢而革命的人，可是，这种人在知识界中曾是太少，所以他们曾不能改变整个知识界的面貌"（斯大林：《联共十八次党代表大会的报告》）。少数知识分子走到革命道路上来，但一般的知识界，在当时对于工人阶级的事业，是不信任的，甚至于是敌视的。他们对于社会主义的事业采取了种种怠工以至于破坏的行动。因此，使当时的革命者对他们也不能采取信任的态度。正如斯大林所说：“在旧时，在革命以前，知识界首先就是由有产阶级——贵族、工业家、商人、富农——的人们所组成的。在知识界队伍中，也曾有从小市民中、从小官吏中、甚至从工人农民中出来的，可是他们曾没有，而且曾不能在那里起决定作用。当时，整个说来，知识界受饲养于有产阶级并效劳于有产阶级的。因此，当时我国革命分子，首先是工人，对于知识界怀着不信任心理，甚至于往往怀着仇视心理，这当然是不言而喻的。”（同前）革命者和工人阶级，在当时“曾不能不和这些知识分子作无情的斗争”（列宁：同前）。这种无情的斗争之所以必要，实在是由于当时那些知识分子对无产阶级事业的敌对态度的缘故。布尔什维克党曾号召知识分子来参加无产阶级的事业，而“不幸，许多应该理解而且应该欣赏这号召而来和工人阶级真诚合作的人，竟自不理解和欣赏它，他们就喜欢偷偷摸摸地在洞里和角里捣鬼和怠工”

（高尔基:《和列宁相处的日子》）。

由于知识分子在革命中的需要，又由于旧知识分子的不可完全信赖，因此，布尔什维克党对于知识分子就采取这样的方针，即一方面尽可能地争取和吸收旧的知识分子，而另一方面则更要注意培养和创造工农自己的新的社会主义的知识分子。这一个任务，在现在的苏联，已经基本上完成了。苏联现在所有着的专门家、科学家，以及大学以上的知识分子干部，在数量上已达到了九百六十万的庞大数目。“如果注意到在我们各企业中有很多熟练工人已具有中等教育，那我们就应当大大增高九百六十万这个数字。然而，就是这九百六十万人的知识分子和接近于他们的我苏维埃国家各工作人员——这已是很足动人的数字了。再把家眷人口计算在内，那我们的知识界现时就约占苏联所有居民百分之十三至百分之十四。”（莫洛托夫:《关于发展国民经济之第三个五年计划》）这样数目庞大的知识分子，不但比旧沙皇时代的俄国超过很远很远，并且也为世界各国所不及。然而，特别重要的，是这些知识分子的质的改变，他们绝大多数都是工农中间来的新的社会主义知识分子，他们不但能把握近代的生产技术及一切文化成果，而且是完全忠诚于社会主义祖国的，从十月革命到现在，知识分子在苏联经过了一个极大的改变过程，完全换上了新的面貌。斯大林曾这样来描写这转变的过程道：

> 旧时知识界中最有影响和最熟练的一部分，还在十月革命最初之日起，就已脱离知识界其余群众，而向苏维埃政权宣布斗争，并去做怠工者了。这一部分曾为此而受到应得的惩罚，曾被苏维埃政权机关所打破和驱散。其中所保留下来的，后来多数已被我国敌人召去做暗害分子和间牒，并因此而把自己置身于知识界队伍以外了。旧知识界的另一部分，即熟练程度较差，但人数却较众多的一部分，则许多还是踏步不前，等候“好日子”的到来。可是后来，他们大概是觉得没有其他出路而抛弃了自己的念头，乃决定来做服务供职者，决定来和苏维埃政权协和共居。旧知识界这个集团中大部分人已经是年纪老了，并开始衰亡。旧知

识界中的第三部分，主要是其中的下层部分，他们是比上述那部分的熟练程度更差，他们已经是和人民联合在一起并跟着苏维埃政权走了。他们曾需要补习，而他们就确实开始来在我们的高级学校里补习了。可是，当时与旧知识界这种分化瓦解的痛苦过程同时并进的，还有新知识界形成、动员、积聚力量的汹涌过程。数十万个年轻的人，从工人阶级、农民、劳动知识分子队伍中出身的人，进了高等学校、实业学校，而他们毕业回去以后，就补入了知识界单薄的队伍。他们把新血液注入知识界里去，并按新的方式，按苏维埃方式把它复活起来。他们按照自己的形象来根本改变了知识界的整个面貌，旧知识界的残遗就溶解到新的苏维埃的人民的知识界中间了。于是就造成了新的苏维埃的知识界，这个知识界是和人民密切联系着，而且其中绝大多数人是决意去竭心尽意服务于人民的。（斯大林：同前）

这样，苏维埃的知识分子，不论质上和量上，都已有了根本的和绝大的改变。然而更重要的是：由于社会主义建设的成功，由于物质资料生产的空前的增进，还给知识分子保证了丰裕的生活条件。不管资产阶级的造谣者怎样“写尽纸山墨海。企图证明，说社会主义所随身带来的，是贫穷困苦，说社会主义是不值得文明人去做的事情，而只值得野蛮人去做的事情”（莫洛托夫：同前）。然而，铁的事实恰恰相反地证明，正是社会主义，克服了一切贫穷困苦，正是社会主义，培养了无数的文化和文明的代表者——新的知识分子。正是因为有社会主义建设的成功，所以虽然资本主义国家有无数的大学教授以及专门家们陷于失业和贫困境地甚至于遭受驱逐迫害，而惟独苏联，能够保证“人尽其材”，使得没有一个知识分子遭受没有工作的痛苦：这就是说，事实证明，社会主义倒并不是属于野蛮人的事情，相反地，垂死的资本主义世界，才是糟踏文明、摧残文化代表者的野蛮制度！

社会主义不但在生活上保证了知识分子的丰裕的状况，而且对于知识分子的态度，也随着情形的不同而开始根本的改变。由于知识分子的成分已经和革命前后根本不同，由于他们已经从有产者的知识分子改变成工农自己的苏维埃的社会主义的知识分子，因此，对于知识分子已用不着再怀着以前那种不信任的态度，那已是对于知识分子的旧的思想了。“对于新的知识界，须要有新的理论，这个理论，是指出必须以友爱态度对待这个知识界，必须关怀它，尊重它，必须和它合作，以造福于工人阶级和农民阶级的利益。”（斯大林：同前）在现在，对于知识分子如果还照样抱不信任的态度，那是要被看做野蛮的行为，流氓的行为了。

现在苏联当前的问题，已不简单的是非知识分子怎样对待知识分子的问题，而是要消灭非知识分子与知识分子的区别的问题，是要使一切劳动者都成为知识分子的问题，也就是要消灭智力劳动与体力劳动的对立的问题了。苏联的第三个五年计划，在文化上就有这样“一个基本任务——在关于把工人阶级底文化、技术水平提高到工程师、技术员水平这件事业上实现一大进步”（莫洛托夫：同前），这一大进步将是为着消灭智力劳动和体力劳动的对立性的一个进步，虽然这个进步，并不就能够达到那对立性的最后消灭，虽然这“不是有一两个五年计划就足够了的”（同前），然而，这是确实的一步，而且社会主义的苏联，已经有着充足的根据和条件，一定可以完成这样的任务的。斯大林在斯达哈诺夫工作者会议上的讲演中，已经把这根据和条件明白地指出来了：

只有以把工人阶级的文化、技术水平提高到工程师、技师的水平为基础，才可以达到消灭智力劳动和体力劳动间的对立性。如果以为这样的提高是无法实现的，那就可笑了。这在苏维埃制度条件下是完全可以实现的，因为在这里，全国生产力已摆脱资本主义的枷锁，因为在这里，劳动者已摆脱剥削制的压迫，因为在这里，是由工人阶级当政，而工人阶级的年轻之辈，在这里有一切可能来保证自己得到充分的技术教育。丝毫不可怀疑的，就只有这样的工人阶级文化、技术的高涨，才能打破智力劳动与体力劳动间的对立性的基础，只有这个高涨才保证那为开始从社会主义过渡到共产主义所必要的高度劳动生产率和消费品丰富情况。

（一九三九年）

论中国的特殊性

一

近代中国的一切反动思想，都有着一个特殊的传统，如果要给它取一个名字，那也许可以叫做思想上的闭关自守主义。在中国近代民主主义革命和文化发展的过程中，这种思想的逆流是采取各种各样的姿态出现，随着革命发展的阶段的不同，随着客观条件的不同，这种思想也以不同的形式来和进步的革命思想与革命势力实行对抗。然而不管它的外表形式怎样千变万化，它的基本内容仍不外是这样的：强调中国的“国情”，强调中国的“特殊性”，抹煞人类历史的一般的规律，认为中国的社会发展只能依循着中国自己特殊的规律，中国只能走自己的道路。中国自己的道路是完全在一般人类历史发展规律之外的。因此，当革命者努力要求使中国进步，要求我们去追赶先进的国家，要求我们向先进国家去学习，学习他们的革命理论以及革命的实际经验教训，学习他们的科学文化的优秀的成果，以便在中国能够更顺利更迅速地完成中国的革命运动，在这样的时候，我们的闭关自守主义者就要大声疾呼地起来反对，说中国的“国情”和国外不同。（例如说：中国是农业国家，而欧美的国家是工业国家，中国是精神文明国家，而欧美的国家是物质文明国家，中国以孔子立教，外国却以基督立教等等）外国的科学文化以及革命理论经验教训等等完全不能适用于中国，不应该接受这些东西，而应该拒绝这些东西，即便退一步说，有某些外国的东西可以学习和接受，也应该以保持中国旧有的东西为基础，在保持旧中国的立场上来学习和接受，而不是在变革旧中国的立场上来接受，也就是在“中学为体，西学为用”的立场上来学习接受。

这种思想有时也装着进步的面貌，抬出进步的旗帜，挂起革命的羊头，模仿新鲜的词句，而在骨子里来进行阻碍进步，反对革命的勾当。当真正的革命思想渐渐普遍起来，看看样子是不能加以正面的遏止了的时候，反动思想的代表者就假装自己也赞成某些进步的革命思想的样子，一面在口头上学会了许多新的名词，而一面却仍然向旧字纸篓里去翻检寻找，偶然得到一点半点的残篇断简时，便得意洋洋地向人宣布道：看呀，这一切在中国都早已有了，什么科学，什么民主主义，什么社会主义，这算什么，中国人早已经发明了，何必还要向外国去学？而且这是在中国自己本国的土地上，是在中国自己的特殊的国情之下产生的，所以这才是真正为中国所需要的东西，真正适合于中国的东西，而那一切外来的思想，外来的科学文化，外国的革命经验教训，都不适合中国的国情，因此中国不需要这些东西，中国只要把自己已经有的“国粹”拿出来就够了。

这一种思想上的闭关自守主义的传统，可以说是中国的反动思想的特点，它是在落后的半殖民地半封建社会条件之下产生的，是在这种社会条件下反动势力（主要的是封建势力）反对革命运动的基本的战术。这是一种非常狡猾无耻的战术，它并不是从正面来反对革命，反对中国的进步和变革，它在表面上好像并不是直接反对中国广大人民求解放求自由的要求，而只是反对外国的东西。它首先用一切混淆是非的方法，把中国的革命运动及革命思想形容做纯粹的舶来品，把后者描写成不适合于中国甚至于对中国有害的东西，然后掉弄着各种各样的狭义的爱国主义的言词，来对它施行攻击。这种狡猾无耻的伎俩的秘密，是在于把落后的半殖民地半封建的中国社会现状当做当然的国情，在于保持这种旧的国情。中国要求进步，必须要追赶先进国家，要向先进国家学习，而且中国的革命不能不遵循社会发展的一般的科学规律，在中国具体的情形下，通过先进国家所曾通过的革命阶段。由于中国是半殖民地半封建的国家，中国要求得到自由解放，不能不依靠全国的一切民主力量的团结，进行反帝反封建的斗争，也就是要进行资产阶级性质的民主主义的革命。很显明的，这样的一种进步运动和求自由解放的革命运动，完全是由于中国自己本身的需要，完全是在中国社会本身发展中有其基础，也就是完全从中国自己本身的必要性和可能性上出发的。

中国不能在落后的半封建的状态下保持自己民族的

独立自由，这就是进步的革命运动的必要性，中国社会在近代百多年来的发展过程中，已经产生了广大的民主主义的力量基础，产生了具有高度觉悟性和组织性的无产阶级，锻炼了广大的能够为民族独立民主自由而斗争的农民群众，产生了自己的进步的革命阶级以及广大的进步的知识分子，这就有了进步的革命运动的可能性。然而因为这是一个变革中国的运动，是要推翻死的旧中国，建立近代的新中国，是要使中国赶上先进的国家，于是反动的思想代表者就说一切进步的革命运动都不是从中国的“国情”本身出发，而是从外国的思想文化出发，在他们的眼睛里，所谓中国的“国情”，中国的特殊性，不外就是落后的、垂死的、旧的、封建或半封建的中国，而不知道（或故意抹煞）除此以外还有一个正在诞生中的新的中国。在他们看来，保持旧中国才是合乎国情，而一谈到变革旧中国，那就要向先进国学习，那就不是中国所需要的！

不要以为这闭关自守主义的思想是为着民族独立的思想，相反的，这样反动的思想历来都是民族失败主义者的思想。保持旧中国的余命，阻碍新中国的生长，这在近代的历史上，并不是为着中国民族的独立，而是更便利帝国主义者来剥削中国，而是要巩固半封建统治的高压力量，以便帮助帝国主义镇压广大的民众，使后者在双重的剥削之下无从翻身。因此帝国主义者也乐意来帮助这样的一种闭关自守主义者。在近代的中国历史上，我们可以看出帝国主义是怎样一贯地帮助中国的反动势力来保持这中国的“特殊性”和“国情”。从中国的第一次民主主义革命运动太平天国战争开始，我们已看见了帝国主义给反动的封建统治的支持，而一直到今天，××帝国主义的横行劫掠，汉奸的出卖民族，也仍是在保持旧中国的名义之下，在“王道”、特殊的“东亚秩序”的口实之下实行的。

因此，不要以为思想上的闭关自守主义是真的拒绝一切外来的东西，相反地，在阻碍中国社会进步，反对革命运动以维持旧中国的存在这一点上，中国的反革命势力是最善于取得外来的帝国主义的帮助，最善于向“先进国家学习”的。他们会应用外来的物质的武器，也会运用外来的反革命的精神的武器，他们在外力的帮助之下，使自己欧化，同时也使自己更加巩固。镇压太平天国运动的曾左李，曾办过“洋务”，民国以来的反动军阀，不但都有一个帝国主义者作后台老板，而且学会了许多镇压革命的时髦“理论”和技巧。陶希圣之流，则甚至于能够用“社会科学理论”作为汉奸行为的辩护。这样，反革命势力是善于利用欧化的武器来巩固自己力量的，然而为什么他们又要主张“国情论”强调中国的“特殊性”，拒绝外来的思想文化呢？原来他们所拒绝的，只是能帮助中国得到进步和自由的外来的思想文化，他们所主张的“国情论”是封建主义者所需要的“国情论”，他们所讲的“特殊性”是民族失败主义者所需要的“特殊性”，他们拒绝外来的进步思想文化，是为着使中国从旧的封建主义走向民族投降主义，至于在反动的目的上，他们正要拼命应用一些外来的武器，那正是他们的“中学为体，西学为用”的传统的继承和发展！

强调一国的特殊性的思想自然不是仅仅在中国的反动思想中才看见的。例如俄国的民粹派的思想，也就是强调旧俄国的特殊的国情，强调俄国社会独自的发展道路，否认历史发展的一般的科学规律，在这样的观点上，来拒绝他们所谓不合俄国国情的马克思主义的。这就是俄国的国情论者。这种国情论也是反动的、错误的，它很快地就被历史发展的事实所驳倒了。历史的发展证明俄国社会也依着一般的历史规律而产生了资本主义，产生了广大的强有力的无产阶级，因此也证明了马克思主义的正确性，以及它对于俄国国情的适用性。这一个曾经出现过国情论，而把马克思主义看做舶来品的国家，现在竟成了世界上第一个实现马克思主义理想的国家了。从这里就可以看出中国的国情论也要得到什么结果。但中国的国情论和俄国的民粹主义自然是不同的。中国的国情论是和民族失败主义以至于投降主义紧相联结，而且成为反动思想的一贯的传统。这就是说，民粹派只不过是八十年代一个时期俄国的反动思想，而中国的国情论，则是自从中国走入近代历史以来，一般地为民贼国贼所应用着的根本的思想武器。国情论在中国是一贯的，同时也是多样的，它依着历史条件的不同，采取各种各样的形式和花样表现出来，而不像在俄国只有一个民粹主义的形式。中国的反革命势力，由于有帝国主义在后面撑腰的缘故，所以屡次受到民主主义者的打击，而屡次又能够死灰复燃；因此国情论的思想，也在屡次被历史事实所粉碎之后，而仍能在新的面貌之下借尸还魂。在镇压了太平天国运动以后，它就以“中学为体，西学为用”的面貌出现，戊戌改良运动的英雄谭嗣同等，曾被指为“离经叛道”，被称为“疯汉”。辛亥革命以后，一切封建主义的复辟者以及和封建残遗妥协的人们，都把孙中山先生称做“大炮”“外国人”（袁世凯语），“五四”新文化运动以后，又出现了“保存国粹”的思想；国情论的叫嚣声音最高而最露骨的时候，是在第一次大革命时代，因为这时最坚决最彻底的民主主义力量，即无产阶级和共产党开始登上了中国政治舞台了。而民贼国贼的国情论也就开始在“反共”的旗帜下起来活动。这一个反共的旗帜，到现在抗 × 民族统一战线的条件之下，更被一般汉奸、托派、妥协投降的分子多方地利用着，而且也是以“国情论”作为他们的“理论”基础的。在这中间，他们还利用孙中山先生的三民主义的个别词句，加以曲解修正，把曾经强调“共产主义是三民主义的好朋友”的孙中山先生的思想，曲解为反共的思想，把民贼汉奸的反动卖国的责任，涂污在孙中山先生的身上。而目前叶青所卖弄着的所谓“把握特殊”的“认识中国的方法”，就是其中打扮得最时髦而表现得最淫荡最下流的一个标本。

二

马克思主义者是不是完全否认中国社会的特殊性，反对把握中国社会的特殊性呢？当然不是这样的。马克思主义者一方面要坚持马克思、恩格斯所发见的关于社会发展的基本的科学规律，承认它有一般的指导的作用，而同时却一刻也不能忘记，这些规律在不同的国家，不同的民族中间，因着客观条件的差异，而有着各种各样特殊的表现形式。因此，当我们在中国的社会里来应用来实践马克思主义的时候，也必须注意到中国社会的特殊性，也必须要具体地来了解中国的社会。马克思主义者所反对的，只是思想上的闭关自守主义，只是借“把握特殊性”为名来拒绝科学的规律，拒绝中国社会的科学的合理研究，也就是拒绝进步思想的学习应用。这一种所谓的把握特殊性，它实际上的目的只是在于要把人们的眼光束缚在保持落后的奴隶的旧中国的“特殊”范围内，使人们不能够根据科学的规律，来看出中国的向上发展的前途，看出真正自由解放的道路。从满清时代的“中学为体，西学为用”的思想开始，经过“五四”时代的保存国粹论，大革命时代的国情论，一直到现在叶青的“把握特殊性”的所谓“理论”，无论它外表上怎样变化，那猴子的尾巴是一贯地带在身上的。

我们现在就来看看叶青是怎样来“把握特殊性”。还在抗战以前，他就卖弄着这样的戏法了。在一篇叫做《反读经中的问题》的文章中，他就说到中国的特殊性，原来是这样的一种情形：“欧洲历史是合规律的，中国则不然。”只这一句话，已够充分地证明，他的所谓把握中国特殊性，原来一贯地就是借特殊的名义，而把一般的科学规律完全丢掉，因此也就是拒绝用真正的科学方法，用马克思主义的正确方法来研究中国问题，这就够证明，叶青的“把握特殊”的所谓方法，与过去的“国粹”主义“国情论”是有着共同的本质，共同的反动的灵魂。有没有不同呢？不同的地方当然有，那只在于表现的形式上：“国粹”主义或“国情论”者是老老实实地把自己的保守的面目呈现出来，还坦白地表现着自己要维持旧中国秩序，拒绝先进文化思想的企图，这就是说，旧的反动思想言论，还能够多少遵守言论界应有的道德，还敢于光明正大地把自己的要求正面地和进步思想对立起来。而最时髦最下流的叶青的反革命的思想，则是偷偷摸摸，窃取了许多新的名词章句，表面上装出“科学”的形态，装出也能接受进步思想的样子，而在暗地里，在可以瞒过读者的眼睛的地方，乘机把反科学反革命反民族的思想偷运进来。叶青也常常提到一般的规律，也在口头上常常提到一般的规律的存在，这样先使读者模模糊糊以为他也并没有否认科学的规律性的样子，然而接着他就会开始来转弯说“一般之中有特殊”，这里再一转，就由“把握特殊”而达到根本丢弃一般了。叶青也讲马克思主义，并且曾经自认为卡尔的“正统”的学生，而现在他又来转弯了，说马克思主义要中国化，中国化的意思就是要变更其形式，变更其形式的意思就是要把原来的马克思主义完全丢掉，所以他说：“它必须变更其形式，有如一个新的东西，中国的东西，与原来的不同。这才叫做中国化——”（《论中国学术化》，见《时代精神》创刊号）这样，原来是标榜马克思主义的，经过这么一化，就又把马克思主义化为乌有了！我们要注意，这正是从来叶青的一切“变化”的基本的方法，无论他的一切言论行动，都可以作如是观！他可以在表面上标榜三民主义，而一个转弯，就暗中化为反三民主义，他可以标榜“抗 ×”、“统一”，一个转弯，又可以化为投降反共的分裂主义。但这不是本题所要讨论的问题，所以暂只作一个提示。

这一种颠倒是非的诡辩法，确是中国反革命思想界的“国粹”，它的特点就在于口头上窃取进步思想的名词，而实际上却用一切可能的狡辩（不选择理由，不管是不是合逻辑，不管是否有矛盾，只要能达到目的，就拿来胡诌一起的狡辩）来反对进步思想的本身。在这一种无耻的诡辩的“创造”上，叶青即使不是集大成者，也至少是最出色的代表者。我们说要把握特殊性，原是说要在中国的具体的条件之下，来把握一般的社会发展规律的特殊表现，叶青在口头上窃取把握特殊性的名词，故意将这一点夸大，抹煞了一般，结果在实际上正是反对正确地来把握中国的特殊性，反对真正把握特殊性的科学方法。为什么？因为特殊和一般原是分不开的，在现实世界的一切事物发展中，没有绝对的特殊，也没有绝对的一般。一般的东西都常常是在各种各样特殊的形式上表现出来，特殊的东西，也常常是某种一般的东西的特殊化。丢开了一般的规律，就无所谓特殊性的把握，连那要被特殊化的东西本身也丢了，哪里还能有什么特殊化这件事呢?

关于一般和特殊的分不开的关系，列宁说得最好："对立物（'个别的'与一般的对立着）是同一的；'个别的'只有在导向'一般的'的关联之中，方才存在。'一般的'只在'个别的'之中，只有依着'个别的'方才存在。每一个'个别的'都是（在某种方式上）'一般的'，一切'一般的'都形成'个别的'的一部分或一方面，或本质，一切'一般的'都只是近似地包括着一切'个别的'对象。一切'个别的'都是不完全地进入'一般的'等等。"(《关于辩证法的笔记》) 这里所讲的"个别的"也就是指特殊性而言，这就是马克思主义者对于一般和特殊的不可分的关系的辉煌的说明。这里特别要注意的是："'个别的'只在导向'一般的'的关联之中，方才存在"一句，这就是告诉我们所以要把握特殊性，只因为它是在“导向‘一般的’的关联之中”存在着的缘故。而不是因为它和一般的规律完全隔离着的缘故。这就是说，正因为要把握特殊，所以我们就尤其要了解一般，坚持一般规律，正因为我们要求马克思主义的中国化，所以就尤其要坚持马克思主义的基本原则和基本方法，正因为我们要具体地应用马克思主义到中国的现实的特殊条件上来，所以我们就尤其要站稳马克思主义的立场。正如列宁之所以能在帝国主义的特殊时代条件之下来应用和发展马克思主义，是因为他不但没有丢弃，反而是最能够真正把握住马克思主义的基本方法和原则一样。

在中国应用马克思主义，或使马克思主义中国化，就是要坚决地站在马克思主义的观点上，在马克思主义基本原则和基本精神上，用马克思、恩格斯所奠定了的、辩证法唯物论的和政治经济学的科学方法，来具体地客观地研究中国社会经济关系，来决定中国无产阶级在中国民族革命斗争中的具体任务及战略策略。问题是在于要能正确地研究和把握中国社会的客观现实，并正确地决定革命的任务和战略策略，而不是在于从名词上来争执什么才叫做“化”，什么不是“化”的问题。叶青说：“化是带有改作和创造的性质的，理解、精通、继承、宣传、应用、发挥——都不是化，当然也不是中国化了。”（同前）看吧，这种烦琐主义的咬文嚼字的勾当正是叶青欺骗世人的不二法门，照这样一来，只要他在中国的马克思主义者的文章中找出许多“理解”“应用”等等的字眼，而找不出“改作”“创造”等等字眼时，他就可以得意洋洋地向中国人民宣布说：这不是马克思主义的中国化，“唯物辩证法仍旧是唯物辩证法，丝毫没有中国化”，这不适合中国“国情”——了。中国的马克思主义者依据马克思主义的方法是怎样正确地解决了中国的实际问题，怎样决定和实行了为中国广大人民所拥护的正确的民族革命的战略策略，这一切，他就可以一笔抹消了！

其实真正能“理解精通——”马克思主义，也就是真正能使马克思主义中国化，也正是有着“创造”的作用了，因为马克思主义原是和实践分不开的，马克思主义者所谓的精通马克思主义不仅是指马克思主义的理论研究，而同时是指要能在一定的具体环境之下实践马克思主义，在一定国家的特殊条件之下来进行创造马克思主义的事业。这里就一定有“化”的意思，也就有“创造”的意思。所以，中国化决不是丢开马克思主义的立场的意思，相反地，愈更要能够中国化，就是指愈更能够正确坚决地实践马克思主义的立场的意思，愈更能创造，就是指愈更能够开展真正的马克思主义的意思。马克思主义者的创造的概念和资产阶级及其他统治阶级思想代表者所谓的创造的概念是完全不同的，前者的创造，是在不变的正确基础原则上的新的理论和事业的创造，是“给马克思主义的总宝库放进一些——新贡献”。然而后者的所谓创造，则是抛弃了一切既有的正确原则和科学方法之凭借的绝对的“创造”，抽象的“创造”，空想的“创造”，实际上则是无论如何也不能超出统治阶级利益范围的“创造”；在叶青身上，就是出卖自己的一切立场的修正主义的所谓“改作”的“创造”，变节主义的“创造”，投降主义的“创造”，也即是奴化（以“特殊性”为理由而使中国奴化）主义的“创造”！

三

马克思主义之所以能中国化，就因为马克思主义有一般的正确性，正因为它是“放之四海而皆准”的，是“万能的”。倘若它没有这一般的正确性，倘若它仅仅是特殊的东西，那就完全谈不到“化”的问题了。马克思主义的一般的正确性在哪里呢?

首先，马克思主义是科学的理论，特别是关于社会发展和社会变革的科学理论，所谓科学的理论，就是正确地揭发了客观世界的发展规律的理论。就像自然科学揭发了自然世界的发展规律一样，马克思主义精确地揭发了人类社会发展的规律，这些规律在现实事物中间，在具体的国家和民族中间，虽然要以各种不同的特殊形式表现出来，然而并不因此减少了它的一般的正确性，相反地，一切它的特殊的表现的存在，正证明它的一般的适用性，正证明在各种特殊的条件之下都能发见它的规律的作用。俄国资本主义的发展不同于英国的资本主义的发展，然而列宁在俄国的特殊条件之下，揭发出俄国资本主义的发展规律来时，他正是证明了马克思主义的资本主义发展规律的一般的必然性，正是证明了那些否认资本主义发展的一般规律的俄国国情论者——民粹主义——的错误，马克思的《资本论》是主要地依据英国的材料的，这就是说，它是在特殊的英国社会条件的基础上建立起来政治经济学的科学理论。但他在第一卷第一版的序言上特别指出他的书里所讲的不只是支配英国的规律，他特别向德国的读者说："这也正是阁下的故事。"人类社会的发展史和近代无产阶级革命运动及民族革命运动的历史，到处都证实了马克思主义的科学理论的一般的正确性，证实它所揭发的规律是真正科学的规律。因此，就像水向下流的自然规律在任何地理条件下都有一般的必然性一样，马克思主义的科学在任何国家，例如在中国国内，都能表现出它的一般性必然性，虽然这表现必不同于印度或俄国或其他任何国家，正如向下流的水可以有缓流、激湍、瀑布、涓滴等等不同的形式一样。所以决不会因为要中国化而丢了马克思主义的科学理论，相反地，真正的中国化，就是要真正地能够把握着马克思主义的理论，就是要真正能"理解、精通、应用——"马克思主义的理论。

其次马克思主义又是科学的方法，是客观地具体研究问题的引导。正因为马克思主义的理论揭发了社会发展的规律，揭发了一般地有正确性、必然性的规律，所以它又是我们研究一切实际问题的指南。它给我们一种看事情的基本正确的观点，提示出来研究的基本方向，这就是说，马克思主义又是科学研究的方法。所谓科学的方法，就是一方面要把握住先进的科学者所奠定的正确的原则、理论，而另一方面要根据这些原则理论来具体地客观地研究当前的问题。先进者所奠定的原则理论是后来的研究者的研究时的引导，前者所以能有引导的作用，就因为它包含着一些一般地正确的基本原则。自然，它也只能起引导的作用，而不能起教条的作用，因为一切先进者所奠定的基本原则，在后来者所处的新的条件之下，就必须有新的表现，所以先进者所奠定的理论中的某些个别论点，在新的条件之下常常不能不有多少改变。这就是说，不能把马克思主义的文句和一切个别论点当做绝对不变的信条，无条件地搬到新的情况之中来硬套。然而这并不是说，在有新的条件的情况之下来研究问题，就要丢了马克思主义既成的基本原则，相反地，只有坚定明确地把握住这些基本原则，只有站定了马克思主义的基本立场，看清了研究的基本方向，在这大的方向上弄清楚了，才能够正确分辨哪一些个别的论点，在哪些条件之下是不变的，而另外的一些则要改变了。列宁在论到马克思主义在俄国的应用的问题时，一方面指出要注意特殊国家的特殊性说："马克思的理论，是在于研究和说明某一国家的经济状况的发展。"而同时又指出马克思方法的一般的意义说："要把他的理论拿到俄国来应用是只有用唯物论方法的既成方法和理论经济学的既成方法，来研究俄国的生产关系及其发展时，才能够成功的。"（《何谓人民之友》）这话也可以用到中国来说："马克思主义的中国化，是只有用辩证法唯物论的既成的方法和理论经济学的既成方法，来研究中国的生产关系及其发展时，才能成功的。""辩证法唯物论仍然是辩证法唯物论"，然而并不因此就会如叶青等所说的"丝毫没有中国化"。

不单只因为马克思主义是科学的理论和方法，所以它就有一般的正确性，而且，第三，因为它是无产阶级的革命行动的指南，是无产阶级斗争的理论和策略，所以它有一般的正确性。这就是说，凡是有了无产阶级及无产阶级运动的国家和民族，也就有产生和发展马克思主义的可能性和必然性。马克思主义之所以能够中国化，是由于中国自己本身早产生了马克思主义的实际运动，中国的马克思主义是在中国自己的社会经济发展中有它的基础，是在自己内部有着根源，决不是如一般的表面观察，说这是纯粹外来的。中国的无产阶级有极高度的组织性和觉悟性，有它的强大的党，有近二十年的战争的经验，有在民族民主革命中的模范的战争成绩，因此也就有着中国的马克思主义。如果有人说，中国人自己没有写出很多的马克思主义的书籍，所以马克思主义还是外来的，那我们就答复说，马克思主义是把实践放在第一位的，要问中国有没有自己的马克思主义，首先要问中国的无产阶级和它的党是不是做了惊天动地的，推动中国民族的广大人民向前进步的事业，中国的无产阶级有了这样的事业，并且在这些实践的基础上，已经产生了一些发展马克思主义的理论，因此也就有了自己的马克思主义，这是中国的马克思主义的真正的著作，是中国马克思主义的书籍。如果有人说中国无产阶级和它的党现在所拥护的是三民主义的纲领，所努力的是三民主义的纲领实现，那我们正好答复说，这正是马克思主义的中国化的表现。中国无产阶级最坚决地拥护三民主义的政治纲领，并为它的彻底实现而努力，是由于有坚定的马克思主义的立场，和正确的应用了马克思主义科学方法的结果，这正是马克思主义的事业。全世界各国无产阶级的共同目标，是要由各国各民族的无产阶级经过不同的各种道路达到的。中国的马克思主义并不把三民主义纲领的实现作为最后的理想，而是把它当做经过中国的道路达到共产主义社会的必经的阶段。所以，中国无产阶级把自己的三民主义的事业看做整个共产主义的事业的一部分，这是与普通的三民主义信仰者不同的，也正因此，中国无产阶级所要努力实现的三民主义，是最彻底的三民主义，这一点也是与普通三民主义的信仰者不同的。

根据以上三点，就可以说，马克思主义在内容上实质上是国际主义的。这国际主义的表现，首先就在于全世界的马克思主义者都有着共同的理论，共同的看问题的立场和方法。其次就在于全世界的马克思主义者，不管各自所走的道路如何不同，都有着共同的目标，都为着共同的全世界共产主义事业的实现而斗争的，全世界的无产阶级，在事业上利害上，都是互相关联的，都是有连带性的。然而这国际主义在现在的世界上，只是成为马克思主义的内容存在着，而不是如叶青所咬嚼出来的："国际主义在这里与民族一样，同为形式。"因为在现在，在世界上还有着各种各样民族和国家的界限的现在，马克思主义是不能不依着各民族的不同的发展条件而采取着不同的表现形式的，它决不会成为全世界一致的国际形式直接表现出来。在现在，"马克思主义必须通过民族形式才能实现。没有抽象的马克思主义，只有具体的马克思主义。所谓具体的马克思主义，就是通过民族形式的马克思主义"(《论新阶段》)。就中国来说，这就是要把中国的特殊性，依据中国的特点使马克思主义在中国民族的特殊形式之下表现出来，然而并不是因此就丢开马克思主义，而相反地恰恰是要具体地把握住马克思主义，不是要挤掉国际主义（叶青把国际主义也叫做形式，目的就是在于要用把握民族的特殊形式为理由，而把国际主义挤掉，因为如果后者也是形式，那就不能和前者并存了），相反地正是要使国际主义在现在的条件下，得到具体的表现。

因此，正是由于中国的马克思主义者坚持着马克思主义的立场，坚持着正确的科学的方法（辩证法唯物论，理论经济学的），坚持着国际主义的精神，所以也最能够正确地真正把握中国的特殊性。依据这科学的方法，中国的马克思主义者看出了中国社会经济没有脱离半殖民地半封建的性质，因此中国的革命的任务是要彻底完成民族独立，民主自由，民生幸福的三民主义的纲领，中国革命的基本性质仍不外是资产阶级民主主义的。也正由于依据了这科学的方法，中国的马克思主义者看出中国民族资产阶级的发展的幼弱，看出这一阶级的软弱性和动摇性，因此也就看出，中国的革命虽然是资产阶级性质的民主革命，然而它有着它的（与西欧过去的资产阶级民主革命不同的）特殊性。这就是说，中国的资产阶级民主革命是一种新的民主主义革命，它并不像过去欧洲资产阶级革命一样地，以资产阶级本身为最主要的动力，中国的特点是无产阶级和广大农民成了资产阶级的民主革命的主要的、而且是最坚决的动力，成为三民主义纲领的最彻底的拥护者和实践者。要实现彻底的三民主义的革命纲领，没有无产阶级，没有农民大众，没有无产阶级的党及一切马克思主义者努力，是不可能的。中国的马克思主义看清楚中国社会及中国革命的这一个特点，依据这特点来规定自己的和中国无产阶级的斗争任务和方针。那就是争取三民主义的革命纲领的彻底实现，完成新的民主主义革命的任务，并为着这目的与全国一切求进步的党派共同合作，建立民族统一战线。历史的事实已证明这种特殊性的把握是正确的。有了第一次国共合作，才有了一九二七年后大革命的飞速的跃进，有了一九二七年的国内分裂，就使一九二五——二七年大革命遭受失败，并引起了民族危机的吃紧，有了今天的统一战线，才有今天抗战的成绩。所以，要求三民主义的纲领的实现，决不能缺少中国的无产阶级和广大农民的力量。打击中国无产阶级，反对马克思主义，就不外是要打击那三民主义革命的最重要的动力，就不外是要反对三民主义革命，因此，叶青现在狂叫着的所谓“把握特殊性”，表面上抬着三民主义旗帜来反对马克思主义和辩证法唯物论的吠声，不外是和敌人汉奸的反共嘈杂声相呼应，想在实际上来反对三民主义纲领的实现，反对新的民主主义革命任务的完成罢了。

（一九三九年）

抗战中的陕甘宁边区文化运动
——二十九年一月六日在陕甘宁边区文化协会第一次代表大会上的报告

一　边区文化在全国的地位

从民国二十六年五月陕甘宁边区政府的成立，到现在是两年半以上的时间了。边区政府成立不久，就爆发了伟大的民族抗战，边区的政治和边区的文化，就是在坚持抗战、坚持抗 × 民族统一战线、坚持各方面进步的过程中发展起来的。两年半以来，国际和国内情形都发生了许多重大的变化，这些变化在文化运动上也表现着重大的意义。在国际上，英、法、德等帝国主义国家，都已处在战争的状态中，以前曾经号称"民主"的国家，现在已揭露了假面具，露骨地进行挑拨战争，实行反动政治，毁灭人类进步文化。只有社会主义的苏联，高举着真正保卫和平、保卫文化的旗帜，团结了全世界反对帝国主义战争、反对侵略的国家和民族，不断地打击了帝国主义者制造战争的阴谋行为。

在我们国内，民族的团结抗战，已经使敌人的进攻受到大大的挫折，抗战已走上了相持阶段，最后胜利的远景已经显现出来了。抗战之所以能有今天，不仅仅是在军事上和政治上的努力战斗的结果，全国进步文化界的斗争，也在这中间尽了不少的力量。而文化运动本身就在斗争中获得了许多的进步和发展。正如在政治上和军事上，中国共产党人是坚持抗战、坚持团结、坚持进步的模范一样，在抗战的文化运动上，共产主义的文化思想，也起了进步的推动作用。这正充分地表现了中国政治运动和文化运动的新民主主义的特征，这正表示中国的革命运动中所要求的民主主义，决不是资产阶级的政治上的专政和资产阶级的文化上的领导，而是以广大民众的利益做基础的，以无产阶级为核心（因为无产阶级是最彻底的民主主义力量）的各阶级联合的新民主主义政治，是适合于广大民众的斗争需要的，以马克思主义的科学理论作指针的新民主主义的文化。

陕甘宁边区是中国共产党中央所在的地区，抗战以来，在中共中央的领导之下，边区已成为模范的抗 × 民主根据地，最彻底的实施了三民主义的纲领，建立了全国最进步的新民主主义政治。边区的文化运动，在这进步的政治基础上，飞快的发展起来。边区是全国的一部分，而且是模范的一部分，边区的政治和文化的发展，无疑地对于全国有着重要的影响，同时全国的政治和文化的动向，对于边区也会起一定的作用。我们不能离开全国来看边区。因此，在我们讨论边区的文化运动的现在，首先要估量一下，它在全国的新民主主义文化运动的发展中，达到了什么水准，它对于全国处于什么样的地位。

（一） 边区的革命运动与边区的文化

但我们必须先从历史上来研究：边区的文化，不是突然达到今天的水准，而是随着边区以前的革命历史发展过来的。在革命前的边区地方曾经是军阀统治的落后地区，工农民主革命在一部分地区打破了军阀统治，建立了反帝反封建的工农民主政权，现在边区的抗 × 民主政权，就是在工农民主政权的基础上建立的。边区的文化，就跟着这革命的发展过程从半殖民地半封建的状态走上了新民主主义文化的发展道路。

在民国十六年以前，特别是“五四运动”以前，边区是完全在军阀统治下的半殖民地半封建的一个地区，广大的民众受着重重的政治的、经济的剥削，过着牛马的生活，在这样的民众中间，是几乎说不上什么文化生活的，愚昧、迷信、堕落（鸦片、赌博）、不卫生（疾病、死亡）等等文化上的落后现象，是这种政治经济赐予民众的一切。这一切现象，一直到今天还可以看见它的残遗。这里我们只要举一个例子来说，例如人民的教育程度，在以前，有的地方（如华池）是四五百人中还难找一个识字的，受过中学教育的人，在一整县里只能找到两人（如环县），这就可以看见那文化的落后是到了什么样的程度。倘若说在那时有所谓文化的话，那么主要的只是半封建半殖民地的统治者的文化，是地主豪绅的少数上层分子所专有并且服从于他们的剥削利益的文化，是给帝国主义者作侵略工具的文化。这都是与新文化敌对，在新民主主义文化运动发展的过程中，必须加以摧毁的障碍。

这并不是说，在那样的时期，丝毫没有新文化运动发生，军阀统治的内部矛盾，半殖民地、半封建的残酷的剥削，使广大民众不能不起来为求得政治、经济的自由解放而斗争，这些矛盾和斗争的要求，不能不首先反映在当时先进的知识分子的头脑里，使他们起来推动文化上的启蒙运动，使他们为着求得这些矛盾和斗争的更深刻的认识而进行了各种理论科学的研究活动、新文艺的创作和研究的活动。特别是在“五四”以后，中国的无产阶级已开始了自己独立的政治活动，马克思主义在中国开始传播开来，这又不能不影响到当时边区地方的文化界，使这儿的文化运动开始有了新民主主义的性质，使这儿的文化中心机关里（如榆林中学、绥德四师等学校）有了新社会科学的研究活动，这些文化活动不久就引导到实际斗争里去，许多青年知识分子走进了农村，发动了反对帝国主义侵略和反对封建剥削的斗争。这一切文化活动和实际斗争，准备了后来革命运动的基础。

但这些文化活动，在军阀统治下面，它的发展是受着很大的限制，特别是不能在民众中深入。新的文化运动主要的还只是在少数革命的青年知识分子中间的运动。要使新文化运动成为深入民众的大众文化运动，曾需要革命运动本身也有进一步的发展。而民国十六年以后中国共产党领导的工农民主革命，就能够把边区文化运动推到这一个阶段。工农大众的反帝反封建的斗争，在一部分地区推翻了军阀统治，建立了苏维埃的工农民主政权，民国二十年，先后成立了陕甘边和陕北等两个苏维埃政府。这是边区第一次的新民主主义的政权，在这样的政权之下，才有可能施行并且实际上也施行了广泛的大众文化教育工作。苏维埃政权在军队和工农民众中间首先进行了反帝反封建的政治上的宣传教育，提高了他们的民族民主的意识，并且开始实施了普及教育，使工农民众有机会得到享受教育的权利。民众文化的提高，是工农民主革命在文化运动上的成果。

当时的文化运动的发展，有一个极大的困难条件，那就是内战的影响和革命根据地的流动性，这使文化运动不容易发展，使民众文化的提高困难而缓慢。因此文化运动的深入性虽然进了一步，但一般的说，仍然是很落后的。

事实上，边区的文化运动，是在陕甘宁边区政府成立以后，特别是在抗战以后，才飞快地发展起来的。今天我们看见，边区的政治已成了模范的抗 × 民主政治，我们又看见，边区在文化上也成为先进的地区了。现在边区的文化，不仅它本身各方面的大大提高足以为全区模范，就是对全国来说，边区的文化发展的成绩，不论在军事、政治上或文化本身上都表现了很大的推动作用。边区本身文化的提高的表现是：第一，广大工农士兵的文化程度提高了，文盲的扫除和民众对于抗战建国的认识增高了；第二，党、政、军的干部的理论研究特别是马列主义理论研究不断的加深了；第三，文化艺术各部门不断的进步，全国许多文化人和专门家来到了边区，使许多部门的文化工作很快赶上了全国的水准；第四，堕落、腐化、失业的现象消灭了，艰苦奋斗的工作作风普遍发扬，表现了高度的优秀民族精神和民族道德。这一切，都是边区本身文化提高的表现，它对于全国，就发生了这样的一些影响和推动作用：甲、在抗战的政治、军事的理论指导及文化运动的方向指示上，边区成了全国仰望的核心；乙、边区本身在抗战以来，曾训练了大批的工作干部，分配到全国工作，对全国的抗战建国斗争给与了人力上的实际的推动。

这就是在边区革命发展的基础上所表现的边区文化发展的略史。

（二） 边区为什么能在文化上成为先进的地区

我们已经看见：边区的文化运动，是在抗战以来才飞快地发展起来，并且走上了全国先进的地位。这就是说，边区的文化发展，是与边区的政治的进步有分不开的关系。边区之所以能在文化上走上全国的先进地位，是由于边区在政治上首先已有了足为全国模范的设施。边区的抗 × 民主政权促进了文化的发展。为什么能够这样呢？

第一，因为边区的政权是在中共中央直接指导之下的模范的新民主主义政权，它实行了彻底的三民主义的纲领，它坚持抗战，打退了 ×× 五次向河防的直接进攻；它坚持抗 × 民族统一战线，粉碎了汉奸顽固分子多次的分裂破坏的阴谋；它实行了最进步的民主政治，使民众的伟大力量能够充分发扬起来，这就巩固了边区，造成文化迅速发展所需要的比较安定和平的环境。

第二，因为边区的政权实行了正确的抗战的新民主主义的文化政策。在这政权下面，言论、出版、研究、信仰有完全的自由，对于文化人和青年知识分子，只要是站在抗战的立场上，都加以团结吸收，并尽力帮助他们的工作和学习；对于文化的各部门，只要是于抗战建国的工作有利，就尽量地促其自由向上发展。

第三，因为边区施行的政治上和文化上的政策纲领，是以马列主义的科学理论为指导的原理。马列主义的研究，在边区得到自由的大大的开展，这一种开展，使边区政权当局有可能把握到正确的社会科学的方法原则来看一切政治和文化的问题，有可能对于抗战建国斗争的发展规律和文化运动的发展方向获得正确的认识，有可能正确而彻底的决定并实施三民主义的政治纲领和新民主主义的文化政策，有可能在政治和文化的理论指导上成为全国的推动核心。

第四，因为边区的政权在政治上继承了过去革命阶段中的优良传统，在文化上发扬了工农民主革命时期的大众文化工作作风。党、政、军各方面的领导上都把文化工作看做和政治工作不可分的部分，并且努力用一切方式使文化工作深入工农士兵的广大群众中，很快地提高了大众的文化水准。

这就是边区的政权所以能迅速促进边区文化运动发展的原因，就是边区的文化在全国的新民主主义文化运动中走上了先进地位的原因。

（三）抗战相持阶段上边区文化运动在全国的地位和工作方针

我们再要更具体地说明一下，边区文化运动在全国文化运动中的地位是怎样的。

边区文化运动的地位，在抗战相持阶段到来的现在和相持阶段到来以前是有许多地方不同的。在相持阶段到来以前，全国的政治和文化运动，在大多数地方大体上是向前进步的。言论、出版的比较自由的发展，文化界的各种抗战工作团体的风起云涌，全国人民的民族意识的提高，对于理论认识和抗战规律认识的要求的普遍加紧，……这就是全国文化向上发展的各方面的表现。在这时期，边区的文化是以最快的速度向前进步，建立了政治的、军事的以及文化艺术方面的抗战干部训练机关（陕公、抗大、鲁艺等），吸收和团结了全国进来的成百的文化人和成万的青年知识分子，开展了更普遍深入的工农士兵的普及教育，出版了许多社会科学理论的和抗战理论的书籍，组织了许多文化工作团和服务团，边区的文化运动的这种飞速的发展，在全国一般地进步的文化中，也表现了它的先进作用。

汉奸顽固分子在政治文化上的阴谋破坏活动，在这一时期虽然已经开始了，然而它的严重程度，还没有形成影响全国的投降、分裂和倒退的危机。边区与全国的联系比较容易，前者对于后者的进步影响也比较容易扩大。边区在文化发展上所遭遇的困难，在这时候，主要的是物质条件的缺乏，以及边区本身文化水准较低，限制了文化的发展，赶不上更快的政治、军事的发展的需要——这就是相持阶段到来以前边区文化运动的地位。

在抗战的相持阶段到来以后，边区的文化运动就进入了另外的一种环境。就边区本身来说，文化是仍然更进一步地向前发展了。然而就全国来说，却出现了倒退的逆流。复古的、反民主的、假三民主义的、破坏团结的，甚至于主张和平妥协的言论在文化市场上大大流行起来，而进步的思想、言论、出版却到处受到压制。文化上的这种倒退现象，是与敌人的政治进攻阴谋相呼应的。在相持阶段上，敌人既已失去了军事上的大规模进攻的能力，于是就企图利用中国内部上层资产阶级中的一部分动摇分子和顽固分子，展开投降妥协的阴谋活动，首先是打击抗战的、进步的势力，于是就有了政治上的倒退分裂的危机。倒退阴谋是妥协投降的政治上的准备，文化上的倒退现象则是妥协投降的思想上的准备。边区在这时期，就遭遇到一些新的政治上的困难：××汉奸顽固分子对边区加紧包围破坏，同时就对边区文化运动也加以破坏和阻碍。他们利用封建残余在边区内恢复封建迷信组织，钻入学校机关实行破坏阴谋，直接的轰炸（在文化上也受到一些损失）等等，就是边区在这时期所遭遇到的文化运动上的阻难。然而不管有这许多阻难，边区文化运动仍能加以克服，并向前不断地发展，边区的文化运动在全国也仍然要保持着它的先进地位。

由于国内有着政治上和文化上的倒退危机，所以在这相持阶段上，边区文化运动对于全国的意义就更重要了。它不能仅仅是消极地表现它的先进地位，而且要为着克服国内的倒退危机进行积极的斗争，为着这样的目的，边区的文化界应该怎样去工作呢？

第一，应该更向前地继续努力提高边区文化，使边区的文化能够更有力地发挥它推动全国抗战、团结、进步的作用。

第二，应该与全国进步文化界联合起来，坚持抗战的、进步的文化运动，反对文化上的倒退现象及一切妥协投降的思想准备活动，反对对进步的文化运动的压迫。

第三，应该与全国进步文化界及进步人士联合，为要求政治上的民主，要求宪政的实施，要求言论、出版、集会、结社的自由，反对对边区的包围破坏。

第四，应该与全国进步的文化界联合，共同为创造中华民族新文化而斗争。

这就是相持阶段上边区文化运动对全国的工作方针。

二　抗战以来边区文化运动的成绩和缺点

抗战以来的边区文化运动，一般地是走到了全国先进的地位了，然而具体地研究起来，边区的文化运动是一方面有它的成绩，而另一方面有它的缺点的。边区的文化的发展，有着它的优良条件，也有它的困难条件，就优良条件来说，首先就是这进步的民主的政治基础，这是边区文化所以能发展的根据，是一切成绩所以能产生的主要基础，其次是全国进步文化界及进步人士的直接间接的援助，没有这些援助（例如全国文化人自己到边区来工作），边区文化也不容易有这样迅速的发展的。边区文化运动的今天的成绩，就是由这些优良条件促成的。就困难条件来说，第一是物质困难，不足以供应文化发展的需要；其次是边区文化本身原来的落后，使得它不容易迅速提高；第三就是敌人、汉奸、顽固分子的政治上的包围破坏，这也是文化发展上的一个重要障碍。这一切困难条件，就是使得边区文化有着种种缺点的原因。

边区文化运动的成绩和缺点是哪一些呢？对于这问题，我们要分做：一、教育方面；二、文化艺术的各部门；三、言论出版状况；四、文化干部的团结和培养等几部分来具体地说明，最后再对文化协会本身的工作做一个简单的总结。

（一） 教育方面

边区的教育，从质的方面来说，是抗战建国教育，是服从抗战建国目的的教育。从量的方面来说，是深入群众的普及教育。

从抗战建国教育这一方面来说，最重要的表现，是边区已建立了各方面的训练抗战建国工作干部的学校，这里有抗大、女大、鲁艺、陕公、自然科学研究院、马列学院、卫生学校、青年干部训练班等等，足以供应军事、政治、艺术、文化、科学工程、医务卫生、社会科学理论、青年妇女工作等各方面的工作需要，这些学校的教育方针，是完全与实际联系的，学制、学期、教材等等，都完全依据着抗战建国的实际工作来规定，并且能常常依据经验和需要灵活改变，与实际完全隔离的读经主义的教育，在目前国内还有些地方存在着，但在边区的教育领域中，是彻底被扫除了的。

抗战以来，这些学校已训练出了大批的抗战工作干部，分配到全国各地工作。举几个重要的学校来说，毕业的人数，大约有这样的数目：抗大一万二千多人；陕公六千多人；青训班一万多人；鲁艺二百多人。这些数目中除互相转学的不算外，大约有二万五千多人。这些毕业的干部，都是分配到全国各地，特别是到前线的地方做抗战工作，或在农村中做民众工作。例如青训班和鲁艺的毕业学员的工作地区，是依以下的百分比分配的：

学校	边区	华北	大后方	留校	其他
青训班	34	22	——	14	30
鲁艺	18	50	110		21

这就是说，到华北战区及边区农村中工作的占人多

数，留校及在大后方的占最少数。

从普及教育的方面来说，边区是实施得最彻底的，它的彻底，就在于有这样的特点：第一，从幼稚园一直到大学专门学院，一律不收学费、教育费，大学专门学院是连衣、食、住也供给的，所以，边区的人民或来边区的人，除汉奸以外，任何人都可以有受教育的权利和机会。第二，除学校教育外，还用各种各样的方式求教育的普及，如为要适合老百姓的生活条件，则施行各种社会教育（冬学、识字组、剧团等），党、政、军工作人员中间则有文化教育和政治教育，还有特殊的适应干部自己学习的干部教育，这各种各样的方式的应用，使得就是在生产中工作中的人，也可以受到教育。

我们再看普及教育的具体的成绩：

一、小学校教育的发展，在抗战以来，成绩如下表：

年份	小学校数	学生数
1937	120	2,000
1938	773	16,725
1939	883	20,401

这就是说，两年中间，小学生增加了十倍的数目。

为着培养国民教育的师资，曾设立了边区中学及鲁迅师范，先后毕业了六百多人。

二、社会教育的成绩，根据边区参议会的报告，是这样的：

识字组	夜校	半日校	冬学
5,843 组	208 校	61 校	600 校
39,983 人	1,917 人	919 人	10,000 人

这就是，文化落后的农民，有五万人以上，不脱离生产而得到了受教育的机会。农村妇女是在文化上尤其落后，两年多来，庆环、关中、三边等四个分区里，办了五个特别为训练农村妇女干部的妇女训练班，受训的有二三八人，组织在识字组里的农村妇女有九千人左右的数目。

就剧团来说，经常在农村中走动的，有专演秦腔剧（旧形式新内容）的民众剧团，有烽火剧团，抗战剧团等，地方剧团有三边的七七剧团和庆环的农村剧校等，戏剧是农村中最重要的宣传教育工具，特别是利用地方戏剧的形式，在民众中有极大的政治动员作用。

三、军队中文化的提高。边区的部队，因为是处在较稳定的环境中，有集中教育的条件，所以政治教育和文化教育的提高是很快的。保安部队里，已有百分之八十的人数能识二百以上的字，而他们原来都是农民，百分之九十九都曾是文盲。八路军后方留守兵团已经没有了文盲，而能看《战时读本》（要识一千以上的字）的人，已到百分之十，排连以上的干部都能大概看《新中华报》，并且能做文字报告。营级以上的干部则已能看《联共党史》一类的书了。

四、工厂文化教育方面。因为许多工厂都是新建不久，文化教育的成绩还说不上，只有印刷厂成立时期较长，这里文盲是大体上没有的，有个别的人还能写优秀的文艺作品，曾在《文艺突击》上登载过好几篇。

以上就是边区的教育方面的成绩。至于缺点在什么地方呢？首先是内部物质条件困难，因此教育设备简陋，教材的供给不易；其次学校教育和社会教育还没有能够消灭边区民众文化较为落后的状态。根据以上的数字，能受国民教育和社会教育的人，只七万多，约占边区人口百分之十弱，而全国的识字者对文盲的百分比，则是百分之二十；第三，教育补助材料不够，通俗读物缺少，这是必须快快补救的缺点，否则民众教育就不容易很快地提高；第四，国民教育中工农的师资缺少，因此教育方法不能很好地适合民众需要，这是由于边区过去文化落后的结果，要在将来更进一步提高的过程中加以改正的。

（二） 文化艺术各部门的发展

这里所说的文化艺术各部门，包括以下三方面：一、艺术方面，二、理论研究，三、科学医务。

就艺术方面来说，边区的成绩的表现，首先是在于做到了大量的创作。根据边区美术救亡协会的不算完全的总计，在美术方面，抗战以来各种宣传画、漫画、木刻、壁画等等的创作，数量在三千五百件以上；音乐方面的创作，从小调歌曲一直到大合唱，共计三百个以上；戏剧的作品，由活报杂耍到两三幕的大戏，共一百种以上；文学作品如像诗歌小说报告之类，数量特别多，目前一时无从估计。大量的创作，是要求质的进步所必经的步骤，这正表示边区的艺术界是用了极大的力量，在努力探求中华民族新艺术的内容和形式。

在质的方面，边区的艺术界所表现的成绩有这样的几点：第一是大胆尝试了各种形式的利用，不论新形式，旧形式，中国的，外国的，地方的，民间的最简单的和最复杂的艺术形式，但凡有可以利用之处，几乎没有不尝试到的。第二，一切创作都是以新的抗战的现实为内容，或至少是暴露现实矛盾的东西。我们所要求的是抗战的、新民主主义的艺术，艺术至上主义的无病呻吟以及迎合落后意识的低级趣味的东西，都是边区的新艺术中所绝对不要的。第三，利用旧形式，都或多或少加以相当的改造，使它适合于新内容，或是在旧形式旧内容中（如历史剧），用新的观点把内容适当改造，以纠正旧艺术对于现实的歪曲。倘若不经过这样的改造工作，一定是失败的，这是边区抗战以来的艺术工作经验所证明了的事实。第四，就边区本身来说，边区的艺术工作，在两年多来已提高了边区的特别是延安的干部和群众的鉴赏的水准，两年前的比较简陋的作品，已不能满足干部的要求。例如音乐方面，延安的观众，已能够接受复杂的大合唱，而且也只有这样的东西才能给他们最大的满足。至于群众方面，看过了民众剧团的新内容的秦腔，对于旧形式旧内容的东西就感到厌弃，动摇了旧戏班子在他们心目中的地位，这也是群众水准提高的最好的例子。第五，对边区以外来说，边区的艺术工作中虽还没有产生出超过全国水准很多的作品，但已产生了不少的优秀的、足以为全国模范的抗战艺术作品。

边区的艺术工作的成绩就是这样的，它当然还有许多缺点，许多不够的地方。最重要的是：第一，一直到现在所产生的作品里能够最具体最灵活地反映现实的还不多，公式主义或近于公式主义的毛病还常常存在，例如戏剧上四五个脸谱（一个日本人、一个汉奸、一个老百姓、一个抗 × 军官等）搭挡的公式，还多少有着支配的作用，能深刻描写真实的日常斗争的作品还少，能创造真正现实的新典型的作品还少，能配合每一具体政治任务供应前方需要的东西更少。其原因是由于第二，我们的艺术工作者和现实的斗争生活还接触得不够，虽然我们也派遣多次的艺术工作团体，然而大都还没有能够亲身深入体验民族战斗的实际生活。第三，对于旧形式的利用，我们的艺术工作者还很不熟练，不能灵活地控制旧形式的一切规律。这原因是由我们的艺术工作者对于旧形式大都不是很内行的专家，我们还没有能够吸收旧艺术的专门技术人材来共同合作。这一点，是需要今后加紧努力的。第四，一般地说，我们的艺术活动的水准，还不能说已超过全国，虽然在发展的迅速上来说，两年多来的成绩是足够为全国模范的了，特别是由于物质条件的困难，在技术上我们还不能比上全国最高的水准。最后而最重要的缺点，是我们还没有能够把艺术理论有系统地建立起来，我们现在还仅仅是有一些片断的意见，这些意见虽然对于全国也有了相当的影响，然而离成熟的标准还远。

以上就是我们的艺术运动上的主要成绩和缺点。

再就理论研究方面来说，我们的成绩首先表现在马列主义的科学理论研究的扩大和深入，经过了不断的学习上的动员，提高了边区干部研究马列主义的热忱，他们大家都知道，要能够正确地处理中国抗战建国斗争中的实际问题，必须以马克思主义的科学理论作方法指针，大家都努力学习把握这一个科学的武器，并努力把它应用到实际工作上，这就自然不能不提高了理论研究的水准，而这些理论的实际应用的成果，已使边区在抗战建国的理论上居于全国最高的地位了。其次，对于中国历史和中国学术遗产的研究，现在也正在开始，而且也有了一些成绩，如中国古代哲学，古代社会，都有了相当的研究，而对于中国近代史的研究，成绩还更大些。

对于历史和旧的学术的研究，边区所感到的最大困难是研究材料的缺少，而且这方面的研究才是开始，所以虽有一些成绩，而成绩并不大。这是理论研究方面的一个缺点。

科学医务的进步如何，是物质文化发展的直接的测度器，从这一方面的进步，可以看出社会从落后的乡村地位走向近代社会的进程。就这一方面来看，抗战以来在边区也有了很快的发展。在科学工业方面，边区政府已建立了十几个工厂，这些工厂每月可以出布六百匹以上，毛呢一百匹以上，纸六万张以上，肥皂六十万条，毛巾二百打，制皮革六百至一千张，这些工业产品在过去的边区是完全没有的。在医务卫生方面，边区已建立了组织上和设备上相当完善的医院，能施行近代医学上的一般的手术。最重要的是努力克服了许多医药上的困难，用边区土产的原料，制成了种种中西药品，使一般比较普通的药品都有了自给的可能，特别对于中药的利用和改造，边区的医药界是加以最大的注意的。

边区的科学工作，都是为抗战建国服务，不像其他地方那样带有私人营业性质，因此这里的科学家能专门埋头在工作中，一心以学理上和技术上进步为念，这也是一个重要的特点。自然它也有缺点的，那就是物质条件困难，技术装备不够，高级技术人材缺少，医药用品原料缺乏，工作不易开展，使进步不能不受到阻碍。边区的科学医务，一般说还只是在发展的开始，两年多的进步虽然很快，然而当前的水准，比较全国许多地方所达到的发展程度，却还差得很远。这是需要全国热心进步的科学医务方面的专家们，更多地起来加以援助的。

（三） 言论·出版

文化的发展程度在出版方面也可以表现出来。试先从数量方面来看，边区在文化上的食量如何？边区有两个印刷厂，每月排印的字数一个是六十万以上，一个是八十万以上，这就是说，边区每月出版字数的总计是一百四十万以上。全国一个最大书店，每月所能出版的字数，最多也不能超过六十万，这一个比较，很可以说明边区出版界在全国文化上的意义。边区每种出版物一版的印刷份数，起码是二千份，多的一般到一万二千份，这些份数，是极度地供不应求的。

更重要的是在于质的方面，全国其他地方出版物也不少，然而宣传和平妥协，鼓励分裂阴谋，策动倒退运动的书籍杂志，却占着一个很大的位置，有的地方甚至于几乎完全看不见进步的书籍。边区的出版活动却相反，只有以进步的社会科学理论及抗战建国的指导理论为内容的书籍杂志，才能够容许出版，违反抗战建国的言论的出版物，在这里是没有地盘的。

在报纸杂志方面，边区出版了关于政治（《解放》）、军事（《军政杂志》）、文化（《中国文化》、《文艺突击》）、妇女（《中国妇女》）、青年（《中国青年》）、工人（《中国工人》）、科学卫生（《国防卫生》）等各部门的专门刊物，以及许多油印石印的刊物画报（如《前线画报》等），有《今日新闻》和三日刊的《新中华报》，而它的内容，是不仅只有边区的地方性质，而且也有指导全国的性质。

进步的言论、出版的自由，在边区是有充分保障的，它不但不会受到政治上的压制，如全国其他许多地方一样，而且还受到政治上的直接帮助。只要是在抗 × 立场上的刊物壁报之类，在边区都能够自由出版。边区出版上所有着的困难和缺点，主要地是在于纸张困难，不能不限制印刷份数，因此供不应求。又因此，文艺方面的出版物没有力量印刷，文艺方面的出版物，直到现在，除文协曾经出过几期《文艺突击》及准备中的《中国文化》外，还只有手工印刷的木刻集油印刊物之类，这不能不说是一个应该急谋设法补救的重要缺点。

（四） 文化干部的团结、动员和培养

边区的文化干部是从各方面的来源上走来的，除了边区和八路军共产党过去原有的文化工作干部之外，还有全国各地来的文化人，各科专家及大批青年知识分子。靠着边区内外的这些文化工作者的团结一致，共同工作，才能够把边区的文化很快地提高到今天的水准。特别是各地来的文化人，他们的技术水准是比较高的，他们抛弃了外面的较优良的生活条件，来到边区与旧的干部一起艰苦工作，这是只有在边区这样实施了正确彻底的三民主义纲领的政治条件之下，在正确的新民主主义的文化政策之下，才能够做得到的。

对于外来的文化人及各门专家，边区是非常尊重他们，尽力帮助他们工作，发展他们的所长。对于青年知识分子，边区一律给与学习的机会，并帮助他们找到工作。一般地边区已做到了这样的成绩：即能够使一切来到边区的文化人和知识分子不至于感到生活工作没有出路，使他们达到不失业，不苦闷，不彷徨。

为要团结和培养专门做文化工作的干部，边区已建立了这样的一些基础：鲁迅艺术学院，自然科学院，边区师范，卫生学校，各剧团，文化协会等等。这些机关吸收和训练了许多的文化工作者，动员他们到各方面去工作。有不少的文化工作者，已动员到前方部队里，农村里，工厂里。这里实行了文章入伍的口号，和文协的抗战文艺工作团、鲁艺的前方实习团、部队中的文艺小组等等的组织。这里实行了文章下乡的口号，如秋收春耕的下乡实习，各剧团在各县各村里的工作。这里还实行了文章进工厂的口号，如文协直接领导的工厂文艺小组的组织。

这些就是文化工作干部的团结和动员的成绩。至于说到缺点，主要的是这些：第一，因为物质条件困难，对外来文化人的生活上和工作上的帮助不能够达到很充分的地步；第二，文化人知识分子的生活和工作与工农士兵群众还不能够很好的打成一片，文化人在群众中的深入工作还不很充分；第三，地方工农出身的文化工作干部不够——这是使许多工作不能深入民众的一个重要原因。

（五） 边区文化协会成立以来的工作总结

边区文化协会是边区文化运动的总的领导机关，它负有团结全边区文化界，努力提高边区文化，并与全国文化界联合，共同为创造中华民族新文化，在文化战线上进行抗战建国的斗争的责任。文协的成立是在“八一三”以后不久，即民国二十六年十一月的时候，到现在，也有两年多的历史了，在这两年中间，文协的工作，总括起来，主要有以下的几项：

第一，为着统一文化各部门的工作，在文协下面组织了各种文化团体。音乐、戏剧、美术、文学、世界语、新文字、青年记者工作、哲学、自然科学、教育等文化各部门，都各自建立了共同的组织，或是作为该部门全国总团体的分会（如文艺界抗敌协会延安分会），或者与该部门总会取得一定的联络（如延安新哲学会与重庆中国学术研究会），都建立了相当的工作。

第二，组织了文化人上前线的工作，文协的抗战文艺工作团，先后曾派出了五组，共二十人左右，团员有的已回来，大部分留在前方深入部队群众中工作。团员中间已根据所得材料，创作不少的文艺作品和通讯。

第三，组织了部队、工厂、农村、学校中的文化工作，如文艺小组，是在各机关、学校、工厂、部队中都有它的细胞的，农村中的文化工作，最主要而最有力的表现是民众剧团的组织，民众剧团所运用的完全是边区老百姓所喜闻乐见的秦腔，因此在农村中有极大的影响，对于政治上的民众动员，民众剧团起了极大的推动作用。

第四，出版方面的工作，文协也做了不少，如《中国文化丛书》、《文艺突击》、《文艺战线》以及抗战文艺工作团团员们的单行小册子，这些出版物，对于全国文化界，都给与了相当重要的影响。

文协的工作还有着以下的缺点：

第一，深入边区各地的工作还不够，除了民众剧团外，在各地就几乎没有任何工作，例如各县分会，就还没有动手组织。

第二，组织不健全，没有适当的组织工作干部，因此不能有系统地、经常地领导各部门的工作，没有经常有计划的工作指导。

以上就是边区文化协会工作的简单概况。

（六） 简单的总结

根据以上所说抗战以来边区文化运动的成绩和缺点，我们得到什么结论呢？

第一，在物质的、文化的、政治的等种种困难条件之下，边区文化运动能够获得以上的成绩，这表示边区的文化是在极迅速的程度上发展着，在这样的意义上，边区在文化上可以说是全国的先进地区。

第二，但也因为同样的困难条件，故边区文化上的提高，还赶不上政治的需要，在与政治作比例时，还不够先进。具体的表现有三点：甲、学校教育及社会教育的成绩还没有使边区民众文化脱离落后地位；乙、理论研究和艺术活动都还有很大提高的余地，科学医务还幼稚；丙、出版方面的质和量，都还不能充分满足全国政治上和文化上的需要。

第三，因此，边区的文化工作还需要大大的提高，全边区文化界应该更进一步地团结起来，互相帮助，互相交换工作经验，努力做到：甲、消灭边区某些文化上的落后状况，提高民众对于真正彻底的三民主义政治纲领的认识；乙、在科学的立场上，推动边区的新民主主义的文化运动的发展，为创造中华民族新文化及服务于抗战建国的任务而斗争。

三　边区文化运动今后的任务

根据边区文化运动的成绩和缺点，以及它对全国对本身应采取的工作方针，应该规定以下的几种具体任务，作为今后边区文化运动努力的目标。

（一）　进一步提高边区文化的各部门，使它更有效地能为抗战建国的斗争任务而服务

这要分几方面来说：

第一，提高马列主义的理论，中国历史，中国学术及当前现实问题的研究。为此必须：一、加强既有的学术团体的工作（如新哲学会等）；二、经常有计划地、系统地组织研究会、座谈会、学术演讲会等；三、与全国学术界取得联系，交换研究成绩；四、设法大量地搜集和整理研究资料。

第二，进一步提高艺术工作的质和量。为此必须：一、更大量地进行创作活动；二、更大胆地利用和尝试一切有用的形式，更具体地反映各方面的抗战建国斗争的现实内容，努力克服公式倾向；三、有计划地开竞赛

会、公演会、展览会、讨论会等；四、努力建立艺术理论；五、设法帮助艺术作品的出版；六、艺术界的工作者中间要开展到农村、工场、部队中去工作的运动，努力与实际斗争生活相接触，但不反对创作时的单独工作。

第三，提高科学工程医务卫生的工作。为此必须：一、努力进行对边区的物质资源进行调查研究；二、努力进行各种新的制造业的尝试；三、组织科学卫生的演讲会及工作研究的报告；四、医务卫生工作要向群众深入，为消灭民众中卫生上的落后状态而斗争。

第四，进一步提高下层民众的文化水平。为此必须：一、更加扩大小学教育，开展社会教育工作；二、扩大现有剧团，组织各县地方剧团；三、扩大文艺小组工作；四、编印通俗读物，改进和充实各种教材。

（二） 进一步努力与全国团结，加紧对外宣传

为此必须：

第一，继续编辑理论学术丛书，出版《中国文化》，作为推动文化运动的中心杂志。

第二，继续派遣抗战文艺工作团到前线去工作，既

有的留在前方的团员要与之建立密切的联系。

第三，组织国际宣传委员会，用各种方式进行国际宣传工作。

第四，加强边区各文化团体与全国各文化团体的联系。

（三） 团结及培养文化工作干部

第一，更多地设法帮助文化人工作，务求尽量使他们能够发挥各自的专长。有少数在边区还感到苦闷的文化人，应该给与更多的帮助。

第二，在生活上给与文化人更多的帮助，筹备文化人保健委员会，保障文化工作者的健康。

第三，设立文化俱乐部，使文化工作者互相间，文化工作者与非文化工作者间，有经常团结的机会。

第四，培养工农出身的文化工作干部。为此必须：一、扩大小学师资训练机关（如边师）；二、设立工农艺术训练班，培养地方艺术的工作干部；三、动员民间艺术人材参加剧团；四、帮助民间旧剧团改造他们的工作。

第五，号召边区外的文化工作者到边区来帮助发展边区文化工作。

（四）　健全边区文化协会的组织

第一，改造文协的组织使适合于今后的任务，为此必须：一、补充干部：二、建立各种委员会由专人有计划地推动各部门工作，改正因人设事的缺点。准备建立的各种委员会有以下几种：大众读物编辑委员会，国际宣传委员会，文化俱乐部，文化保健委员会，文学顾问委员会（已建立），剧团管理委员会等。

第二，整顿各文化团体，各团体进行改选，使每一团体有专人经常负责，使工作有计划性，经常性。

第三，建立文协在各县的分会，或与各县区乡的民众教育馆取得密切的工作联系。

（一九四〇年）

民族解放和哲学

哲学是有它的时代任务的。每一个时代的新哲学，都和行动的人们的步调配合着，成为他们解决问题的指针。哲学的理论一定要配合着社会的进步的实践，它本身才能够向前发展。虚伪的“新物质论者”以为把哲学应用到实际问题的解决上，就会降低了它的理论性，以为解决实际问题的哲学只是政治政策的哲学，而不是“纯理论”的哲学。其实哲学正是要有了实际的丰富的新内容，它的理论才能够具体化，才能够有现实性，也就是才能够提高发展。反过来说，如果忽视了实际问题的解决，妄想着去组织最后完成的什么体系，那结果所得到的“纯理论”，其实只是一些空“理论”，只是一些死的公式。这种空理论，只适合给那做教授梦的建立者去孤芳自赏，站在大众的前进文化上来说，站在哲学的发展前途上来说，都是应该投进垃圾堆里去的！

历史上每到一个重要的转换时期，在哲学上也总有一段新的发展，每一种重要的新哲学，都发生在社会急遽变革的时代，而得到广大的大众的拥护。如果哲学真是离开实际问题的纯理论体系，那么，在动乱时代忙于政治问题的大众，未必会有那么多的“纯理论狂”来拥护他们所拥护的哲学。如果我们不能把中国现在的哲学结合在民族解放的任务上，那我们也就用不着在大众前面来谈哲学，只坐在书斋里随便夸大妄想，就已经够了。

但真正躲在书斋里研究的人，严格地说起来，是没有的。但凡有所主张，必定对于问题给与了一种解决，并且直接间接都要牵连到实际生活上。以创立新哲学组织纯理论自任的人，也还是要用他的“纯理论”公式来套在当前的民族问题上。反过来说，目前我们所见的各式各样的救国理论，也没有一种不是有着一定的哲学基础的。倡说者自己不管是不是研究过哲学的人，但他的言论总有一定的思想方法的根据，这思想方法，就是他的言论的哲学基础。什么唯武器论，什么民族节操论，什么民族自觉论，集中国力论，什么忍让妥协论，不单只是代表着各种群团的人们的利害，同时也是想用一定的思想方法来把他们的利害加以“合理化”的表现。

在这样的情势下面，正确的哲学，在民族解放的实际问题上就担负着两方面的任务。一方面要替真正要求解放的大众建立正确的思想方法的基础，一方面要暴露一切不正确的倾向，指出它们方法基础的错误，和它们的妥协性，虚伪性。能够尽到这两方面的任务的哲学，是积极的，战斗的。

正确的哲学是正确的方法论。它指示我们，在处理民族解放问题的时候，第一是要从当前民族危机的具体事实上着手分析，不要凭头脑里的空理论来妄下判断。我们要分析敌人，认清楚敌人的力量在哪里？他们的矛盾是些什么？我们尤其要分析自己，要明白中国民族内部的各种集团的情势和力量，要明白产生汉奸的社会的基础，要明白解放的运动要靠一些什么力量。……认识是要从当前的事实的分析得来的，如果凭着外国的不相干的例子，就要判断中国民族必须退到“堪察加”去，凭着古人的陈腐的道德说教，就要判断中国不能自救是由于人民没有节操，这都是不从当前的具体事实分析起，而只知道援引空例在头脑里下断案的好例，这都是观念的错误。

但同时我们也要注意“新物质论者”的曲解。他们也抬着“认识是以物质为基础”的幌子，主张民族问题的提起是由于外物的“刺激”。这在表面上好像很合理的说法，而实际上却是陷入了旧机械唯物论的陈套。这是直观的唯物论，只看见外物给主体的刺激，而忘记了另一面的主体的要求。其实主体的要求在认识中也是重要的，例如汉奸，民族危机无论给他们以什么刺激，他们仍然觉得是投降的好。这就是因为主体本身没有解放的要求，因此解放问题也不会被提起了。民族解放的认识，不单是外物的刺激，并且是主体和客体的交互作用的结果。是主体在一定的社会地位之下有所要求，依着这要求能动地去分析事实，这样才达到的具体的认识，如果以为单单的刺激就可以达到民族解放的认识，那么，中国人谁不受到刺激？为什么还有人要压迫爱国运动？我们如果相信这种说话，那只好说压迫之所以要来压迫，是因他们还没有受到刺激，还没有民族的自觉。结果是：要解决民族问题，就不必要民众自己起来反抗压迫者，只要让压迫者去“自觉”就行了。来一个“民族自觉运动”吧！这就是我们的“新物质论者”出售着的便宜货了。

正确的哲学指示我们的第二点，是不只要分析具体事实，并且要把事实的各方面、各要素以及这各方面各要素间的相互关系，都加以研究。有许多错误的认识，就是由于看样子，虽然是在研究着事实，而实际上却只抽出了一方面和一要素，夸大了这一方面和这一要素，结果把其他的重要的要素和方面都遮蔽了。譬如研究到敌人和自己的力量问题时，我们所要注意到的不单只是武器的高低，还要注意到经济上的支持力如何，政治上有什么缺陷，民众的团结力和对抗情绪如何等，这就是民族解放问题上的种种方面，至于说到这种种方面之间的相互关系，那么，依照正确的哲学理论来说，战争是建筑在政治上的，而政治的运动又是经济关系的集中的表现。在这里我们要着重的是经济关系。如果我们认清楚了敌人的力量是建筑在没落的第三期的资本主义经济关系上，那我们就可以明白为什么敌人侵略我们，总是要回避着直接发生战争，总是要想不费一兵一弹之力吞没中国的全国，同时我们也可以相信，如果抗战能够爆发起来，敌人将要怎样发抖，而我们也一定会获得最后的胜利！

然而唯武器论者不是这样想，他们把应该着重的经济关系的研究和分析完全抹煞，夸大了武器的一方面。他们用敌人的军舰和大炮的数目，来威吓本国的民众，想叫民众不要起来，让敌人大块大块地舒舒服服侵吞中国的领土，好尽他们一片汉奸的忠心，好对敌人表示自己的真诚。这种论调本来早已被“一·二八”的事实和阿比西尼亚的抗战打得粉碎了，但一直到现在还有人拿来欺骗民众。他们的思想方法，是叫做形而上学的一面化。

正确的哲学指示我们的第三点，是要我们用矛盾统一的原理来处理民族解放问题，不要诡辩论。在敌人加速度地进攻我们的危机之下，我们现在是需要一个广大民众的抗敌战线，这是统一的方面。然而对于汉奸却要同时给以无情的打击，这是矛盾的方面，统一战线的形成和矛盾的进展是同时要做到的。然而诡辩论却从两方面来打击民族救亡阵线。他们一方面说，是的，现在我们需要统一战线，然而我们内部还有着矛盾，因此现在还谈不到统一，把对外的抗争先放一放吧！让我们先集中精力于内部矛盾的克服。他们是指出矛盾，诡辩地把民众的统一打消了。另一方面他们又说：“是的，我们需要统一，那就把一切的矛盾都忘却了吧。把我们的力量集中起来，不要毁谤任何人，反对任何人，我们只要统一！”他们是要人盲目地统一而诡辩地把汉奸和民众的矛盾打消了。统一起来干什么呢？他们不肯确定地说。因为一确定了抗敌的统一战线，那又必然要同时发生反汉奸的矛盾问题了。

正确的哲学指示我们的第四点，只要用矛盾统一的原理来看各帝国主义中间的关系，而不要把这关系看成势力的均衡。均衡论的思想，在一般人分析国际问题的时候，是非常普遍的，就是许多进步的人，都常常不自觉地在应用着均势论，以为中国所以不亡，完全是在于各帝国主义间势力成为均衡，谁也不能独吞中国的缘故。因此在解决中国民族危机的问题上，他们不相信中国民众自己的反抗力量，而却以为要靠帝国主义的外来势力来决定。前清时候李鸿章的“以夷制夷”的思想就是这种思想的一个开端，到现在，也还有很多人梦想着要大英或大美帝国主义来干涉敌人的侵略。这自然也只是梦想，素称在太平洋上和日本对立得最利害的美国，从“九一八”以来，哪一次不是只有一点不关痛痒的声明，而英国在意大利侵略阿比西尼亚将有失败的可能时，还表明不愿意意败阿胜。帝国主义者在争夺殖民地上是互相矛盾，然而在镇压殖民地的反抗时却会统一起来，要专靠外力决定中国的独立解放，哪里会有可能呢？就是要博得外人的一点同情，也须得要自己争气，何况还要别人来帮自己赶贼呢？

以上四点，是哲学在中国民族解放问题上的最重要的方法基准，还有许多更细微更具体的问题，可以关涉到新哲学的各种法则上来的，这里没有篇幅细述了。前面说过，正确的哲学是战斗的，积极的，它对于违反民族解放的思想方法，必须站在事实的真理上，不断地警戒着斗争着，反对理论的否定，是它自身的肯定的基础，是使它自身向前发展的契机之一。研究哲学的人，不能不注意到他的时代的任务，不是研究哲学而要为民族解放做一点事的人，也得要注意到正确的哲学，使得自己的思想方法不至于犯着错误。

（一九三六年）

从新哲学谈到爱国青年的自杀

一

《现世界》的编者先生要我在这一期写一篇从新哲学观点上来论自杀的文章。我很惭愧自己没有能力答应他的要求。因为自杀是一个最复杂最具体的问题，需要最详尽最实际的分析。勉强搬几个哲学上的术语来“论”，是得不到所以然的，自然，如果要学一学“新物质论”的榜样，把爱国自杀排成正、反、合的公式，画一套“爱国→自杀→爱国 · 自杀”符章，再加上几句说明和咒语，自然也可以“论”得很漂亮，写得很堂皇，然而问题并不会得到真正的解决。

老实说，新哲学里虽然也有几个公式，但并没有把公式当做万能的灵符。如果把公式要得太高兴，而忘记了活生生的事实的分析，那就会走到恰恰相反的道路上去，全然失去了新哲学的味儿。因为新哲学是要从客观的事实出发，新哲学的公式也是从客观的事实发展中抽出来的。客观事实是公式的基础，把客观事实忘记了，就等于忘记基础，空中悬楼阁，无论你标榜什么新特质，仍然是一种观念论。

我们是要完全丢开公式吗？那也不是。公式是过去新哲学研究的成果，我们应该保持着它，把它当做我们研究新事实的原则，我们要承认这是最必要的事。但这和专门要公式的那种新物质论又有什么不同呢？不同的是，我们只把公式当做分析事实的原则，我们是要在事实的本身里去发见这些原则，去看出它的更具体更丰富的表现。而后者都是把公式勉强嵌在事实上，把事实当做公式的附属品和尾巴。

就用自杀的例子来说吧。如果只要我要一要公式，那么文章是非常好做的。我可以说：一个爱国的青年，在爱国运动中遭受到了打击，这打击使他灰心失望，发生了自杀的念头，这一段情形，就是从爱国到自杀，嵌在公式里就成为“爱国→自杀”。我又说：这位青年发生了自杀念头以后，他又觉得，自杀也可以促起个人的注意，也就是一种爱国的手段，于是就决心实行自杀。这一段情形，又是从自杀回到爱国，不过这一次的爱国，不是单单的爱国，而是和自杀结合起来的爱国，所以写成公式，就成为“自杀→爱国 · 自杀”。两段合并起来，就是一个正、反、合的公式“爱国→自杀→爱国·自杀”了。

这不是很堂皇的文章吗？照着同一个样子，我还可以做成“爱情→自杀→爱情 · 自杀”，“失业→自杀→失业 · 自杀”，“落第→自杀→落第 · 自杀”以至于无穷的公式啊。然而这样的东西，对于我们，除了文字游戏的幽默以外，能给与什么东西？我们对于自杀的问题，在这里并没有得到真实清楚的认识，并没有获得解决自杀问题的办法啊。

二

如果一定要标出一个题目：“从新哲学的观点来论自杀”，这也没有什么不可，因为新哲学的许多原则是世界和人类发展的最一般的原则，研究自杀问题的时候，自然也应用得到的。然而新哲学方法上的最高原则就是：应用任何公式，都要由客观事实的本身来决定，不得任意掉弄公式的花枪。

事实本身不容许某一公式的应用时，不能随便用出来。譬如“正反合”的公式，标榜“新物质论”的人们把它用得无孔不入。其实这是不能乱用的，谷粒长成稻，稻上又结出许多谷粒，这是一个正反合的过程，然而米被人吃了，又变成屎排泄出来，这就不是“正反合”的过程，螳螂吃蝉，螳螂又被黄雀吞去，虽然有三段，也仍不是“正反合”。因为正、反、合是事物本身从发生，长成到高扬的规律，由谷到稻再到谷粒是一件东西发生成长的事实，因此可以应用正反合的规律。米变成屎并不是米本身的发生长成，螳螂黄雀和蝉的交吃更和发生长成不相干，所以不能应用正反合的公式。但那爱要公式的人们却是什么地方都要用公式的，好像有一个地方不能用时，就怕要损失公式的尊严一样。所以就常常要凑成许多螳螂黄雀式的正反合。譬如“文学→政治→文学政治”之类，就是很好的榜样。爱国自杀的问题，似乎还没有被他们提起过，但如果提起了，“爱国→自杀→爱国自杀”的公式是必然会在他们手里诞生的。我在前面说了那许多，决不会诬枉他们。然而螳螂黄雀式的正反合究竟不是真正的正反合，“爱国→自杀→爱国·自杀”的公式用在青年自杀的问题上也只是勉强凑嵌而已。从爱国到自杀，并不是去年爱国事件本身的发生成长过程，只是一个青年分子从爱国运动中的脱离和毁灭的过程，而爱国事件的正常发展并不是走自杀的路。这样的事实，是和米被人吃而变成屎一样，还应用不到“正反合”的。

新哲学的原则是要用事实做研究的基础，要的是事实的核心。自杀是社会的事实，不是单纯的哲学的事实。因此，如果要遵守着新哲学的原则来论自杀，就要依着事实本身的性质，从社会的经济的方面来研究它，而不能单纯从哲学上来推敲。社会的经济的事实又是非常复杂非常具体的，一件事情的发生常常要由多种多样的条件促成。多种多样的条件发生了相互作用，发展成自杀的结果，并不是很简单的一回事。所以失业虽然会产生全家投海的结果，但有的人虽然失业却决不会走到这一步末路。落第会使得少数人自杀，但大多数落第者不会个个死去，在爱国运动中受打击的人也很多，然而像张柳泉女士那样悲惨结果的人，却也是少得令人非常触目的。

是的，自杀是一件极复杂的事情。我们要从各种条件的相互作用中来研究自杀的事件，同是自杀，失业自杀和爱国自杀的条件是大不相同的，就是同一种的爱国自杀，续范亭将军忧国自杀和张柳泉女士的灰心自杀也决不完全是同一回事。

常常有人用一种道德教训来论自杀，说一切自杀都是罪恶；与其自杀，何不如杀敌而死，现在他杀了自己，是因为头脑太不清楚了。这样的讨论，是没有一点用处的。自杀既然是由于种种复杂的条件，因此它的成因也不单只是头脑不清楚，忘记了教训，在一个决心自杀的人的前面，恐怕就是摆几百条金科玉律，也没有方法阻止他的。

三

张柳泉女士自杀，是在爱国运动中受打击，这是她的自杀的一个重要的发端，这是谁也不能否认的，但我们至少还可以看出另外的几种条件。譬如被迫转学（虽然这也是由于爱国运动），对于学业的失望，在主观上的好胜心的被挫折，和群众的隔离，也许还有家庭的其他原因，使她骤然觉得个人的无力吧？我们虽然不能知道底细，然而要真正的了解这一件自杀事件，是应该顾虑到这许多方面的。

又谈谈续范亭的自杀吧，那也可以想到种种的条件的：对于军事不抵抗主义的愤慨，对于学生爱国运动的同情，他的极度沉闷的环境，个人的不得志使得他感到自己的无力，旧的英雄主义的迷信观念的意识（想以个人的牺牲感动先烈的在天之灵）等等，都是续范亭事件的促成的条件，值得考虑到的。

我们并不是说，爱国自杀的原因并不真正是由于爱国，而是由于许多附属的条件。如果这样说，我们的研究就等于把爱国自杀的人当做冒牌的爱国者来看待，而打击爱国运动的人们也可以不负杀人的责任了。这是不对的。我们要强调说，爱国自杀的根本原因确是由于爱国运动的被打击。没有这打击，足以促成自杀的这些条件也不会发生作用。然而一个基础的原因要发生必然的结果，是必须要和许多其他的附属原因凑合在一起，才会实现的。单纯的因果论不能说明事实的真理，新哲学也决不能满足单纯的因果论。

我们要研究自杀的种种条件，目的也并不是要给自杀者解脱责任，说："看哪，许许多多的条件都在那里决定了他，他的自杀，是无可如何的事了，我们不必责备他呀。"这是多余的。自杀的人已经死了，我们不需要责备死人，所以也用不着再替他解脱责任。自杀的人，在主观意识上是有错误的，这我们也不能否认，我们说他的自杀有种种条件，把这一种主观的错误只当做条件之一，并不是要掩饰这一种错误，而是要把握到更具体的真理。

有人以为责备死者，虽然不能使死者复生，却也可以警戒活人，防止他们不至自杀。其实这是一点效果也没有的。空洞的责备并不能适合复杂的条件，在复杂的条件下决心要死的人，决不会因为片言的教条而动摇他的决心。

把握自杀的具体真理，目的既不是责备死人，也不是消极的防止自杀。科学的真理的目的，是要积极地去消灭自杀的可能性。

我们要详细地研究各种的自杀，以及各种自杀所因以促成的各种条件，这各种条件间的相互作用，以及怎样从这些相互作用中除去最足以引起自杀的条件，因此来消灭自杀的可能性。自杀的研究应该在实践上起积极的推动作用。尤其是爱国自杀的研究，更应该在爱国运动中尽一份的力量。

我们应该把自杀的理论当做联合战线的理论工作的一部门。一个能因爱国而自杀的人，如果留着他的生命做爱国运动，那种牺牲的勇气一定可以使他成为最优秀的工作分子。使这样的一个优秀分子离开整个运动而自杀了，不能不算是一种严重的损失。爱国自杀的风气，是应该让一般坚定勇敢的不悲观的战士们来担负起一些消灭的任务的。自杀的理论，不是写来责备死者，也不是为要警戒生人，而是为要给联合战线工作者做参考。

爱国青年们应该把握着这科学的理论，看透环境中的各种各样足以陷人于悲观的条件，互相彼此关切，不要互相放松，不要让每一个因爱国而受打击的人感到孤独的悲哀，感到自己的无力。对于爱国运动以外的同情者，像续范亭那样的人，更应该努力去和他建立实际的友好关系。这样的人，如果他能够感觉到自己已经站在联合战线之内，那一定可以减少他的自杀的愚想的。

最后，我希望有机会写一部详细而有实用价值的《自杀论》，也希望有朋友能够快快地做出这样一件工作，这是莫大的“慈悲”！

（一九三六年）

哲学的现状和任务

哲学在当前，有着一些什么样的现象呢？从出版物上来说，哲学的空气几乎可以说是消灭了，现在有的只是抗战的空气；抗战不仅仅有空气，而且有事实。抗战之伟大的事实，它把一切都吞没在自己的力量影响之下了。抗战毁坏了我们的几个大文化中心，使出版界的活动范围缩小，也使这有限范围内的出版物不能不尽全力来对付抗敌的具体的实际问题。具体的实际问题逼人太紧，它集中了一切人的注意力，因此，哲学的问题是似乎被人忽视了。

是不是哲学在当前消灭了呢？自然不是。哲学的空气虽然似乎消灭了，哲学在事实上仍以两种形态存在在我们中间。一种是消溶在实际问题的讨论中的存在，一种是脱离实际的空理论的存在。前一种并不直接显得出哲学的面目，但它潜伏在抗战中每一个人对于实际问题的意见里，它就是那人的思想方法，不管一个人愿不愿承认他自己有一种哲学作为思想方法，实际上他的每一句话就有着自己的哲学基础。主张彻底坚决抗战和主张可能和平就想和平的人，在思想方法上难道会一样的吗？前者的眼睛注视到将来的最后胜利，后者的目光只看见小范围的眼前利益，前者看见发展，后者总以为可以维持现状，一动一静，思想上的观点不是完全不同吗？哲学的空气似乎是消灭了，而实际上人人还是生活在哲学的空气中。这样的哲学的存在，多是无色、无声、无臭的，然而到处都可以找到。

另外一种的哲学的存在，大部分是存在在书斋里，是存在在一些故意回避现实、对现实麻木、或不能适应现实的学者教授们的书斋里。这里的哲学是以直接的面目出现的。然而也就是苍白的，没有现实的血流贯注着的空理论，基本上也就是一种观念论。说它是书斋里的，是因为它只在书斋里可以看见，只在课堂上才可以听见，在时下的出版物或杂志中却不会出现。然而也并不是没有很小的例外。现在也有并不藏在书斋中的一部分，它来到出版界里，装着接近现实的面貌，甚至于装着唯物论的新哲学的面貌，也来谈抗战和哲学的关系，叫抗战中的人们不要把哲学的重要性忽视了。然而在实际上，本质上，他要人了解的新哲学是什么呢？是能够支配一切（！）的理论公式！并且要把它一部分（！）拿来支配抗战。这样一来，就是想告诉我们，进步哲学的功能，不在于指示人们依据事实的本质去研究问题，解决问题，须要依据哲学公式，不是要指示我们怎样在抗战的现实发展中去理解抗战问题，却要用一部分公式来支配抗战的问题。

公式主义的观念论的性质，是早已被人证明过了的，不管这公式主义的提出者指出了多少唯物论的招牌。自称为物质论者的叶青，也就是公式主义者。且不说他那种正加反等于合的庸俗的三段公式，就说他对于理论的应用，把中国提倡爱国的人称为社会爱国主义者，说是和欧洲帝国主义战争时代的爱国主义一样，就是超等的公式主义！因为普遍的公式主义者，应用公式时，还得要和事实有点近似，而叶青的公式主义却大胆到“拟于不伦”的地步了！这一派人的假惺惺地接近现实的姿态，只是他们的观念论的掩饰而已，更正确的说，只是为要便于他们用不伦不类的公式来曲解现实问题，达到破坏抗日统一战线的目的而已。

这就是哲学在当前存在着的两种形态：没入在各个实际问题里的哲学和空理论的以及滥用公式的哲学，除此而外，还看不见其他。这自然是一个缺陷，单纯对于实际问题的关心，并不能保证思想方法基础的正确，也就是不能保证见解的正确，这是容易流入狭隘经验主义的泥塘里，也容易受到不正确的思想影响的，它没有较远大的思想方针。空理论更是危险的，最低限度是使我们脱离实际的任务，最坏是曲解事实，成为正当地解决抗战问题的大障碍。为什么发生这样一些缺陷呢？我们是不是需要补救这些缺陷呢？补救是不是有可能呢？

哲学空气沉寂的第一个原因是抗战，这些前面也略提到一下了。抗战中国民生活的猛烈破坏和极度的紧张，使绝大多数的人们好像没有余裕来理会专门的哲学问题。但客观的这一种原因并不是绝对的，人们没有余裕来理会哲学问题，并不等于人们都轻视哲学问题。并不等于说没有人了解正确的哲学在目前还是重要的。因此我们还可以指出第二个原因：那就是我们在哲学岗位上的人的没有把工作做得好，没有把哲学的工作在抗战的情势中具体化起来，也就是还没有做出一些最值得爱国的民众们来加以理会的工作，我们还没有能供给他们适当的很好的粮食。石头是没有人要吃的，不适合中国目前人们消化的需要的太专门的哲学，要被人理会，自然是不可能的。现在一谈到哲学，就给人一个冷而硬的印象，以为是和抗战的生活离得太远的东西。怎样使它们离得近一点呢？这问题不加以解决，不能希望哲学空气的振作。

现在是不是需要把空气振作一下呢？完全需要的！虽然有人会诡辩地说：哲学抵不了枪炮，没有哲学也未尝不可以打败日本。这自然也有一部分真理的，没有哲学，其他方面多努力一点也未尝不可以胜敌。但这只是一面的看法，打敌人不仅仅是枪炮对枪炮的事，而且还要从各方面组织和团结力量。正确的哲学运动如果做得好，它可以从思想方面的基础上帮助我们的团结，防止自己的分裂，使我们抗敌的力量迅速地坚强起来。这一个推动的作用，是并非没有意义的。我们的抗战自然是自始就抱定了持久的方针，但我们也需要尽可能地把争取最后胜利的过程缩短。除非我们不这样想，否则我们必须不放松一切的推动力量，而哲学也正是其中之一。

现在需要来一个运动：哲学研究的中国化、现实化的运动。过去的哲学只做了一个通俗化的运动，把高深的哲学用通俗的词句加以解释，这在打破从来哲学的神秘观点上，在使哲学和人们的日常生活接近，在使日常生活中的人们也知道注意哲学思想的修养上，是有极大意义的，而且这也就是中国化现实化的初步，因为如果没有几分（虽然很少）做到了中国化现实化，是不能够获得相当成果的。然而在基本上，整个是通俗化并不等于中国化现实化。因此它也没有适应这激变的抗战形势的力量，而另一方面，因为整个并没有做到中国化现实化，所以也不够充分的通俗化。

这一个运动需要全国前进的，对于哲学理论有兴趣的战士们来共同努力，这不是书斋课堂里的运动，不是滥用公式的运动，是要从各部门的抗战动员的经验中吸取哲学的养料，发展哲学的理论。然后才把这发展的哲学理论拿来应用，指示我们的思想行动，我们要根据每一时期的经验，不断地来丰富和发展我们的理论，而不是要把固定了的哲学理论，当做支配一切的死公式。

这一个运动自然也应该有它的中心，没有中心就说不上运动。这中心就是要新哲学、辩证法唯物论的研究。我们说把辩证法唯物论做运动中心，意思就是说，在这样的运动里，也并不排斥其他种类哲学思想的围绕。辩证法唯物论是人类哲学史最高的总结，一切哲学对于它都有相互的贡献，对于其他的哲学，它并不采取绝对否定的态度，它会以它的极大的包含性吸取一切哲学的精华。这就是为什么它可以成为中心的理由。论争是不是容许呢？自然容许的，而且也是不可免的，然而在存精去芜的立场上，论争是有善意的、互相发展的作用，而不是绝对的互相拒斥。最重要的还是实践，辩证法唯物论是最和实践一致的哲学，在今日的中国，它是一切以抗战的实践为依归，而绝对排斥学院式的空洞的争论。

哲学的中国化和现实化！现在我们要来这样的一个号召。自然，来这样的一个运动就需要对这运动的方法、内容等作一个具体的规定，这在本文内是包容不下的，我们准备在另外的文章里贡献给读者，希望对这问题有兴趣的能够加以注意，大家来共同合作。

（一九三八年）

关于形式论理学与辩证法

史枚先生：

来信收到，并且也得到了《读书月报》，嘱写关于哲学中国化通俗化的文章，因为一时事忙，不能如期交卷，等写成再寄上罢。这问题说来容易，做实很难，我自己一年多来正努力做这工作，但还没有充分把握。然原则上不外两点：第一要能控制中国传统的哲学思想，熟悉其表现方式；第二要消化今天的抗战实践的经验与教训。

《读书月报》创刊号的“读书问答”里，关于形式逻辑和辩证法的问题，你给读者的答复中，我觉得有点意见要说一说。我首先要声明：我从来没有主张过对形式论理学要“根本否定”，如果我曾抱这样的见解，那么在《大众哲学》里就不会说形式论理学还有“小真理”。所以说它还有一点小真理，就是表明它还有这一点东西，可以为辩证法所吸收。这一个观点是不论在《大众哲学》里或在《思想方法论》里，我都是一贯的。你说我在《思想方法论》里“修改了”《大众哲学》的意见，这是一个误解。《思想方法论》里的东西，不过是把《大众哲学》里在原则上提出的问题具体化一些罢了。因为《大众哲学》限于篇幅和体裁，一些问题不能详细解释。

辩证法怎样吸收形式论理学呢？这问题我已写了一篇很详细的文章来说明，不久就可以和读者见面。我的基本观点，不外是：形式论理学的真理的方面被辩证法作为一个有机的要素吸收了，但也仅仅是一个要素，而不能和辩证法划分独立的地盘。所以，只要我们把握了辩证法，就同时已经把形式论理学的积极的东西也把握在内了，因此，在我们能运用辩证法的思惟方法的时候，我们就用不着另外再要形式论理学了。

很显明的，这不是简单保存形式论理学，但也决不是简单抛弃形式论理学，而是把它“扬弃”，把它吸收在高级思想方法的有机机构内。这见解，在我的《哲学与生活》一书里有明白的说明。然而叶青却“断章取义”，把“用不着再要形式论理学”一句话拿来夸大，曲解，说这就是要简单抛弃形式论理学。

潘梓年先生对于我的见解的批评，显然是因为没有看穿叶青的曲解的伎俩，并且也没有仔细体会了我的意见，因而发生了误解，这误解影响了读者，以为我真的要根本否定形式论理学，并且也影响了你。你是负责为读者解答问题的，你的见解是否合乎事实，关系就很大，所以我不能不辩白一下。

我不但没有“消灭”形式逻辑，即使我是要消灭它，也还没有潘梓年先生那样消灭得厉害。例如他说“形式逻辑的三个思惟律，即同一律，矛盾律，排中律，已绝对不能用”，这不是根本否定是什么？然而就我的意见来说，就是三个思惟律，也未尝没有一点真理，未尝没有被辩证法吸收了的积极的东西，也就是未尝没有相对的“能用”的地方。而勃鲁塞林斯基的《形式逻辑》里所说的一切，也正证明这一点。

所以，潘梓年先生说我把形式论理学“完全排除”，只是捕风捉影的批评，他并没有从我前后所写的东西里举出有系统的证据，而只简单地用他自己的话说了一说就完了，这不是批评人的正确的态度。同时，你说我“在《大众哲学》里颇有把‘否定’化为‘消灭’的意思”，我认为也没有充足的理由。你好像是说，我把形式论理学只看做是一种“因为一些不足道的理由而存在着发展着”的东西，并没有看出形式论理学的更重要的意义，这是没有根据的。因为当我说到形式论理学“也能够抓着一点小真理”的时候，已把它的重要意义，在人类思想发展上的意义提出来了。虽然在真理上加上了一个“小”字，但这是因为《大众哲学》的文体的关系：因为想减少理论文字的硬性，常常就插入了这一类比较轻松的字眼。然而真理不论大小，总之是真理，再没有因此能抹煞了真理的根本意义。

我没有很详细很具体地论述过辩证法吸收形式论理学的问题。这一点，是我过去工作上的一个缺陷。然而在基本原则上，以前的东西都阐明过了。所以要请你，以及读者们仔细地研究一下，不要再发生那样的误解。如果我有错误，请先把我的错误看清楚了以后再加批评。虽然在我自然至今仍认为我自己的根本见解是不错的。

末了，我还想讲一点：形式论理学是整个的东西。所以批判和接受形式论理学，是整个加以改造的问题，而不是哪一部分可以完全接受而哪一部分可以“绝对不用”的问题。如果这样来处理问题，就不会比叶青或普列哈诺夫的见解差得了许多。在这一点我要说潘梓年先生的著作是有着一个很大的错误的。上述的我所写的文章里，对于这一些有详细的说明。发表后请大家参看。（见本书中《形式论理学和辩证法》一文）其次，形式论理学（形而上学也一样）是比辩证法低一级的思想方法，所以，它只能作为片面的要素而被辩证法所吸收，而不会在辩证法上“添加”什么东西，所以你说：“形而上学给辩证法添加的究竟是些什么东西呢？艾先生是不能回答的。”的确，这问题我是不能回答的，就是辩证法自己人格化起来，它也不能回答的。因为问题根本不能这样提，因为形式论理学决不会有什么比辩证法更多的东西。

这封信，烦你一字不改地在《读书月报》上发表，如果你和潘先生还有什么意见，我欢迎大家提出来讨论。这不是个人的问题，而是关于指导全国青年的问题，所以我郑重地请你发表，不对的地方请原谅。

（廿八年三月卅一日）

形式论理学和辩证法
——并略评潘梓年先生的《逻辑学与逻辑术》

从来都把形式论理学看做仅仅研究思想形式的学问，这自然是不错的。形式论理学不研究思想形式所反映的现实内容，康德虽曾指出这一个缺陷，然而他自己也没有能超出形式论理学的范围。但单只这样说，还不足以表现形式论理学的特点。形式论理学的特点，是在于反对矛盾的认识，它的全部的中心问题是：怎样把思想里的一切矛盾要素除去？它研究思想的形式，目的也是在于找出一套不矛盾的形式。在形式论理学上看来，思想中如果有矛盾的要素，就是思想的错误。如果我们说，在抗战中一切要集中、统一，而同时又要尽量发展民主，这在形式论理学的原则上看来，就是逻辑上的不合理。

因为只研究不矛盾的形式，所以只要找到了这样的形式，在形式论理学上便算任务完成，至于是否合乎事实，是可以不管的。“论理学研究思惟的本身，思惟能够达到于离意识独立的世界之认识与否，那是不问的”（《辩证唯物论教程》中译本四八六页）；这就是形式论理学者的主张。中国的形式论理学的辩护者张东荪先生，也曾在他的《动的逻辑是可能的吗？》一文里，说论理学只研究“说话的法则”而不是研究事实的法则。

形式论理学的三个基本法则，就是这样的法则，在形式论理学者看来，不管事实怎样和这三个法则不一致，为了说话的便利，仍然不能不要形式论理学。反之，无论事实和辩证法怎样一致，然而因为辩证法的对立统一法则可能使说话不便利的缘故（形式论理学者这样想），所以还是要不得的。

我们现在就要对形式论理学做一个批判，看他是否能成为最妥当的说话的法则或纯粹合理的思想法则，看辩证法是否对于说话不便利。因为全部形式论理学是建立在它的三个基本法则上面，所以我们的研究也以这三个法则为主。

形式论理学的三个基本规则，即同一律，矛盾律，和排中律。

同一律的意义，就是要我们把任何事物，概念，或对象都看做与它本身同一，与它本身相等的东西，一件东西就是这一件东西，而且始终只能看做这件东西。这东西里面的一切特征，标帜，都当做不变的，与它本身一致的东西去观察。它的公式是“A 是 A”，前一个 A 是主词，后一个 A 是客语，客语是用来说明主词，也就是用来表示主词（对象，事物）的一定的标帜的。这样的客语，照同一律的要求是必须和主词一致，而不能和它矛盾。例如把自由作为主词时，那么，客语一定得是“毫无拘束”，如果不说“自由是毫无拘束”，而说“自由是必然性的认识”时，那在严格的意义上，就不合乎同一律的原则，也即是主词和客语矛盾了。又如说集中政权，那就必得是以绝对专制为客语，而不能说集中的政权是建立在民主之上了。其他如战争上的“以退为进”，“攻势防御”，政治上的统一和各党派的独立的存在等等，在同一律上看来，都是违背思想原则的，都是有了矛盾的思想，也即是不合理的。

同一律是抽象的（绝对的）同一性的原理，它对于同一事物只能看出它的绝对同一的一方面，也只肯承认这一方面，而看不见它自己的矛盾的，对立的方面。

矛盾律是同一律的反面的表现或引伸。事物既是绝对与它本身同一，因此反过来说，就不能够和不是它本身的东西一致。这就有了“A 不是非 A”的公式，或者也可以这样表现：“A 是 B，同时不能是非 B。”亚里士多德对这一公式的解释是：“同一客语对于同一主语，在同一时候与同一意义上，不能被肯定又被否定。”或是肯定或是否定，必有一方面是正确而另一方面错误，不能既是又非，同时两方面都正确。如说“退却不是进攻”（A 不是非 A），“集中是限制民主（A 是 B），同时不能又发挥民主”（同时不能是非 B）。这一个定律，是把一事物（概念，对象等），和它本身以外的其他事物绝对对立起来，使一事物（A）和其他事物（非 A）中间没有任何关系，所以这定律是同一律的否定的表现，而在结果上，却成为一个和同一律绝对对立的定律。同一律只看见绝对的同一，而矛盾律只看见绝对的对立。在同一律的基础上，可以说世界或同类事物是统一体，而在矛盾律上，都可以说世界事物或同种类事物中间完全没有统一，完全是孤立无关联的东西的集合。这些集合物中间是没有斗争的，因为斗争也正是一种关系，“若要斗争，则这些部分中间就需要有某种形式的统一”。没有斗争，当然也没有运动的原动力。

排中律是同一律和矛盾律的综合的表现，它依据前两个定律而得到这样的总结：一个对象只能和某物同一，或是和非某物同一，不能站在同一于某物而又同一于非某物的两可中间，所以叫做排中。它的公式是，“A是B，或是非B”，就这公式的形式上，可以看出它是把那矛盾律在否定的形式上表现着的公式，改在肯定的形式上表现出来。但在内容上则是前两者的综合。同一律看见了绝对的同一，矛盾律看见了绝对的对立，排中律却指出：或者是绝对同一（A是B），或者是绝对对立（A是非B），不能同时同一，而同时又对立。例如集中或是限制民主，或不限制民主，而不能同时限制同时又发挥民主。国民参政会或者是民主机关或者是非民主机关，不能同时是民主机关，而同时又是民主不够的机关。这样，排中律只承认事物的对立或统一，而反对把握“对立的统一”，这就是说，它和辩证法的基本法则是针锋相对，排中律是形式论理学的基本法则的充分展开了的形式，所以它和辩证法的对立的性质，就有着特别明显的暴露。

从形式论理学的三个基本法则里，可以看出它有着以下的一些缺点：

首先要指出这些定律的内容和它的公式命题本身的不一致。就“A 是 A”的公式来说，客语的 A 和主词的 A 在同一律的意义上来说，是要完全同一的。然而实际上两者不能绝对同一。前者表示 A 的本身，而后者则只是表示它的标帜。所以同一律的公式是表示标帜和本身的同一，而不是主词和客语的绝对同一。形式论理学对于这公式的实际应用从来并不限于，也不能限于“椅子是椅子”“帝国主义是帝国主义”等等的绝对同一的命题，而是一般的应用，作“椅子是给人坐的东西”，“帝国主义是垂死的资本主义”等等的命题，也即是相对同一的命题。形式论理学如果不这样做，就不可能“说话”，也不可能作任何思惟了。然而这相对同一的命题，事实上就是一种对立统一的命题，而没有同一律的意义上所理解的那种绝对同一性。列宁也曾指出："伊凡是人这样简单的话，也就包含着个别和一般的对立的统一。"这就是同一律的内容和它的命题不一致，也就是表示形式论理学一出发就不可能严守着它的基本定律，也就是表示一说话就不能不有辩证法的对立统一法则。

这样，矛盾律的内容，也同样是和它的公式命题本身有着冲突的。如前面所说，同一律的公式实际上已经包含了"A 不是非 A"的意味了，在这里矛盾律已受到了反驳"A 是 B，同时不能是非 B"的命题，其实也包括了"同时又是非 B"的意味。为什么？因为 A 不但是 B，而且也是 A 的缘故。同样，排中律的"A 是 B 或是非 B"，也有着"A 是 B，也可以是非 B"的意义了。因为定律的意义虽然是要排中，而在公式命题上，A 却表现为一个 B，和非 B 的中间体，这是黑格尔曾经指出来过的。我们中国两千年以前的"辩者"们，也曾在"鸡三足""臧三耳"之类巧妙的论辩中（虽然是有些诡辩的成分）对于这一点有所发明。（"足"可以是左足，也可以是右足，因此"足"并不仅仅"或是左足或是右足"，而且也是左右足对立的统一。所以说有"三足"。"三耳"的意义也是一样。指出足的对立统一，是辩证法的发见，但“三足”却是诡辩。）

其次，如果严守形式论理学的定律，那么，由于同一律和矛盾律的对立，就会在同一事物研究里可以得出两个绝对相反的结论。因为同一律只看见绝对的同一，于是例如在统一战线里，就会以为各党各派现在已经完全放弃了各自的独立主张，仅仅只有一个目标了，于是有人说，共产党在今天放弃了马克思主义。然而另一方面，因为矛盾律只看见绝对的对立，于是有人以各党派仍有着各自独立的政治主张和组织，以至互相间的某些磨擦为理由，就悲观地以为统一战线在现在还不存在，国内还处在对立分裂的状态中。这样，两种绝对相反的见解，可以从同一形式论理学的基础上同时产生出来。形式论理学想排除矛盾，结果在实际上确陷于更大的矛盾，古来哲学上的许多绝对对立的哲学思想和世界观，就是由此产生的。希腊的埃利亚学派，曾把世界看成绝对的同一，否认多样性和变化的观点，而我们中国的公孙龙，却相反地否认世界的统一，说“天下离而异”，连白马也不能是马！这就是前者的见解以同一律为基础，而后者的见解以矛盾律为基础的缘故。

韩非子所写的故事，是人所熟悉的：一个卖武器的人，向人吹嘘他的矛和盾的精良。一方面把自己的矛形容作绝对锐利的东西，说这是无坚不破，任何盾不能抵御；另一方面又夸大了自己的盾的坚固，说这是任何锐利的矛也不能攻破的。结果是被一个人把他问倒了，说："那么用你的矛，攻你的盾，又怎样呢？"这故事是"矛盾"这一名词的来源。事物都是对立的统一，把对立的两方面绝对化起来时，任何一方面都会不能成立。因为要排除矛盾，形式论理学的定律把同一性和对立性都各自绝对化起来，结果仍是自相矛盾。

再次就要说形式论理学不能把握事物的联系，和运动的真理。世界万物的复杂的关联，在那三个定律之下，就成为不可理解的东西。抽象的同一性和抽象的对立性的理解，都是把事物看做绝对孤立的东西，这至多只能使我们看见事物的外部的并存，而不能理解到内部的联系。不但进攻和防御，民主和集中，自由和必然等概念中间的内在联系，对于形式论理学是不可理解，如果说得极端些，那么，就是日本帝国主义为什么要侵略中国，人为什么要吃饭等等也可以成为不可理解的事情，白马和马都不能联系，不就是一个明证吗？

在辩证法的立场上，我们怎样来估量形式论理学？是不是说，形式论理学就仅仅是充满着缺点的东西，没有一点真理的要素包含在内呢？

答复是否定的。倘若形式论理学仅仅是那样荒唐而不合理的东西，那就不会长期地为人们所信奉，不会在一两千年中间把握着人的信心，更不会在形式论理学的支配之下，还可以使人类获得许多科学的研究和发明。这些情形的存在，就表示形式论理学也把握了一些真理。的确，形式论理学是把握到了某一方面的真理，或真理的一方面。在同一律上，它看见了一事物的同一的方面，看见了事物本身的质的同一性或质的安定性。在矛盾律上，它看见一事物与另一事物的差异和对立，看见其中的质的区别。这里所看见的，是不是客观事物的具体的一面的真理呢？当然是的。一事物总有一事物自己的质，并且和另外的事物有区别。我们研究任何事物的时候，首先不能不认清对象的质，这就是要把握对象自己的同一的一面，同时也要把握它和其他对象对立的一面。否则就会陷于极大的混乱。谁能说现在中国进行的战争不是民族革命的战争？谁能说日本帝国主义不是帝国主义？这个战争将来会终结，帝国主义将来也会要崩溃，但在目前，以及今后一定的期间，那民族革命战争和帝国主义总仍要保持着它的质不变，也就是保持着相对的静止，或相对的质的安定性。我们因着这一种认识，可以确定坚持抗战的方针，可以坚决反对汪精卫的为敌人粉饰的欺骗言论，可以使我们一贯地执行已经确定的主张，不怀疑，不动摇，一句话，形式论理学的一面的真理，就在于可以帮助我们反对相对主义的混乱，使我们的主张不前后矛盾，不自己打嘴巴，在这一点意义上，它的确可以帮助我们把话“说得通”的。

但形式论理学的错误的根源，也就在于只抓住了真理的一面，在于它的片面性，并把片面的真理夸大，而忘却了还有其他方面。同一性和对立性的联系，即对立的同一，在形式论理学是看不到的，而且是加以否认的。因为夸大了片面的真理，结果就产生上述的许多缺点和错误，反而成为和真理违背的东西了。列宁批评形而上学的思想时，曾用巧妙的比喻这样说：“人的认识不是直线（或者说，不是描画着直线），而是向圆的联系，向螺旋线无限地接近着的曲线。然而这曲线的任意断片，碎片，小片，都能转化为（能片面地转化为）独立的完全的直线。”（《哲学笔记》）把认识的小片，片面地转化为直线（也就是绝对化），而不注意和其他的一切小片的联系，正是形而上学的思想方法的特点，也正是形式论理学产生的根源。

辩证法批判地采取了形式论理学里的有真理性的东西，而除去了它的错误和缺点。这就是说，在一方面，辩证法并不简单地抛弃形式论理学的这些定律（以及建立在这定律上的全部内容）。辩证法也反对相对主义，动摇不定，自己打嘴巴的理论，也要认定和分别对象的质。一个东西就是这个东西，它的质或标帜应该是它自身的同一性。这正如墨子所说的，“实（即是物），其志气之见（即质的表现）使如己也”。同时，它对于自身以外的东西，则是对立的，有差别的。这在辩证法的认识上也不能不加以确定。中国的辩证法唯物论者对于日本帝国主义的侵略性质的认识，是比其他的人把握得更早，而且更坚定的。这是对于同一性的认识，这里有着

“A 是 A”和“是即是”的公式的一面。但这不是成了形式论理学了吗？决不因为辩证法还要同时把握另一方面，防止和纠正着那一面硬化或直线化。这就是要把握对象自己本身内部的对立要素，在事物的同一性中，看出它的对立的方面。辩证法论者看日本帝国主义，是在它的侵略性中同时看到反对侵略的一切要素（例如它国内人民的反战，前线士兵的厌战和哗变，它的殖民地民族的革命骚动等等）的。统一是统一，然而另一方面统一必须以各党派的独立为基础。集权是集权，然而合理的，效力最大的集中，必须建立在民主上。对立的方面是互相渗透着的。要我们的思想能把握这对立的统一，必然要使我们思想中所应用的概念有伸缩性，把它看做可以和它的对立概念相通的东西。写作公式，就是“A 是 A”“同时又不是 A”。或照恩格斯所写的“是即否，否即是”。而“是即否，否即是”的公式，其内容也不外就是说：“A 是 A，也即不是 A；A 不是非 A，同时也即是非 A。”

辩证法的公式，常常会被人曲解。辩证法首先确定“A 即 A”，然后同时又把握不是 A 的一方。前者是肯定的方面，后者是否定的方面。这就是说，首先肯定一事物，然后把握这肯定中所包含的否定的要素。这里重要的就是，否定的方面是包含于肯定中的。而这对象的质，在否定的方面没有发展到足以克服肯定方面以前，始终是肯定的东西。在日本帝国主义的侵略未失败以前，我们始终要说它是在侵略着我们，不管它自己的反侵略要素怎样发展，我们仍不能说它“没有侵略”，或者说它是：“在侵略，又不在侵略”。对立统一法则决不是这样解释的，这种解释表现为公式时，就是“A 就不是 A”和“是或否，随便都是一样”。这是诡辩论或折衷主义的曲解。

辩证法要反对诡辩论和折衷主义的曲解。诡辩论的公式就是“A 就不是 A”，这是在辩证法的名义下，掉弄不顾事实颠倒是非的词句。诡辩论的思想方法，是把事物的否定方面主观地加以夸大，而把客观存在的肯定的方面抹煞了。这就是简单地抛弃了形式论理学的同一律的结果。或者照黑格尔的话来说，诡辩论就是“主观化了的辩证法”，即丢开了事实上的现实的质的把握，而对“是即否，否即是”的对立统一法则歪曲成主观的巧辩或思想的游戏。抗战以来，托派分子所主张过的“老百姓只知道要面包”和大城市失陷则必定亡国的谬论，就是这一类的诡辩。因为他把老百姓要改善生活和大城市失陷这两种对抗战能发生困难作用的要素夸大了，而否定了抗战的肯定的存在。

折衷主义的公式就是：“是或否，随便都是一样”，折衷主义常常是斗争中的妥协分子的思想基础，即是要“两面讨好”。我们如果研究中国的许多妥协投降主义者的言论，和汪精卫的前后思想，我们会得到这样的言论：“日本帝国主义侵略的目的是要灭亡中国，也可以说是要帮助中国独立”。两个人争论时，折衷主义者会说正反的两方面的见解都对，辩证法和形式论理学争论时，折衷主义者说两者都可以并存，只要划定各自的势力范围就够了。折衷主义的思想方法，是把事物的否定方面和肯定方面同等看待形式地结合在一起，这也是不顾事实的主观化的方法。不过诡辩论是把否定的方面主观地夸大了。而折衷主义是把对立概念相互间的伸缩性主观化了，是把形式论理学的矛盾律简单地取消了，忘记了，对立终于是对立，对立的东西是相互排斥，互相区别，以至于互相斗争的，不能简单地等同看待。

辩证法是要首先以事实为基础，把握对象的“是”，或“否”，同时在“是”中去把握“否”的要素或方面，或在“否”中把握“是”的要素或方面。前者的是或否，是对象的现存的相对安定的质，而后者的否或是，是这质里的对立的要素；前者是定在的要素，是事物或对象的一定的规定性，而后者则是生成的要素，是向前发展的胚胎，而不是已实现了的质。这一点是要分别清楚的。所以，当战争中采取以退为进的战略或战术时，这时的定在的要素是退，我们不能把生成的要素夸大，说事实上已经在进了。如果这样说，就是诡辩论。因为以退为进只是将来的现实的进攻的准备，事实上没有发展到真正的进攻。因为中国共产主义者坚决的为三民主义的彻底实现而斗争，就说共产党已经而且应该放弃了共产主义，这是形式论理学的同一律的看法，但如果因为共产党在为三民主义而努力的今天并没有放弃了共产主义的立场，共产党没有为三民主义努力，这就是诡辩论。因为共产主义在今天的中国，对于共产党，乃是使中国经过三民主义的彻底完成而过渡到共产社会的生成要素，我们不能把它夸大。

辩证法还要把握对立方面的斗争的绝对性。事物的定在的要素和生成的要素是统一的，同时互相渗透互相依赖的。定在的要素，自己就包含着、产生着生成的要素，前者的存在，要以后者的同时存在为条件。胜利必以牺牲为条件，防御必须以进攻为条件，所以两方面是分不开的，然而两方面又是互相对立，互相斗争着的。定在的要素所以能成现实的定在，是因为它压抑着排斥着那生成的要素，使这要素不会成为优势，因此也不会成为现实；一事物的质的安定性之所以能保持，是一方面要依赖着它的否定方面而同时又要压抑着它的否定方面，使自己能够成为支配的方面。中国共产党今天是在实行三民主义，这种实行，是以不放弃共产主义为条件，而同时又是把三民主义当做今天努力的唯一方针，而反对妄想跳过今天的阶段，立刻实现共产社会的任何过左的思想。所以共产党今天的努力和未来的任务，是不能同等看待的。日本帝国主义，要灭亡中国和它所造成的反侵略要素，也是不能同等看待的。而折衷主义的特点，就在于把两方面同等看待，而不知道认识在客观事物发展过程的一定阶段上，必有某一方面占着优势而成为定在的方面。日本帝国主义今天是确实在实现着要灭亡中国的侵略。我们虽然可以在生成的意义上说日本帝国主义帮助了中国，使中国觉醒，然而侵略这件事决不是为了帮助中国而发动，这是谁也可以明白的。

诡辩论把否定的一方面绝对化了，折衷主义把肯定和否定的方面无原则的并列起来，这都是不能真正把握辩证法的对立统一法则，因此在实际上，都是形式论理学的一种变形。

我们现在可以了解辩证法是怎样来吸收形式论理学了。在辩证法上既能看出形式论理学是片面真理的绝对化，所以对形式论理学的批判接受，首先是要归还它的片面性，然后吸收到辩证法的内部作为一个有机的要素而保存下来。辩证法对于研究对象的质的定在的把握，就证明这里有同一性的要素，因此也有着矛盾律和排中律的要素。举例来说，当辩证法唯物论者坚定的把握了抗日民族统一战线的方针而斗争时，他就是把握了中国全民族在抵抗外敌建立新中国上的同一性，当他反对分裂和妥协时，就把握了中国民族与敌人的对立性，同时也就是坚决的反对模棱两可的，想站在中间的两面派的态度。这都是表示在辩证法的思想方法中，并没有绝对排除了事物自身的同一性，它和另外的事物的对立性以及质的排中性。然而辩证法并不因此就成为形式论理学，因为它并没有把这些东西当做“定律”来接受，而只是当做认识事物的一个有机的要素，也就是说，在事物和对象的认识上，它决不会说某些场合和某种研究的阶段该要完全用形式论理学的定律，来指导，来支配，决不是如普列哈诺夫及其一派那样，替形式论理学划分一定的地盘。辩证法是不论在任何时候，任何场所，当把握着事物本身的同一性的肯定的方面时，同时就要去把握它的否定的，自身对立的方面。所以它的公式是“A是A，同时又不是A”，而那“A是A”，正是作为一个要素而被保存在辩证法里的同一性的认识。

因此，辩证法不能简单地抛弃形式论理学，从它的基本三定律开始，一直到形式论理学的全部（因为这都是建立在三定律上的），都有着可以被辩证法当做有机要素而吸收的真理的片断。而事实上我们把握辩证法时，就同时不能不把握了这些要素，辩证法不能离开这些要素而悬空地有依着的。这样，当我们有了辩证法的方法时，我们就用不着要形式论理学了；这不是因为我们简单排除形式论理学，而是相反的，因为我们已经批判地吸收了形式论理学，因为比较低级的形式论理学方法，它的一切积极的东西，都已经被包容被保持在更高级的思想方法，即辩证法里了。我们说另外用不着再要形式论理学，这话曾被那些主张要为形式论理学划分地盘的人如叶青之流曲解作“简单抛弃”的意思，因为他们所谓的“不简单抛弃”实际上的意思就是想不抛弃，就是要想“简单保存”，而并不是辩证法地批判的吸收。

因此，当潘梓年先生在他的《逻辑学与逻辑术》一书里这样说时，是一个错误，他说：“形式逻辑的三个思想律，即同一律，矛盾律，排中律已绝对不能用。”他本来是反对把形式论理学简单地“完全排除”或“根本废除”了的，甚至于他还反对我在《大众哲学》里关于这问题所表示的意见，说我就是要把形式论理学简单地“根本废除”。（我从来没有主张要把形式论理学“根本废除”，这是叶青的曲解和栽诬。自然，因为《大众哲学》的字数和体裁的限制使我不能充分表白自己的意见，使叶青有机会可以来这样的曲解。潘梓年先生显然是因为没有看清楚了叶青的曲解的伎俩，没有仔细体会了我的见解，所以才有这样的误解。）事实上倒并不是我简单地把形式论理学完全废除，反而是潘梓年先生自己太简单地把形式论理学基本定律根本废除了。自然，形式论理学的三个思惟律我们已经用不着了，可是，连它作为一个思惟要素的定义也要否认，那就是大大的错误。因为我们虽然不能把同一律等等用作我们思想的指导原则，这却不妨害我们在把握对象的时候首先认清它的本身同一的质，认识它和其他事物的差别和对立。

形式论理学是整个的东西，它的全部体系都建立在三个基本定律上面。虽然如上面所说，形式论理学的命题已经在事实上违背了它的定律，但这并不妨害它的认识构造贯彻着同一律的方法。因此对于形式论理学的批判接受，也是整个的问题，是要从它的定律一直到全部构造都要用同一辩证法的原则来处理的。这就是说我们在怎样的原则上来批判吸收它的三原则，那么也要在同样的原则上来批判和吸收（或照潘先生的话来说，就是“收编”）其他的部分，如概念，判断，推理等等的理论。

因此像潘梓年先生所主张的那样，把形式论理学硬截做几个不同的部分，用不同的方法来处理，即“同一律，矛盾律，排中律已绝对不能用，概念论，判断论，推理论，分析与综合，演绎与归纳等等则须加以根本的改作而构成思惟方法的一部分；关于词，命题，三段论的各种规定以及密勒五规则等统计法等等，则全部收编过来，叫它充当技师而列为思惟技术”。这种接受的方法，我们认为也是错误的。像对于三个思惟律一样，对于形式论理学的全部构造，我们都同样可以“收编”，然而都要同样经过改编才能“收编”，都是说把它改造成辩证法的有机要素，才能够收编。

在形式论理学里，不但概念论，判断等等关于思惟法则的理论都贯彻着同一律等基本定律。就是词，命题，以至密勒五规则等等潘先生所谓的思惟术，也正是在那基本定律的基础上规定起来的技术。技术和理论，原是分不开的：有了形式论理学的概念论，才有形式论理学的词的表象法；有了理论上的判断论才有技术上的论断法；有了形式论理学的推理论，才有三段法。这些“技术”都是形式论理学的技术。如果说概念论等要加以根本的改造，而构成思惟方法的一部分（严格的说，应该说是“要素”而不是一部分，因为叶青就把形式论理学当做辩证法的部分来看的），那么，词，命题等也应该同样加以改造，而收编为辩证法的技术的一要素，而不是无条件地照样收编过来的。潘梓年先生在事实上是把这些“技术”全无批判地收编了。我们从他的著作的技术论一部分可以看出，那内容和形式论理学的一切“技术”，在基本上没有丝毫分别。在这一点上，他对于形式论理学的收编方法并没有能够和叶青所了解的方法有区别。叶青的主张，是以为只要有辩证法做着高级的响导，就可以把形式论理学的方法照样去保存下来，而潘先生的主张是把形式论理学的技术收编为“走卒”“技师”，使它在新方法指挥之下尽着执行意旨的劳作，使它不成“独立的思惟方法，而是在辩证法的思惟过程中，此处彼处地供零星使用”。试仔细比较一下，这两种主张，有什么本质上的不同？

是的，收编为走卒，那就是把形式论理学的技术当做低级的技术来看待了。然而单单把一个东西看做低级的，或只看做没有独立性的东西，并不是对这个东西的扬弃，并不是批判的吸收。无论它怎样低级，它还是形式论理学的技术。这样的技术不加以改造，仍是不能执行辩证法的意旨。就好像反正过来的伪军，无论只把他用作走卒也好，军官也好，不加以适当的改编和训练，要想使他马上能够执行抗日游击队的任务是一样不可能的。

具体地举一个例子说，例如词的表象法的问题，也就是对概念给与定义的问题。在形式论理学里，依着它的同一律的基本定律，“往往对概念的定义给与极大的意义，他们企图立刻给一个十分完整的绝对无缺的定义”（勃鲁塞林斯基:《形式逻辑》四一页）。这就是说，形式论理学的表象法，是要对概念给与固定不变的定义，也就是要把对象（概念）的质当做同一完成了的凝固不变的东西来把握。在技术上，主要的是从外延与内涵上来规定概念，即是确定一概念的应用的范围和它的内容特点。在这一种方法上所表象出来的概念，就有这样一种矛盾：即愈更普遍的概念（即外延愈大的概念）内涵就愈贫弱。例如商品的概念比货币普遍，而商品的内涵只规定为交换使用对象，货币却除此而外，还加上了“特殊化了专门用作交换中介的东西”的内涵。这样就把商品和货币区分成表象成两种东西了。

这样的技术，明明是以同一律为基础的技术，它的目的只在为概念找到不变化同一性的规定，使它和另外的概念对立起来。就像同一律有它的真理性一样，定义的表象，在人类认识上也有它的意义。所以恩格斯说：“类似的定义是很方便的，有时甚至于必然的；只要不忘记它们内在的诸缺点，它们是不能损害什么的。”（《反杜林论》）所以就是伟大的辩证法唯物论者，在他们的理论工作中，也不断地要为概念下定义。如说“帝国主义是垂死的资本主义”，如说“商品是使用对象和价值”之类。然而问题是形式论理学把定义作用特别夸大，而且是依同一律来下定义，对于概念的自身否定方面，发展和转化的方面，就把握不住。而且我们在这里所把握的定义也只是很抽象的定义，只能举出概念所反映的事物的某一面，而不能呈示出该现实事物的丰富具体的内容。所以如果我们把这表象所得的绝对化，那就始终只能把握抽象空洞的概念，只把握概念所应包含的真实内容的极小部分，不能够给我们以客观事物的完全的知识，所以恩格斯又说："一切定义，依照科学的观点来说，都只有极微细的意义。为了要真真无微不至地知道什么是生命，我们就得把它的一切表现形式，从最低级到最高级的，都加它一番考察才行。"（引自前书《形式逻辑》四一页）

所以不加批判改造地单纯把表象法"收编"过来"零星使用"，是不是就够成为辩证法的技术上的"走卒"？这问题是必然要得到否定的答复；因为在这里我们只能得到一些抽象的同一性的表象，而没有达到辩证法的表象。辩证法的"技术"并不是仅仅把这些现成的走卒收编过来，零零星星不加改编，就发号施令让他们为辩证法而战斗。辩证法的技术决不是形式论理学的技术机械地合并凑成的。辩证法应该也在自己根本定律基础上，在自己的概念论，判断论等理论基础上，建立着自己的技术；而形式论理学的技术，对于辩证法的技术，应该只是作为一个要素而被批判地吸收起来。这一个辩证法的技术，单以表象法做例子来讲时，就有以下三个主要是和形式论理学的"技术"有着分别：

第一，辩证法的理论中，虽然也常常要对于概念和对象下定义，然而决不把任何定义看做已经完结的，而看做只是在理论发展（事物发展的反映）的一定阶段上适当表现出来的内容的一方面。所以同一概念，在理论的进展中，可以不断地获得新的更发展了的定义。同一帝国主义的概念，在列宁的《帝国主义论》里就顺序地出现着帝国主义是（一）最高阶段的资本主义，（二）是资本主义的垄断阶段，（三）是寄生的或腐化的资本主义，（四）是垂死的资本主义等四个定义。而当他提到第二个定义时，还特别声明："太简单的定义虽因它能总括主要的现象而很方便，若必须特别指出所解释的现象各个更重要的特点，那这定义便太不充分了。因此我们不可忘掉一般定义的有条件的和相对的价值。它们无论如何不能总括某种现象在其整个的发展过程中所有各方面的联系。"

这样，定义的表象是顺着理论的发展而发展的，而这概念的定义的发展的各阶段，也正是反映着现实历史发展的各阶段。从资本主义最高阶段的帝国主义到垂死的资本主义，不正是帝国主义本身的发展过程吗？所以作为形式论理学的技术的表象法，被吸收到辩证法的表象技术里来时，已经不是被零星使用的无组织性的“走卒”，而是有历史顺序编制的系统中的一个要素了。能反映发展的辩证法的表象法，和形式论理学的死的表象法，不是有着显著的不同吗？（形式论理学的表象法，也知道概念是“流体”或“流质”，如潘梓年先生在他的书里所说的一样。然而形式论理学的缺点，就在于他在同一体上努力想把这“流体”当做固体来表象，而不知道应该用不同的发展关系上的许多表象，来使概念的流动反映现实历史的流动。）

第二，辩证法的定义表象，不是只看见本身同一的表象，而同时也要在定义里把握对立的统一。因为自身同一的表象，只能把握到片面意义上的（那是抽象的）概念。辩证法的表象法所要把握的概念，黑格尔就称做具体概念，或者是单只停止在概念的否定的而又抽象的形式上，抑或是依照概念的真正的本性，而同时把它解释作肯定的，而又具体的东西；我们要在两者中任择其一。例如，把自由的概念当做必然性的抽象概念（即抽去了必然性的纯自由的概念——思奇）来考察时，只不过得到自由的悟性概念（即形式论理学上的概念——思奇）。和这相反，自由的真正的理性概念（即辩证法的概念——思奇）是把必然性当做被扬弃了的东西，而包含着的。（黑格尔:《大论理学》，引自列宁的《哲学笔记》。）黑格尔这一段话，是由自由的概念例子来说明形式论理学的表象法与辩证法的表象法有什么不同。前者在同一律的基础上，把自由表象为必然性的否定或抽象。具体的写出来就是：自由是与必然性绝对对立的东西。而后者在对立统一法则的基础上，把概念表象为它的对立方面的扬弃，克服和高级的保存，那就是“自由是必然性的认识和对于必然性的支配”。斯大林给“党”的概念下定义时，一方面说“党是工人阶级的先进部队”，而接着又说，“同时它应该是阶级的部队，阶级的一部分”。这也是对立统一的表象法的典型。倘若是形式论理学，那么，只要说有了“工人阶级的先进部队”这一表象，就算是满足了。

第三，辩证法不但在定义的表象法上和形式论理学不同，并且对于概念的表象的把握并不仅仅以定义为满足；记条文，背定义，并不能包括辩证法的概念技术的一切。因为辩证法所要求的是具体概念，而不仅仅要把握抽象概念。单只上面两点的把握，还免不了总有些抽象性。它虽然包涵比较形式论理学更具体了，然而究竟仍不免是“太简单的定义”。具体的概念应该“包含着个别，特殊和一般之全部丰富性。它们反映着现实底这三种互相连系的原素之辩证法”。要把握具体的概念，外延内涵的表象法是完全不能适用的，因为概念愈普遍则外延愈大而内涵愈贫弱，也就是愈抽象。说到具体的把握，就是前述的定义也不够的。我们靠定义把握到“主要的现象”。然而“无微不至”的地方，却要靠从头到尾的理论的阐述，靠“从最低级的到最高级的，都加它一番考察”的阐述。“马克思《资本论》中的商品概念，非等到把经济学中关于商品一部分东西全部看完看懂，我们对于商品是不能获得明确的概念的”（潘著:《逻辑学与逻辑术》），其理由实在也不外如此。（就这一点来说，潘梓年先生也碰到了辩证法的表象法的一方面了，然而他不知道这就是辩证法的表象原则的一方面或一要素，只把它当做形式论理学的表象法之一种，这一方面又证明形式论理学不外是辩证法的一要素的夸大和绝对化，另一方面证明潘先生是怎样无批判地“收编”了形式论理学。)

我们现在不是要详细研究论理学的“技术”问题，而只是要说明辩证法一般地怎样批判地吸收形式论理学。因此，关于“论断法”“推演法”等的问题，我们不再讲下去了，有机会时，还可以另写专文来说明。但基本原理是一样的。我们在表象法的例子中所说明的，关于辩证法吸收形式论理学的理论，也同样可以适用于论断法和推演法上。一切概念，判断，推理等等的技术，或词的表象，命题的论断观察推演的方法等，在辩证法上都是按照（一）反映发展，（二）把握矛盾，（三）把握具体事实等三个要点来规定它的内容。一句话，就是要把它们当做活的运动的东西来把握，因此才有别于形式论理学的“技术”。恩格斯曾经用磨擦生热的例子说明论断必须依照人类认识的发展历史来分类。马克思的《资本论》指示着辩证法的推理（矛盾的分析与综合，归纳与演绎的统一）的伟大模范。总之辩证法不单只有它自己的基本法则和认识理论，而且也有它自己的建立在这些法则和理论上的技术。在辩证法的法则理论和技术里，形式论理学的定律，理论，和技术只是作为有机体的活的要素而保持着，而不是作为无组织的只“供零星使用”的游卒。

（一九三九年）

正确的工作态度和工作方法——就是辩证法

研究哲学的基本认识

常常听到许多青年学生们这样问:“请告诉我,什么才是研究辩证法的最好的方法?要读几本什么书?从什么书读起?要怎样才能很快的把辩证法唯物论研究好?”

这是一个颇为普遍的问题,我们在青年学生中间听得很多的。青年们(也许不只青年)在今天,对于辩证法唯物论的研究感到很大的兴趣,这是一个好的现象,它的好处,就在于青年们的这种兴趣,并不是“为哲学而研究哲学”的兴趣。愿意研究哲学的青年,都是前进的,为争取中华民族的解放而坚决战斗着的工作者,他们献身于民族革命工作,他们要研究辩证法,也就是为了工作。他们的兴趣的发生，也就是为了辩证法对于工作有着联系。他们能了解做革命工作，不是盲目的乱撞，不是随波逐流，而是要有远见，有坚定的、一贯的方法与态度，这就是说，要有正确的理论的指导。这就是说，各种科学理论的研究，对于工作是很重要的，而辩证法唯物论哲学的理论，也就是在这样的意义上值得研究。

青年们研究哲学的这种动机，不消说是非常正确的。他们应该学习和把握辩证法唯物论，能正确的了解辩证法唯物论，就能正确的了解工作，也就是对工作有正确的态度和方法。

但是进行研究辩证法唯物论的时候，青年们总遇到困难。要把辩证法和自己的工作联系起来，在他们感觉到不是容易的事。一般都是这样的一种苦闷：辩证法的原则，以及各种范畴等等，就它们的本身来说，似乎是容易懂的，但怎样把它应用到生活中、工作中，却一点也没有把握，说是把握辩证法唯物论就能了解正确的工作方法，而他们研究的结果却好像恰恰相反。因为他们学习辩证法唯物论的结果，只获得了一大堆名词、公式。搬弄公式是尽可以熟练的，联系实际却毫无办法，开始研究的时候所期望的目的，努力的结果却没法达到。

这是目前一般青年们研究哲学时所感到的普遍的困难，怎样解决这困难呢？也就是要了解，为什么会发生这样的困难。

首先是因为，在研究的时候受到了书本的束缚。没有书本，自然不能进行研究。辩证法唯物论，过去几千年人类思想发展的最高成果，要把握这一个哲学，全凭个人的头脑是做不到的，所以不能不靠书本的帮助。我们不反对青年们从书本上研究哲学，但问题是在于，当他们拿起了书本的时候，常把最初要研究的动机忘了，以为全凭书本的研究就可以了解一切。当他们从书本研究的结果，觉得有点走不通了的时候，他们会这样想，这一定是读的方法不好，读书方法如果好了，就可以把握一切，于是当他们问到学哲学的方法的时候，他们的着眼点，就只在于选择什么书，从什么书读起的问题。

对青年的学习负帮助责任的一些人们，也常常只知道从书本的介绍上来解决青年们的困难问题，而不知道，问题的提法既已不很恰当，所以解决也不会圆满。我们只说问题提得不恰当，而不说提得错误了，那是因为，介绍读物，并不是完全要不得的事，而且适当的书本的介绍正是必要的。然而问题是在于，青年们常以为只要有好的书本就可以了解一切，而帮助青年研究的人也以为介绍书本就算了事。这就是不妥的地方。为什么？第一，任何完善的书本都不能把辩证法与实际工作的联系，完全无遗地给我们阐明出来，我们开始研究时所希望的东西，书本不会有完全的保证；其次我们现在也没有这么一套编制完善的书，能让我们由浅入深，有系统的研究辩证法唯物论的哲学，我们所有的，只是各种没有互相关联的教程之类的东西，虽然也有初步入门的书与较高深的书，然而深浅的程度并不会恰恰适合我们作有顺序的研读。

研究辩证法唯物论的工具是书本，但仅有书本，并不能够使我们获得辩证法唯物论的活的理论，就譬如仅有生产手段，并不能使我们获得生产品一样。有了纺织机，有了棉花，没有人的劳动力，是不会产生布匹的，有了枪和子弹，没有军队来用，枪也不会自动的打击敌人，而且军队不同，枪的作用也就两样。书本这工具就是一样，倘若没有能应用它的人，它是不会发生它应有的作用的。什么样的人来应用它，就发生什么样的作用，一个工作经验很丰富的人来研究辩证法唯物论，和一个完全读死书的学究来研究，是会得到完全两样的结果的，后者因为根本没有生活经验做基础，所以他所把握的辩证法，就根本无法和工作联系，而只能是一些公式、词句、名词的堆积，而在前者，就可以依据自己工作的经验，适当地从书本中选择自己所需要的东西。

青年们不能很正确地把握或应用辩证法唯物论，并不因为他们全是学究，然而可以说是由于有学究的积习。我们的青年都是前进的，勇于工作的战士，他们比任何人更坚决地献身于民族解放的事业。但他们从来所受的学校教育大都是叫人读死书的教育，与生活毫无联系的教育。教育者只对自己和自己所教的书本负责，而不对学者的生活和工作负责，学者也不能不勉强应付课程，硬背书本。从这里，养成了我们青年学生的（至少一大部分）学究的积习，这积习就影响了他们对于正确理论的研究能力。这影响的表现，就在于使他们学习研究方面成了两重的人。当他们进行工作的时候，他们知道怎样去学习工作，使工作做好，他们知道死书是要不得的。他们以为学习了工作就得要把书本的死的知识丢开，在实践中获得新的东西。但是，当他们又感到单单从工作中的学习不够，而要用书本的理论来帮助的时候，当他们这样拿起书本来的时候，旧的读死书的习惯又回复过来，而忘记了（或不能很好的把握住）怎样为工作而学习，怎样以工作的经验为研究的基础，于是他们的研究又成为背书或背文句的研究，而不能与实际联系起来。

研究辩证法的最根本的方法，就是要把这两重学习习惯打破。首先是要认定活的辩证法唯物论是在我们的工作经验当中，首先要以工作做基础，书本的研究不能完成一切，而只是帮助我们很快地从工作中把握辩证法。什么是工作中的辩证法呢？前面已说过，正确的工作态度和工作方法就是真正的唯物论辩证法，怎样获得正确的工作态度和工作方法呢？主要的就在于要努力工作，不断地研究自己工作中的一切失败和胜利的经验教训，从经验教训中才能够改正一切不正确的工作方法和工作态度，获得正确的方法和态度。书本的辩证法的研究，要与这样的工作的研究互相印证，也就是说，当着我们拿着书本读的时候，要时时刻刻回想到自己工作中的一切经验，以这些经验充实理论内容，而不要单只知道埋头于书本。

这是研究辩证法唯物论的方法上的基本原则，根据这些原则来研究，我们也许不能够很快地把握辩证法，因为这是要和我们工作经验的增加并进的。但比较单靠有系统的读书，所得到的结果会更确实、更深刻。自然，在这时候，适当的好书的选择仍是很重要的，没有书本的帮助，单从工作经验的自然生长中，不容易获得辩证法，没有好书的帮助，获得的速度就要迟缓，如果是坏书，那就有引入错误道路的危险！

（一九三九年）

怎样研究辩证法唯物论

一　辩证法唯物论的特点

研究哲学的方法，是一个具体问题，这就是说，要研究什么哲学，就得有什么方法，研究唯心论哲学的方法，和研究辩证法唯物论哲学的方法是不会一样的。要研究唯心论哲学，不妨把自己关在书房里，专门从书本子上去钻研，不必与实践生活联系，而辩证法唯物论的研究，却绝对不能走这样的道路。

什么才是研究辩证法唯物论的方法呢？要答复这个问题，首先要认识辩证法唯物论这哲学的特点，辩证法唯物论是无产阶级政党的世界观，是马克思主义的哲学基础，它的特点就是从这里规定的：

第一，辩证法唯物论是无产阶级的世界观，因此，它就是最彻底的革命的世界观。这就是说，它不是空理论，而是与无产阶级及广大人民的革命实践行动有分不开的关系。无产阶级的任务（一般地说）是改革世界，而辩证法唯物论这哲学的“重要问题”也正是“在于改革世界”。哲学要能担负起改革世界的任务，就必须与革命的实际行动结合，成为指导革命行动的观点，必须“把握大众，成为物质的力量”。因此，真正的辩证法唯物论，不存在于名词的琢磨、公式的引用、“纯逻辑”的空“理论”里，而存在于无产阶级与广大人民的革命行动的正确指导中，如果脱离了实际问题的解决，那么，无论说一千百万个辩证法唯物论的名词，也不能成其为真正的辩证法唯物论。

第二，辩证法唯物论是马克思主义的哲学基础，也就是科学的共产主义的方法基础。没有辩证法唯物论，也就不会有马克思的科学的共产主义。科学的共产主义的特点是，它不是如以前的空想的共产主义那样，只有一个空洞的理想，而是能够根据社会发展的规律，指明社会必然要向共产主义的前途前进；它也不单只看到这一个必然的前途，而且又能看出：无产阶级就是领导广大人民推动世界走上这前途的力量，它也不单只看到革命的力量，而且能够按照不同的时代，不同的国情，不同的民族，规定出不同的革命步骤和战略策略，随时给无产阶级与广大人民的革命行动以灵活具体的指导，并使无产阶级不论在任何时代环境下，都能够切实地，正确地为当前的革命任务与共产主义的远大目标而斗争。辩证法唯物论就是这样一种科学理论的基础，因此真正的辩证法唯物论，并不完全表现在它的一些简单的公式原则中，而同时也表现在丰富而具体的马克思主义的科学理论中。离开了马克思主义整个的科学理论，就不会有活的辩证法唯物论。

二　怎样才算是把握了辩证法唯物论?

怎样才算把握了辩证法唯物论呢？研究辩证法唯物论，应该以什么为目标呢？从上述的特点，就可以知道，研究辩证法唯物论的目标，与研究其他哲学不同。研究其他哲学，大都只要能够“著书立说”，讲出一套理论（这就是说，只要能够“说明世界”），就算是有了成就。

而研究辩证法唯物论则不然。要评判辩证法唯物论的研究是否有成就，并不在于（至少是不完全在于）纯理论本身讲得多么熟练，而要看这研究的人在遇到革命的实际问题（或与革命有联系的问题）的时候，能否在辩证法唯物论观点上给与正确的解决。能够常常正确解决问题时，才算是达到了研究的目标，才算是把握了辩证法唯物论。

因此，研究辩证法唯物论的时候，要反对两种不正确的倾向。

首先要反对书呆子式的专门从名词公式上推敲的倾向。研究辩证法唯物论自然不能不首先从一些书本的研究开始，因为辩证法唯物论的思想不会凭空出现在我们的脑子里，但就因为这样，许多人就往往被书本束缚，忘记了与实践生活的联系，始终在空洞的理论公式和名词上绕圈子。例如，研究否定之否定法则的时候，就常常有人提出这样一些的问题：“否定对于否定之否定，是否也可以称做否定？”“否定之否定再被否定时，对于以前的否定，是不是又可以称做否定之否定？”“辩证法主张一切皆变，那么，辩证法本身是否也要变，也要被否定？”等等。这都是烦琐的学究式的问题，与辩证法唯物论的真精神完全相反的。

和这同类的，是套公式的研究法，也要反对。这就是说，死记书本上的公式，遇到实际问题来的时候，不去研究这问题的具体内容，却牵强附会地拿公式去硬套，歪曲事实以迁就公式；这样一来，凡事物的变化的前后三个段落，都叫做否定之否定，凡事物之任何两个部分，都叫做对立的统一。于是就有把宗教、哲学、科学，当做一个否定之否定（如叶青），树木的发芽、抽条、生叶，以及封建社会、资本主义社会、共产主义社会，人吃鸡、老虎吃人等，也叫做否定之否定。这种方法，似乎是能联系实际的，而其实则比专门推敲名词的办法更坏，因为这是曲解事实和割裂事实，与辩证法唯物论的科学性也是完全违反了的。

以上都可以说是哲学研究方法上的唯心论的倾向，这种毛病，初学者最容易犯。原因是：一方面他们还未熟悉辩证法唯物论的内容，不能加以把握和正确的运用，另一方面是每一个初学者的头脑里，大多还没有必要的社会知识与实际经验，还不免有旧的思想习惯（形而上学的、只能够片面看事物的习惯）的残遗，这种旧习惯的残遗妨害着他，使他只能就哲学本身来研究哲学，而不能够与实际联系。

其次要反对另一极端的倾向，这可以称做事务主义或实际主义，从反面来说，就是“哲学无用论”的倾向。这种倾向的特点，就在于把自己的狭小的工作经验看得太高，以为这就足以解决一切问题，而把辩证法唯物论的研究看做空理论的研究，于实际没有裨益。

完全否认辩证法唯物论的意义的人，在目前革命的工作者当中一般地是很少见的，然而，或多或少对哲学抱轻视态度的人，却到处都有，特别是在个别的实际问题的解决上，我们会常常听见人说：“这是事实问题，与哲学毫无关系。”这是忘记了，辩证法唯物论是一切事物的普遍法则，因此，也是研究一切事物的一般的方法基础，在任何事实中都可以联系到的。单靠个人的狭隘经验，有时固然可以解决问题，但辩证法唯物论方法的引导，能够使我们在解决问题时，有更极一贯的正确性和深刻性，这是事务主义所不能做到的。

什么才算是研究辩证法唯物论的正确态度呢？“马

克思主义不是教条，而是行动的指针”这句话，对于辩证法唯物论来说，也是适当的。辩证法不是使事物千篇一律化的印板模型，不是固定了的公式，而是我们研究活的事实时的线索和引导。辩证法唯物论之所以能成为科学研究的方法基础，是因为它能给我们一个正确的线索和引导，在我们进行研究现实问题的时候，它帮助我们看出一个大体上应该走的原则方向，使我们的研究能够准确有效。事务主义的错误，就在于不了解这引导作用。但是，看定方向，只是研究的开始，而不是研究的结果。把这开始看定的方向当做结果，忘记了更进一步就事实本身去作具体分析，那就有公式主义的错误。所以，正确的辩证法唯物论的研究，是在于依据这大的方向线索去仔细分析事物本身的内容。辩证法唯物论的研究，不是在它的哲学本身上完成，而是在它引导我们解决了事实问题之后，在具体的结论中间，才可以看出我们对于它是否有正确的了解和把握。

这才叫做把握辩证法唯物论的真精神。

三　把握辩证法唯物论的步骤

要能够把握辩证法唯物论的真精神，不是一下子就可以学到，更不是单凭书本的研究可以成功的。这需要依一定的研究步骤，来训练我们的思想，反复熟练之后，才能够运用自如。

第一步，要把握辩证法唯物论本身的基本观点，这只是研究的开始和准备。第二步，就要暂时丢开哲学公式，把所遇到的现实事物的本身作具体的考察。第三步，在辩证法唯物论的引导下，分析事实材料的各方面，并把握这一切方面的联系，这就是要把握辩证法唯物论法则的具体表现。

第一步的准备，一般的从书本的研究入手。因为辩证法唯物论是几千年人类思想的成果，不是凭空掉到人的脑子里来的东西。只有经过书本，才能接受这样的成果。什么书是我们要读的呢？要读的不应该限于哲学教科书或马克思、恩格斯、列宁专门哲学部门的书，而应该同时研究他们在其他部门的著作，也应该研究中国马克思主义政党的领导者们的名著。理由是前面已说明过的，辩证法唯物论与一切革命的实际问题分不开，所以，一方面要接受前人研究的结论，同时又要学习前人的应用的模范。所以，初学者除了要读一两种入门书之外，像《联共党史》（特别是第四章第二节）、《社会主义从空想到科学的发展》、《费尔巴哈论》、《左派幼稚病》、《辩证法唯物论教程》或《新哲学大纲》、《反杜林论》、《资本论》（至少第一卷第一篇）、《论持久战》、《论新阶段》、《论游击战》诸书，是应该读的。

但这只是把握辩证法唯物论的准备工作。仅仅从书本上熟悉前人研究的结论，并懂得了一些前人运用的模范，还不能够保证自己也可以在实际问题上灵活生动地应用辩证法唯物论。原因是现实事物是不断地发展的，新的问题决不会完全重复旧的问题。我们不能把前人研究的结论当做公式硬套在新事物上，也不能把前人运用辩证法的例子机械地移用到自己的生活中。于是当我们从事于解决实际问题的时候，我们就不能不暂时丢开书本，先就问题的对象内容认真地加以具体考察，这就是前面说的第二步。在这时候，我们切不可在头脑里存着一些先入为主的观点，把现实事物拿来迁就书本上所学到的东西，而要相反地，尽量就事实本身来进行研究探索。

这样，我们在任何一个实际问题的前面，首先要把这个问题的各方面加以了解，在这时，我们并不是绝对要把书本上所学到的东西丢得一干二净，而只是把它暂放在次要的地位，让我们可以用全力去集中在现实的材料上面，了解事实的全部内容。列宁在论到辩证法的诸要素的问题时，第一条就举出“观察的客观性”（不是引例，不是片面的把握，而要事物的本身），就是这样的意思。这一步做到了，我们才可以有第二步，即把辩证法唯物论的法则再提出来，让它引导着我们去分析问题并把握问题的各方面的关联。这样，我们才不会犯硬套公式的毛病，才能够真正把握到事物对象的具体的辩证法内容，这时我们甚至还可以依据新的事实材料来充实和发展辩证法唯物论。

这样的辩证法唯物论的研究步骤，恩格斯在《反杜林论》里，曾就否定之否定法则做了很好的说明。他告诉我们，马克思曾发现财产私有的发展中有否定之否定过程（剥夺者的剥夺），而他发现这过程，是首先依据历史事实的具体分析，在结果上才声明这是否定之否定的过程，而不是把预先预备的公式去套历史。“马克思把这个过程形容为否定之否定时，他并不是想用它去证明那过程的历史的必然性；相反的，他先在历史上证明，这种过程，一部分已在事实上完成，一部分一定将要完成；以后，他才指出这是按照辩证法法则而完成的过程。”（《反杜林论》第一编，第十三节，中译本一五九页）

马克思的《资本论》，在这一点上也是一个最好不过的模范。在第二版序文里，他就把自己的方法，这样明白地向我们说过：“在研究方法上，应该把大小的材料都搜罗无遗，分析它的各种发展形态，探究这些形态的内部关联，这一个工作完成了以后，能够把现实的发展运动适当地表现出来。”这也正是说，辩证法唯物论的把握，是要在客观的具体研究之后才能适当地表现出来的。

四 辩证法唯物论与马克思主义的全部理论（特别是唯物史观）是分不开的

这样，真正把握辩证法唯物论，是要能具体解决实际问题，而不在于纯理论的推敲，马克思、恩格斯是辩证法唯物论的发见者，他们的功绩，也不仅只是在哲学本身上能把黑格尔的唯心论辩证法改造并发展为唯物论辩证法，而尤在于能够把唯物论辩证法在社会科学自然科学上具体地展开。他们的哲学上的发见，和他们的整个的革命理论，以至革命的实践，是分不开的。丢开了马克思主义的全部革命理论和实践，而要单独的研究辩证法唯物论，决不会得到真正的结果的。

辩证法唯物论的研究，首先就不能离开唯物史观。在革命的实践中，随时随地都要遇到社会历史的问题，不认识中国的社会经济性质，就无法了解中国革命的性质和革命的战略策略。要解决社会历史的问题，不是简单用辩证法唯物论的公式来一套，或把它的一些哲学名词硬装到历史事实上去，就可以成功的，首先要就社会历史本身去找出它自己的具体的辩证法。唯物史观的发见，就是辩证法唯物论在社会历史上的具体应用。它告诉我们社会历史的发展根源不是空洞的对立统一的概念，而是具体的生产力和生产关系的矛盾，阶级社会中的各阶级的矛盾，以及一定时代的民族的矛盾。它告诉我们人类社会的发展不是空洞的否定之否定的概念，而是由原始共产社会进到私有财产制的阶级社会，阶级社会崩溃后就会达到高级的无产阶级的共产主义社会。

辩证法唯物论之所以和其他任何唯物论不同，也正在于它的唯物史观：第一，机械唯物论，在触到社会历史的问题上时，都变成唯心论。只有辩证法唯物论能够把唯物论的观点扩张到人类历史的研究上，所以，只有辩证法唯物论是最彻底的唯物论。第二，只有唯物史观，能够在我们进行革命的实践中，提供正确的方法与指针，以便客观地、实事求是地解决一切具体问题。所以辩证法唯物论才成为最革命的哲学思想。这样，辩证法唯物论的彻底性和革命性，就在于它和唯物史观分不开，要真正把握辩证法唯物论，就首先要同时研究唯物史观。读辩证法唯物论的人尽管怎样多，如果他丢开了唯物史观，我们就可以马上判断，他已经失去了真正把握辩证法唯物论的起码条件！

就唯物史观以外的，其他部分的马克思主义理论来说，也有同样的情形：要把握彻底的革命的辩证法唯物论，就不能不同时把握马克思主义的经济学说，社会主义，以及革命的战略战术。自然，要想每一个人都能够成为一个精通一切的马克思主义，是不可能的，然而我们必须尽可能的力量去把握马克思主义的全部理论，尽可能地使我们所研究的辩证法唯物论具体化，以避免公式主义的错误。换一句话说，努力去求精通马克思主义，才可能精通辩证法唯物论。

许多机会主义者及叛徒，阉割马克思主义的革命性，常是首先从理论上把辩证法唯物论和整个马克思主义分离开来。伯因斯坦的修正主义是首先把辩证法唯物论改换成新康德哲学，考茨基的机会主义，在他把哲学信仰看做“私事”的观点里，就有着根源；法西斯蒂走卒布哈林、托洛斯基，很早在马克思主义哲学的基础上，就做了伪造的工作。这些叛徒们，在准备背叛之前，他们就宣言说：“马克思主义和辩证法唯物论中间是没有必然关系的，不要辩证法唯物论，我们也有马克思主义。”而在中国，出卖人头的贩子——叶青，现在还在乱嚷以前的叛徒们的老调，说“马克思虽然采用辩证法和唯物论，并把二者统一起来，以之作为世界观和研究法，却是与无产阶级、社会主义、社会革命，没有必然关系，可以分得开的。”他甚至于把马克思的《资本论》也当做与辩证法无关的东西，而这样说：“要说马克思的唯物论辩证法错误，……是哲学的讨论，无伤于马克思，只要《资本论》站得住。”（见《前途》七卷七期）这简直是撒天下之大谎，而以为谁也不会去翻一翻《资本论》，以为别人一定是瞎子，不会在《资本论》的第二版序言里看出马克思自己的表白，说明他自己的方法是“不单只和黑格尔一流的方法不同，而且和它正相反对的”唯物辩证法了。

离开辩证法唯物论的哲学没有马克思主义的整个革命理论，离开整个的革命理论，也不会有真正完全的辩证法唯物论。叶青以信口雌黄的诡辩伎俩，想证明辩证法唯物论可以离开马克思主义而独立，一则曰“辩证法不始于马克思”，二则曰“唯物论亦不始于马克思”，三则曰“赫拉克里特既是辩证法者，又是唯物论者，他的哲学就是辩证法唯物论”。然而他蒙蔽了读者的是，马克思以前的辩证法，如在黑格尔，是唯心论的辩证法，因此也就不是彻底的辩证法（可以参考《费尔巴哈论》）。马克思以前的唯物论，除古代一部分以外，都是形而上学的唯物论，因此，也不是彻底的唯物论（也可以参看《费尔巴哈论》)。而古代的辩证法唯物论如希腊的赫拉克里特，中国的老子等，是“自然发生”的辩证法唯物论，是朦胧的“天才的臆测”的结果，而没有精密的科学做基础，所以“虽然可以说他把握到了各种现象全体姿态的特性，然而，还不能充分说明构成这全体姿态的个别事物，正因为不知道这些个别事物，所以对于全体的姿态也就不很明了了”(《反杜林论》。因此，古代的辩证法唯物论，也不是完全的东西，而完全的辩证法唯物论，都是与马克思主义，与无产阶级、共产主义、近代革命运动等等，分不开的。

这样，“辩证法唯物论是马克思主义列宁主义政党的宇宙观”(《联共党史》)。要正确把握辩证法唯物论，必须努力研习马克思主义的全部理论，把它具体表现于革命的理论和实践。同样，要在马克思主义的理论和实践上不走错路，也必须正确的把握辩证法唯物论的哲学。

（一九四〇年）

海涅的政治诗

海涅的名字介绍到中国来已经很久了，他的诗，也有好几种翻译，但似乎都只是情诗。至于政治诗或讽刺诗，也许是我对于文坛的知识不完全的缘故罢，直到最近还没有见过。海涅不仅是歌咏爱情的好手，也是社会斗争中的一个将士，他不希望自己的墓上饰着诗人的月桂冠，只愿有战士的剑和帽，这是人所周知的。“以紫萝兰的花香和月的光织出纤美的韵律”的海涅，本质上还具有着奔放的、锐利的、前进的思想和热情。他不扭扭捏捏地腐心献媚于“至上”的女神，宁可把纯洁的两手掘入污秽的现实中，暴露出没落阶级的丑恶，这里当然就找不出纯粹的艺术或“自由人”的艺术，然正因此也才有海涅的伟大。

隔着几乎一世纪的海涅，在今日看来，自然有许多地方与我们离得很远。他的打击对象可以说全是封建社会、贵族帝王、僧侣等中世纪的遗物。对于社会的落后的方面，他的作品好像投下了很大的照明弹，使丑恶原形毕露；但对于社会的前途，他的理想是很朦胧的，虽然有某种的确信，却也常常表现摇动，这是时代历史限制了他；但在那历史的限制之内，他仍是尽了很大的使命。巴尔扎克所看见的历史是没落的贵族和资产阶级的勃兴，不像现代的我们还能看见更新的人群，但我们不能因此而忽视了巴尔扎克的伟大。同样的情形也可以归诸海涅。他总是一个前进者，在他的时代里他向着时代的前线走去，他面对着现实的斗争，没有从现实逃避。

海涅政治诗的写作时代是在德国社会政治运动最活跃的时代，这正好像是巴尔扎克的写作时代是正当法国社会最动摇的时代一样。艺术反映现实，在最紧张的时势中，艺术者能得到最丰富的收获，是很自然的事。德国最活泼的社会政治运动，是从“一八四〇年，普鲁士的资产阶级站立到中等阶级运动的先锋地位时开始”，一直向着一八四八年的大革命急速发展下去的，海涅的政治诗中之最典型的特色者如《德国冬天的童话》，正是创作于这期间之内。德国劳动者的真正的运动也渐渐生长，终于“在一八四四年西勒西亚及波希米亚的工场劳动者罢业中开始表现出来”，海涅也很受了刺激，作《西勒西亚的织工》一诗歌咏这事。在这里他看见社会前途的现实的曙光而感动了。但自然也仅是止于感动而已，并不曾像科学的社会主义者一样，能由此获得确定的整个的世界观。

一八四〇年至一八四八年的政治运动原是以资产阶级为主体的。对于新皇威廉第四感到了失望的民众，以市民阶级为前锋而开始起自由主义的运动。反封建、反专制主义是当时的主题，是革命运动的先决条件。劳动者的运动虽已表现其力量，但仍未脱离萌芽的状态。诗人所能把握的是现实的具体的形象，海涅不能写比反封建的主题更前进一步的诗，正因为他是真正的诗人的缘故。当时德国的一般“倾向诗人”虽然嘲笑海涅“有才能而无主义”，但“倾向诗人”自己又不能免“有主义而无才能”。其实这也并不真是有才无才的问题，而是历史对于诗才有着限制的缘故。“初期的社会主义原来都是上层阶级的同情者”，海涅时代的社会主义实在还没有脱离初期，即使是“倾向诗人”们，在本质上多少仍不免有上层阶级的残余，还没有长够了普罗的血和肉，要他们以现实的形象把握他们的主义，究竟不可能，所以那“有主义”的诗也仅只是“倾向”的诗，而能把握住形象的“有才能”的海涅的诗，却又失去了主义。将来社会的主人是谁，海涅是知道得很清楚的，但他自己还不是这主人，他是他的时代的产儿，他的才能跳不出他的时代之外。直率地说，他所代表的只是前进的资产阶级的意识形态，因为是前进的，所以在当时的他的身上是“一滴保守的血液也没有”，但对于将来的社会主人，仍不免有多少疑虑，这也因为他只是资产阶级的自由主义者的缘故。

在诗中的海涅的社会主义，是空想的社会主义，而圣·西门的影响尤其显著，这更证明了这初期的“上层阶级的同情者”的特性。法国的资产阶级革命的结果，在海涅也感觉到那是一种“痛心的失望的氛围气”。圣·西门的学说对于这失望给与理论的根据，因此能很自然地影响了海涅。他以为“可以从物质的不幸中救出人类，而在地上给人类以幸福”。他希望“一切的人不久可以每日吃牛肉而不吃马铃薯，可以做较少的工作，跳较多的舞”。他相信这事可以“由产业和经济的进步”而促成——

> 我们要在地上得到幸福，
> 再不愿老是饥肠辘辘，
> 再不愿把勤劳的两手获得的，
> 拿去饱那吃闲饭的人们的肚腹。
> 为着一切的人们，
>
> 这地上也有充分的面包产生，
> 玫瑰呀，百合呀，美呀，乐呀，
> 也能同样孳生！

这是《德国冬天的童话》第一首中的两节，这里的圣·西门的影响是很显著的。所谓的“勤劳的两手”的勤劳者，并不专指劳动阶级，而是指一切勤劳的人们。海涅在这儿并不是作为劳动阶级利益之代表者而出现，他和“启蒙主义者一样，并不要解放特定的阶级，而是要解放全人类”。或者说，要从“吃闲饭的人们”的手中将一切的勤劳者解放出来。这也是圣·西门的语法：“在圣·西门第三阶级与特权阶级的对立，是成了‘从事劳动者’与‘怠惰者’的对立的形式，所谓‘怠惰者’，并不单指从来的特权阶级，却是包含一切不从事生产或业务而能有收入以作生活之用的一切人们。又，所谓的‘从事劳动者’，也不只是工资劳动者，而是连制造业者、商人、银行家等都在内的。”（恩格斯）海涅的勤劳者由那全诗看来，也不外是这一类的“从事劳动者”，至少也不会是现代的劳动阶级。

为空想的“全人类的自由”而作的赞歌，在海涅的许多别的诗作里也常常表现的。但在写《德国冬天的童话》的同时，德国劳动者的自然发生的运动也开始出现，而为海涅所感到、所歌咏了。这一方面表示诗人对于时代之敏感，同时也显露着海涅对于劳动阶级的观察的成长所感到的不安和动摇。他决心前进了，然而又踌躇着。结果终于没有与现实走上一致的道路，却飞向空想之中去了。

勃兰兑斯关于海涅说过：“这样，海涅在德国的抒情诗中，不，在一般文学的历史中，以一种全新的样式，即在抒情诗中结合着热狂和机智，或以一种全新的精神特色，即在诗中将散文采入作为诗的背景或诗的嘲笑，而划了一个时代，这事是基因于他的历史地位，即从现实的浪漫的变形到当时新起的厌世的写实主义之过渡——这说明了他的诗中所有着的两种要素之融合。”这虽然没有说出了海涅的诗作之必然的根据，但表面的特征却说得很明白了。正和有的人称巴尔扎克是浪漫主义与写实主义之过渡人物一样，海涅也处在这样的地位中。他的诗里结合着两种对立的要素，写实的和浪漫的，现实的和空想的，热狂和机智。然而，综合了这两要素的必然的根据是什么呢？这不外就由于前面所说过的阶级性使然，海涅的资产阶级特性是动摇的，他对将来的人群有所疑虑，而同时又为所感动。他瞥见了现实的真实而又不确信这真实。社会前途的曙光之发见使他不至于跟着旧写实主义者走到厌世的狭路上，但对于那真实又不能确信，他只好用空想满足自己，一方面以机智嘲骂一切旧的现实，他方面却又热狂地在做梦。

这历史的阶级的根据，就成了海涅那划时代的“全新的样式”所以产生的来源。他常走着一条迂回的道路——先将读者诱入一个架空的世界中，然后自由地实行起他对于现实的批评。这种手法，不仅只是取其讽刺的便利，也是海涅自身的浪漫主义的要素必然形成的。这对海涅的许多关于时事的政治诗或抒情诗给与了显著的特色，而海涅自己也承认这是一种艺术的方法。即对于描写对象不用其如实的生活的姿态，却使之变形为空想的事物而构成空想的世界，梦影搀杂进现实里。海涅将这种方法自称做：“正在灭亡的、也许是已经灭亡了的艺术期之白鸟歌”，或“浪漫派最后的自由的森林中的歌”。对于《德国冬天的童话》他也自称为“政治的——浪漫的东西”。

《德国冬天的童话》中的重要的几首就是梦影和现实的交错之好例。这是海涅一人所特有的形式。他巧妙地构成了他的空想的世界，不但一点破绽没有，并且还弥漫了他内心的真实的热情的燃烧。机敏的头脑与感情能同时作用，这使得海涅不像别的诗人一样，可以多少让他摹仿成功。因为不仅仅是机智，所以诗中的那讽刺也不仅仅是锐利的讽刺，或个别的针刺，而是含着讥笑的整个的形象在那儿运动，那讥笑是结合在丰富的世界内容的一个整体之中。被嘲笑的人，所遭受的不仅只是一刺，而是被剥去了层层的褴褛，赤裸裸地将丑态显露于人前。这一点，在他向着封建的德国的具体存在者施以人身的大嘲笑时，尤其能显示出他优秀的才能，这正因为他的时代所给与他的批判的主题只是封建社会的缘故，而这也就是他的讽刺所能达到的最好的效果。

海涅的讽刺不仅仅是讽刺，所以是大胆的、勇敢的，不像普通的讽刺或“幽默”会成为弱者的卖俏和撒娇。他实际上与德国封建的统治者已经形成了正面的冲突。统治者认为他是“以极其厚颜无耻的方法攻击基督教，诽谤既存的社会情事，明明地要想破坏一切规律和道德”，而严禁过他的著作之流布。但依今日的标准看来，海涅的讽刺中的那打击力还嫌不够。对于作为讽刺对象的现实具体物，他不能攻入它们的阶级的本质，却常只是翻弄着表面的，琐屑的事件，这可以说是他的弱点，这根本还是由于前述的他的历史的阶级的制限使然。他还没有走向更深刻的现实，便停止在空想里了。

现在，我们已说明了海涅是怎样与当时的封建遗物斗争，是从哪一方面下手攻击，是怎样地处理他的对象物，以及为什么没打击到对象的致命处所。海涅的诗的样式之一切优点和缺点，其内容和形式的诸要素，都是以这为根据而建立起来的。他的技巧形式和他的世界观有着这种有机的结合，使他成为他的时代的代表的诗人，但因此也就有许多在今日认为不够的东西。认真说，海涅的诗在今日可学的地方已经很少了。学海涅，远不如学苏联的诗人，因为后者有着更进步的成果。而况海涅那种样式本来就不是可以学得到的。

但是自然不是说就可以放弃了海涅的研究。在目前，封建的幽灵之复活，是不论在海涅的祖国，在西方，在东方的任何国家都普遍起来了。而中国才尤其是封建残余的最大的老巢，这证明海涅时代的主题还需要现代进步的人们继续着使之完成。这儿就有着研究海涅的必要，但这是复杂的使命，它需要着比海涅更有力的刀剑。这即是说：从海涅那里除去了空想的、皮相的、梦的、琐屑的要素，而加入更真实、更深刻的现实主义。

（一九三三年）

（附录）

世祖亚当

海涅作

用火剑，
用天国的宪兵，
你把我逐出乐园，
没有容赦，也不讲道理。

我带着妻，
到地上飘零，
但我已吃了智慧的果实，
这事你终于无法变改。
你无法变改，
我已知你是怎样无能和渺小，
不怕你就用死和雷霆，
来严重地威吓我。

哦，上帝！多么可怜哪，

你这谕旨的革命！
我把这叫做世界的壮丽，
叫做世界的光明。

我对天国的乐园，
已决不慕恋，
它决不是真的乐园。

我要的是完全的自由，
只要有些儿的束缚，
即使天国，
在我也会成为地狱！

文艺家协会成立之日的感想

在作家协会的成立大会上，我始终感觉到一种非常融洽的空气。把成百的成员，相当复杂的文艺作者聚集在一处，而能够表现出一致的愿望和情绪，这实在不是偶然的事。

一位来宾的演词感动了我：他指出从来文艺作者中间是怎样缺少一致的可能性，而现在却在共同的目标下团结起来了。

是的，不一致的文艺作者在现在也可能走上一致的路径了。这有它的现实的根源，这就是说，民族危机所课给中国人民的任务，也有一部分压到文艺作者们的肩上来了。广大的中国人民现在都明白，只有大众联合起来，才能够争取民族的生存。作家并不是超越在社会人间之上的神仙，因此他们也就要在这图存运动中联合起来。

图存运动现在是普遍到了全世界。压迫和死神的威胁实在太大了，因此，不愿意叩头求荣和不愿意死的人，自然就要结成一个联合战线，共同起来反抗。

文艺协会的成立，是中国人民图存运动的一环，它是必要的，它是有历史的意义的。

我们现在还看见有一些人，对于这联合运动表示忧虑和怀疑。他们相信联合战线的重要，但又怕自己把人联合不过来，却反而被人联合了去；反而被人利用到另外的目的上去。

这忧虑，自然是出于爱护的热诚。然而我们也可以给他们辩解说：这是用不着忧虑的。人如果要利用他只能有两种目的：或是在联合中来破坏大众的利益，事实上就是破坏联合，或是在这联合中使个人得到利益，增高个人的地位和声名。

倘是企图前者，那他决不会把大多数人联合过去。因为联合者有联合的共同利益，他要破坏联合，他同时就出卖大众的利益。人民别的会忽略，自己的利益总看得清楚的，这就不会轻易受骗。

倘是企图后者，那么，有时就是真的被联合过去一下也无妨。我们要的是民族的生存，他为的是个人的地位和声名。要紧的是他能否把自己的力量老实地供献给人民。倘若能够的话，我们把个人的地位换来一份民族的利益，有什么不可以？倘若能够的话，我们何必为了个人的私事，而抛弃了有用的力量。

我觉得法国人民阵线的榜样很可以给我们学习。这阵线是被社会党的领袖联合过去了，里昂·伯伦被捧进了内阁，然而在人民阵线的压力下，文明的死敌固然被打倒，劳苦大众的利益的要求，也得到了圆满的胜利。

文艺作家协会在今天成立了。文艺界的图存运动在这里奠定了基础，希望更多的作家们从此解除了一切怀疑和忧虑，勇敢地走到联合战线上来。

（一九三六年）

新的形势和文学的任务

现在再没有人把什么永久的东西当做文学描写的对象了，再没有人说文学是超时代现实的神品了，这只是被时代遗弃了的没落者的失望的自遣，是无力正视现实的一种粉饰。

前进的文艺作者都承认，文学是，而且必须是跟着时代变化，时代的一个新的形势必然要在文学上提起新的任务。

文学是怎样担负起它的时代任务呢？文学能担负起这任务，就在于它是现实的反映。就像科学用理论反映现实一样，文学用具体形象把现实的一切动态反映出来。所谓反映，并不是零零碎碎毫无系统的陈列，而是要把现实的运动、趋势、前途，也呈示出来，不单只反映现实，也同时预示着将来。这就是说，正确的反映，同时也就是指示。在人们拼着苦痛，拼着血肉去争取更好的未来的时候，文学是和科学一样，对于他们的行动要尽相当的指示作用。

时代的新的形势，不但对文学提供了新的写作对象、新的美学的基础，同时也把需要解决的新的问题摆到作者的前面。最能反映现实的文学，是最有时代意义的，也就是最有行动的意义的。

因此，我们可以说：文学的生命就是现实主义。凡有价值的作品，都有它的现实主义的一面。我们自然不能说每一个作者都是现实主义者。相反地，我们要说，多数的作者甚至于伟大的作者，都常常站在一种特定的立场，戴着特定的棱镜，也就是抱着一种代表作者的社会地位的世界观，而把现实的形象歪曲了。在特定的世界观的着色眼镜之下，作者甚至于会把现实的材料拖到非现实的空中去。但不论怎样，作品如果有价值的话，那价值不在他的世界观，而在那虽然被歪曲但也在某种程度上反映出来了的现实的内容。我们承认《雷雨》这部戏剧是有价值的作品，因为它里面写出了几个很现实的人，像那在旧社会、旧道德的压抑底下苦闷着的周繁漪周萍等人物，就是在现在的中国也有很多地方存在着的。作者的世界观使他想把这些人物带到神秘主义和宿命论的彼岸里去，但也幸而这神秘主义和宿命论没有完全压坏了这几个人的真实的描写，才使剧本有深刻动人的力量。

这是一些基本理论上的问题，为什么要拿到这里来谈呢？这是为要表明，凡是有才能的作者，在世界观上即使有种种不同，但在反映现实的这一点上，却多少都有值得重视的地方。也就是说，新的形势和新的任务被提起的时候，文学的事业并不单单是最前进的作品才能推动；就是比较落后的作者，在一定的条件之下，也可以成为这任务的一部分的担任者的。

我们的前进的文学界常常有狭量的关门主义的倾向。他们带着前进者的骄傲，把自己当做唯一的挖掘现实的工作者，而忘却文学战线上还有其他可携手的友人。这错误，是在于把文学看做少数人的事业，看做天才的事业，不知道文学所要反映的具体现实，是非常广泛的、多方面的。一部分最前进的作者虽然能把握着现实的最本质的方面，却并不能汲尽现实的真实性。如果我们对于文学不仅仅以较片面的反映为满足的话，就应该从更多的作者中去找寻合作者。我们当然不能幻想要一切的作者都成为我们的合作者，这是不可能的。现在每一种新的形势到来的时候，除了少数最前进的作者之外，还站着许多有才能的可以合作的作者，却是无疑的事。我们可以放弃了他们么？如果放弃了，他们将依从着那不正确的世界观的引导，渐渐走向衰败没落的道路上去，在文学上说，这也不能不算是很大的损失。如果我们明白，担负时代任务的力量是一点一滴也不能让它白白丧失了的话，那就应该号召他们，鼓励他们，督促他们，让他们少用些工夫在那不正确的世界观方面，多用些工夫在现实的反映方面。

因此，依据着新的形势来给文学规定任务和口号，并不是单限于少数最前进文学者圈子里面的事，而是要把更广大的作者拉过来，用集团的笔，全面地写出现实的真相和现实发展的前途和道路。政治上的联合战线，在文学上也有反映，不单只是行动上的反映，也是写作的反映。

在目前的新形势之下，我们要的是什么口号呢？有人提出“民族革命战争的大众文学”，有人提出“国防文学”，我的意见，是赞同国防文学这一方面。因为这口号是最切合现阶段的需要，而且也最能号召一切可能的写作力量团结到民族革命的阵营中来。

要明白这一点，对于新形势不能不先有一个明白的理解。

新的形势是在于民族危机的加紧，半殖民地的中国已经就要被东方帝国主义者全殖民地化了。殖民地化的企图，自然不是从今日开始的，我们可以回溯到“九一八”，不，还可以回溯得更早一点，说：在田中内阁所造成的济南惨案时代就已经发端了。这就是说，从七八年前起，在中国已开始了被殖民地化的过程，这过程是到最近一年才更加深刻化起来的。这深刻化是不是引起了新的特质呢？引起了的，现在的民族危机已经发生了新的特质，也因此才有新的形势。有人以为“九一八”以来的中国只看见整个的殖民地化的过程，只看见殖民地化的程度上或数量上的增加，而忽视了最近一年来的新的质的变化，这是不对的。所谓新的特质，一句话，就是民族的危难已到了最后的生死关头。在这以前，敌人的殖民地化的企图还只是一部分一部分的实现，而现在却逼到了这样一个地步：它逼着中国，或是抗战，或是整个的国家、整个的民族全都被敌人吞下。

更具体地说，这新的形势包含着以下几点：

第一，敌人是集中一切军事、外交、经济、文化各方面力量来对中国作全面的侵略，侵略的魔手几乎没有一个角落里不伸张到，也就是几乎没有一个角落里的中国人不感到侵略的威胁。

第二，驻军的增加，走私的扩大，以及其他新的、毒辣的侵略方式，使那些甚至于想做汉奸或想做王道顺民过太平日子的人也感到了威胁，使许许多多的阶层的人都渐渐地感到抗争的需要。

第三，因为敌人的侵略已经到了要全灭中国的地步，在全国各党各派、各阶层的前面显现成一个最危险的大敌，不先克服了这个大敌，大家都要同归于尽。因此，除了极少数甘心做汉奸的人外，相互间的纷争，都觉得要设法和缓下来，共同联合一致，对付最大的敌人。这就是抗敌联合战线发生的基础，也是新形势中最重要的东西。

谈新形势而忘记了联合战线，是不对的，就是对于联合战线的不正确的理解，也是非常有害：联合战线是不是要解消了社会的一切纠纷而不谈呢？不是的，人民所受的封建的压制和经济的剥削，没有丝毫改善，这会减低了他们实行抗敌战争的热情。然而联合战线是不是仅仅把过去的一切社会纠纷统一着呢？也不是的，内部的激烈争斗照样继续下去，怎么有力量来对付外来的大敌？如果说联合战线是仅仅统一着这些纠纷，那就等于根本不要联合战线。联合战线是以抵抗大敌为目的，在联合战线之下的一切问题的解决，都得要以抗敌联合的利益为前提：某种社会纠纷如果损害了联合战线（如过高的社会斗争口号，会把一部分战友吓退），那我们宁可不用激烈的形式而用改良的方式来解决这纠纷，某种社会纠纷如果对于联合战线有利益的话，当然要不客气的解决这纠纷。在新形势之下的社会纠纷和过去的社会纠纷，在解决的方式上是不同的，忽略了这一点，也就谈不上新形势的了解。我们不能说封建势力（如小地主甚至于军阀之类）一定都是汉奸，我们不能说压抑着劳苦大众的人（如民族资产阶级之类）一定都不能走到联合战线上来，这是机械的了解，不是动的辩证法的了解。在新形势新条件之下，这一类的人也有一部分可以转向到抗敌的战线上来的，虽然我们不能否认，他们的转向是带着很多的踌躇、动摇、和疑虑的成分。

为什么在这新形势之下，在文学领域里我们要赞同国防文学的口号呢？因为这口号是文学界的联合战线的口号，可以号召广大的作者来尽他们的时代任务，而不把这任务局限于一部分前进者的圈子里。

一个作家代表着一定的社会层。这社会层如果是一些寄生者集团，他们脱离现实，脱离生产，做着高超的美梦，那么，代表他们的作者也会跟着他们播弄文字技巧的粉饰和欺骗。如果这同样的社会层在新的条件之下受到了现实的打击，感到了地位的不安，在疑虑和彷徨中渐渐倾向到抗敌的方面来的时候，代表的作者把这样的转变过程反映出来，这不但在文学上有相当的贡献，同时在社会的意义上，他们的作品也对他的阶层尽了一种指示的任务。他对他们说：“看吧，我们的路只有这一条，抛弃了那美丽的空想，走到联合战线上来吧！”像这样的作者和作品就是单单站在政治上来说，我们也能放弃了吗？

我们相信在新的形势之下，有许许多多这样可能的社会层，也有许许多多这样可能的作者。我们在政治上用联合战线的口号要把这些社会层尽可能地号召到抗敌战线上来。在文学上，我们得要用国防文学的口号，号召这些作者，叫他们去指示他们所代表的社会层，把在迷梦中的人惊醒，把在彷徨中的人坚定起来，使他们知道为国防而战是比什么也更迫切需要的事。因为国家亡了，自己的生存就全没有保障。

广泛的各种社会层中的转变中的现实，不是一部分前进的作者所能汲尽的。前进的作者在作品中所做的指示，也不一定能够说服那比较落后而又有走到联合战线来的可能的人们。用他们自己的作者去说服他们，是最便利的事。要把各党各派的作者号召起来，意义也就在这里。

为什么我们要赞同国防文学的口号，而认为“民族革命战争的大众文学”不恰当？因为这一个口号用在现阶段里太狭隘了。提出口号的胡风先生，是把着眼点完全放在“劳苦大众”上面，而忽视了在新的形势下，抗敌的可能力量不只是“劳苦大众”，就是一部分民族资产阶级、乡村富农、小地主、以及小资产阶级，都有走到抗敌阵线上来的可能性。胡风先生说：“‘民族革命战争的大众文学’应该说明劳苦大众的利益和民族利益的一致，说明在民族革命中谁是组织者，谁是克敌的主要力量，谁是自觉的或不自觉的民族奸细。”这样的见解现在已经旧了。现在已经不能一概地说谁一定是自觉或不自觉的民族奸细，现在的形势使我们可以说：可能成为民族奸细的人以及对于民族抗争不感到兴趣的人，也渐渐转向到抗敌联合战线下面了。我们现在不但可以说明民族的利益和劳苦大众的利益的一致，我们现在还可以说明，民族的危亡，对于其他的阶层和利益也是有害的，凡是真正要争取生存的人，都应该走到抗敌战线上来，实行保卫国土，收复失地。

我们现在不单单要说明谁是民族战争的组织者，谁是克敌的主要力量，还要指出更广大的国民是怎样渐渐走到联合战线的组织里来，怎样在动摇、彷徨和疑虑中终于转变过来，而形成抗敌的伟大力量。

这样，展开在我们的前面而值得文学来反映的现实，是更广泛了。这样广泛的现实的动态不是一部分前进文学者所能完全汲尽。要号召更多数的作者来和我们前进的作者合作，不是很必要的么？

对于这些作者的号召，自然也不是毫无条件的。他们走到联合战线上来，无疑地也随着他们自己的世界观，无疑地他们仍不会完全脱去了旧的恶习，文字技巧的粉饰和欺骗仍会在他们的作品里残留着。因此，把这些作者号召过来，同时也要给与战友的批评。号召的意义，就在于要不使他们放任在自然生长的状态中，以至于有腐化的危险，而要把他们中间的新鲜的生命扶植起来，要他们对于自己阶层的转化的现实过程的反映多努力些，而在世界观方面少来一些顾虑。

（一九三六年）

旧形式运用的基本原则

一　问题提起的必然性

旧形式利用或运用的问题，在抗战以前早有人提起，而在抗战中间，却成为文艺运动中一个极重要的问题。要把这问题的意义表现得更明白，我们不妨把它扩大一些，把它归结为中国民族旧文艺传统的继承和发扬的问题。

在抗战以前，这问题大部分还只限于理论的探讨，也就是说主要地只在理论方面有意义（并不是说完全没有实际），而在今天，却成了最实际的问题。在今天全国的文艺人，都卷在战争的浪潮里，直接间接参加了这中国有史以来最伟大的民族斗争。由专家的生活改变成群众的生活，由城市的工作转入了乡村的工作，人人都更进一步地在体验在实践。旧形式的问题，正是许多文艺家在实际工作中提起来的。

从表面上来看时，旧形式的运用，好像只是技术的问题，好像只是文艺的实际工作者的宣传方法的问题，或接近老百姓，"迎合老百姓"的技巧的问题。这也就像是说，所谓运用旧形式，就是文艺人抛弃了自己的独特的艺术工作，适应着抗战的需要，来做一些临时的宣传的活动；是从高级的艺术地位下来屈就俗众，这是宣传，不是文艺。

我们不能否认，事实上也确有此种情形，实际工作的迫切需要确是要求着文艺人走这样道路，要求我们能"迎合老百姓"，能抛弃自己比较熟习和专长的，也就是在专门的意义上比较高级的那一套，而探求新的，自己没有驾驭得惯的，也就是不一定弄得好的另一套。不直接间接参加到抗战的工作中，你就不能把握民族斗争的丰富的现实的内容，不能获得更有意义的创作的原料，就好像采矿的人找不到矿苗。参加到工作中去，事实条件就逼着你不能不把标准降低一些，把力量放在许多临时的，宣传性质的，并不怎样显得有很高艺术价值的工作上来。

这不是事实吗？是，而且是普遍的事实。但是，正因为普遍的事实，就不能看做偶然的、暂时的、应付的、技术的问题。而是要从这里看出，中国今天的现实对于文艺人所提出来的历史的要求。这一个要求，指示着文艺发展的一个必然的规律，不管你个人之观点愿意不愿意，它总要推动着你走上这样的前途。

文艺应该成为抗战的力量，它应该成为，而且事实上已经成为全面抗战中的一个要素，一个部门。这就是客观历史课给我们的文艺工作的任务。这一个任务，是没有一个进步的文艺人可以拒绝的。自然，文艺担负这样的任务，是依靠着它自己的特殊的形式，就像抗战的政治军事等也各有它自己的形式一样。军事的行动是和敌人在前线上直接对敌。政治的任务是团结全国，组织人力物力。文艺的作用却在于它是反映现实的一种形式，在于它能把活的事实具体地摆了出来，因此能够教育和号召全国的人，起来为抗战努力工作。

真正有价值的艺术创作，都是战斗者的创作，都是社会战斗的一种特殊形式，它不是静观现实的死的镜子，而是要在战士的地位上反映现实，要有推动和变革现实的力量。

倘若不反对这样的了解，那么，一个文艺作者的活动的方向不是很明白的吗？什么是我们所需要的文艺？是能够担当一定的历史任务，发生这样的现实力量的东西。没有仅仅为自己个人而创作或仅仅为过去或将来的人创作的人，文艺不是要“束之高阁”的东西，它是社会的民族的，它主要的目的是要走进现在的广大的民众中间。在这样的目的前面，就必然要提起了旧形式利用的问题。

首先是因为要能真正走进民众中间去，必须它自己也是民众的东西，也就是说它能和民众的生活习惯打成一片。旧形式，一般地说，正是民众的形式；民众的文艺生活，一直到现在都是旧形式的东西，新文艺并没有深入民间。

但其次的而且更重要的是：旧形式是中国民众用来反映自己的生活的一种文艺形式。中国民众习于运用这些形式，而且在长时期运用中使它达到了相当的熟练程度，使它最适于反映民众生活中的某些东西。旧形式并不仅仅是旧的，而且也有许多地方是很发展，很确当的。

为什么一般所谓新文艺在民众中间表现出它的无力？原因（当然不是全部）也许很多，然而不能适合于表现民众的真实生活，是最重要的一个。不从民众中间去学习，不了解民众自己的，也即是旧的思考方式、生活方式、说话方式，怎样在文艺中把握民众的现实生活呢？

我们是为民众而工作，因此要把民众的东西还给民众，这就使我们在实际上有运用旧形式把握旧形式的必要。

二　运用旧形式的中心目标

把握旧形式的必要，在现在是不会为大多数的文艺人所怀疑的，问题是在于怎样了解这工作，和怎样实际地去把握。对于这问题，我们的基本上的了解应该是：并非完全投降旧形式，无条件地主张旧形式至上主义，也并非仅仅以旧形式为敷衍老百姓的手段，把它看做艺术运动本身以外的不重要的东西，而是要把它看做继承和发扬旧文艺传统的问题。我们的眼光是从发展方面来看的，运用旧形式，其目的却不是要停止于旧形式，而是为要创造新的民族的文艺。

我们的新的生活，新的工作，新的体验，要求我们要有新的文艺，这文艺不但是新的，而且是民族的，也就是大多数民众所接受的，它能被民众看做自己的东西。直到今天，我们有新的文艺，然而极缺少民族的新文艺；我们的民族的东西，主要地都是旧形式的东西。

“五四”以来的新文艺运动有没有产生过能够表现我们的民族气派和民治作风的东西呢？我们不能说没有，而要说太不够。鲁迅先生的创作，就表现了中国民族中不屈不挠的斗争精神。中国一直到现在还有着许多丑类，如 ××× 之流，在敌人的面前屈膝求和，但这只是民族中的堕落分子，真正活跃着的国人，是向上的，不妥协的。鲁迅先生不但在他的创作里表现了这不妥协的积极向上的精神，而且很成功地发扬了民族的好的传统；他的作品所以成为“五四”新文艺运动的最高的成果，也正因为它在形式和内容上都不但是新的而且也是民族的。鲁迅所创造的艺术价值极高的东西，并不是和我们民族的传统完全隔绝的，虽然对于不良的传统，他曾把它攻击得体无完肤。

然而我们的新文艺中只有一个鲁迅达到了这样高的水准，这还不可以说是很不够吗？

我们需要更多的民族的新文艺，也即是要以我们民族的特色（生活内容方面和表现形式方面包括在一起）而能在世界上占一地位的新文艺。没有鲜明的民族特色的东西，在世界上是站不住脚的。中国的作家如果要对世界的文艺界拿出成绩来，他所拿出来的如果不是中国自己的东西，那还有什么呢？真的，我们现在有许许多多东西可以拿到世界上去，我们的抗战已震动了全世界，中国民族的现实的艺术已经为全世界的人所关心，然而我们在文艺上没有足够的表现。我们没有以艺术的形式告诉世界，我们的抗战是如何的英勇，没有表现出我们在怎样艰苦地斗争，甚至没有能够向世界暴露敌人的残暴。这样一个工作，倒让敌人中间的有良心的作家来作做了。只不过在抗战几月以后，敌国的作家在法西斯蒂的高压下，还有了像《未死的兵》那样的作品出现，而在我们，却连好的短篇也没有一个！

三　旧形式的根本规律

因此，如果把运用旧形式的问题仅仅看做形式的、技术的问题，是错误的，没有结果的。在形式上它是要创造新的民族的作风，在内容上（这是重要的），却是为着要反映民族斗争的新的现实。怎样运用旧形式？或一般地说，怎样继承旧的一切文艺遗产？解答这问题，首先要有一个标准，那就是要能恰当地反映现实。

任何艺术形式，用来反映现实的时候，都有它一定的规律，一定的限制。没有一种艺术形式不是反映着一定现实内容的，同时也没有一种形式没有着它自身的矛盾，没有着它自身的发展上（即反映现实上）的限制的。我们今天提起旧形式运用的问题，就是由于看到了新文艺形式的限制，我们没有主张旧形式至上主义，就是由于看到旧形式自身也有矛盾，也有限制。所以，当解答运用旧形式的问题时，我们首先要明了这规律、这限制，而且应当把新形式和旧形式作一比较。

现在所谓新形式的文艺，是在“五四”文化运动中产生的。它的产生，就是作为中国传统的革命文学的姿态而出现，因此它是以现实主义和大众性为目标的。“五四”文学运动的口号，是提倡平民的写实的文学，而反对贵族的山林文学。它否定过去的与民众生活无关的旧文艺，想把它改造成唤醒民众的工具。“五四”是中国的一个很大的启蒙运动。然而当时的新文学运动，一开始就是包含着它的发展的限制。首先，这运动并不是建立在真正广大的民众基础上的，主要的是中国的力量薄弱的市民阶级的文艺运动，它并没有向民间深入。其次，它对于过去的传统一般地是采取极端否定的态度，因此它的一切形式主要地是接受了外来的影响，或外来的写实主义的形式，而忽视了旧形式的意义。新的文艺，一开始就有了这样的矛盾：一方面有现实主义和平民化的要求；另一方面，生活在广大的民众之外的作者，和外来的写实形式不能达到真正的现实主义和平民化的目的。这一切矛盾，到了抗战期间，就充分地暴露出来：形式的写实手法不能充分地反映抗战的现实，表面上是现实的，实际上却是对于现实有限制的。

这就是为什么要着重提起旧形式利用的问题的缘由。这并不是简单的接近民众的技术问题，而是文艺发展上（或民族新文艺建立上）的基本的问题。

运用旧形式，也要明白旧形式的规律和矛盾。

有人说中国的旧形式是非常现实的（例如认为旧戏是象征主义的戏），这是不正确的说法。旧形式有非现实的一面；然而一切艺术，只要是有价值的艺术产物，本质上都是现实的。中国的旧形式并不离开现实，而是反映现实的一种特殊的方式、方法、或手法。这种手法的特点在于把现实事物的重要的方面作夸张的格式化的表现，这在旧小说和旧戏剧方面都有最明显的表现。在这种意义上，我们可以说旧形式不是写实的，而是（借中国画上术语来说）写意的。它的矛盾也就包含在这里；因为它的夸张性，所以能够很强烈地反映现实，把它的要点放大，因此也就更有群众性。艺术的作用原不需要纤微毕现的写实，而只要能有力地把握住现实，在这一点上，旧形式是有它的特长的，这是矛盾的一方面。

另一方面，是它的格式化，在戏剧上就是脸谱主义，在词曲上就是格律，这是旧形式自身的镣铐，是对于它灵活地把握现实的一个致命的限制。旧形式是从几十年中国封建社会中生产起来的东西；封建制度的保守性，经常地刻印到文艺上来。在中国社会发展的每一时代，不是没有新的文艺和新的反映现实的手法的出现，每一出现，都反映着新的时代内容，然而一经普遍，人就忘记了它的现实基础而把它的形式格律固定起来，文艺的格律化，就代表着中国社会的保守的方面。

这是旧形式一般规律，也就是旧形式的各种长处和短处的最根本的一点。旧形式能成为民众的东西，不在于它的格律化的方面，而在于它的强调现实的手法。格律的方面常常使它的现实的方面窒息；所以，旧形式格律化愈严的东西，就愈更离开民众而成为贵族的游戏品。京戏比地方戏或乡间戏是更格律化了的，因此也就是比较“不通俗的”；旧诗比民歌是更格律化的，因此也就是更离开民众的、更“高雅”的东西。这就是旧形式在反映现实上的一般的规律。

四　运用旧形式的基本方式

以“旧形式是封建的东西”为理由，拒绝它的运用的人，我们是要反对的，因为这是向十几年前的“五四”

文艺运动初期开倒车。然而忽视了旧形式的封建性的作用，采取旧形式至上主义的态度的人，也是不对的，这是等于上海的某些改良的大戏，至多只够换换观众的口味，而不能灵活地反映现实。不绝对否定旧形式，然而也不能投降旧形式。

利用旧形式的方式，首先要酌量解放了它的一些生硬不化的格律，凡是妨碍反映现实的格律都可以大胆地放弃。旧戏的不自然的脸谱，不合时代习惯的台步，旧小说的大团圆制度，以及佳人才子的作风等，都是明显的例子。

对于旧形式要把握的是它的“合理的核心”，它的强调要点，适度夸张的手法。有许多（而且可以说是大部分）地方是可以照样保留下来作为运用的基础的，有许多却需要依据新的现实情况，用同样手法方法创造出来，因为现实变了，旧的形式里一定找不到可以完全适合的东西。

一句话说完，就是要把旧形式反映现实的优良的手法从它的格律的限制里解放出来。也就是把现实主义归还给我们的民族文艺传统。

在今天，我们强调地提出运用旧形式的问题，是不是绝对否定了“五四”以来的新文艺的成果呢？当然不是。我们并不能抛弃了这些成果，然而历史的每一个时期都有它的中心急迫的任务，而在今天，这样的任务在文艺界正是在于要把握旧形式。并且，“五四”以来的新文艺也待要发展，如果死抱着这新文艺本身，不去探求能真正帮助它发展的另外的泉源，那新文艺也无从进步的。

“五四”以来的新文艺的发展，对于我们不是毫无意义的。它虽然使我们远离了民族的形式，然而同时又使我们学习了外国的高度发展的写实主义，虽然我们自己的摹仿不算是成就，然而在摹仿的发展过程中，使我们渐渐懂得了，文艺的本质是在于现实的反映。使我们现在运用旧形式的时候，不全是一个旧形式的单纯迷恋者，而是在更高的基础上来把握旧形式、发展旧形式。

我们现在已可以看出这样的前途，在我们把握旧形式的实践当中，旧形式与新形式将会互相渗流，甚至于可以合流。我们使旧形式从生硬的格律解放，也就是把“五四”以来从新文艺学到的现实主义渗流到旧的传统里。譬如说，旧戏新编时我们取消了脸谱，不是就还他现实的面目了吗？同时，根据旧形式的手法，把新文艺的表现方式酌量加以修改，不正是旧传统渗流到新的东西里去吗？然而这种新旧的互相渗流，互相发展，不正是要把运用旧形式的问题正确地加以解决和实践才能够达到目的的吗？

还要注意的是：运用旧形式，不止限于一两种，也不止形式本身。旧形式普遍地发生在中国全国各地。运用旧形式不能不注意地方形式的研究和采取，特别是在抗战的文艺工作中尤其重要。又，运用旧形式的目的是在于反映新的现实，所以不能只限于形式本身的运用，基础仍在内容。形式必须适合于内容的构造，是怎样的内容，我们就怎样来运用形式。因此，要真正能驾驭旧形式，更重要的问题却是在于认识民众的生活，而“五四”以来文艺运动中的缺点，就在于不能深刻认识广大民众的生活，因此大多数徒有写实的外表形式，而无现实的内容。

要这样说时，我们的文艺人，一方面是民众的教育者，而另一方面却又要同时向民众学习。学习他们的生活、思想、以及言谈。真正民族的新文艺是要能够在广大的民众中发生力量的，它也就是民众的东西。要怎样才能创造这样的文艺？必须拿民众自己的东西来加以精制，再还给民众。

（一九三九年）

《日出》在延安上演

《日出》在延安上演，并且博得了很大的好评，这事引起了国内许多地方的人们的奇怪。

边区的物质条件是这样困难，却要把这样大规模的、相当耗费资财的戏剧搬上舞台，而且更重要的是：边区是模范的抗敌民主地区，却排演这与抗战无关的戏剧——这就是引起人们奇怪的一般的原因。

于是就有人揣测了，有的人说：艺术究竟是艺术，只要是好的艺术品，不必与抗战有关，也可以在抗战中存在、发展。一切服从于抗战，而艺术独可以例外，所以延安也演《日出》了。

有的人说，延安演《日出》不过是为了看看新奇，边区的干部们没有见过大都市，所以演《日出》来让他们开一开眼界。

甚至于有的人说，延安尚可以演《日出》，其他地方更可以大演特演了，甚至于《武则天》、《潘金莲》之类只要有趣味，能吸引观众的，也无妨搬上舞台了。

种种的揣测，使得延安不能不做一个回答，不能不对演《日出》的理由，以及艺术工作的立场和态度，给与一个表白。

艺术运动是民族战斗的一个重要力量，在抗战的今天，要使艺术工作离开抗战，那不仅只是抗战的损失，而且也是艺术本身的损失。因此我们的艺术工作的立场，首先就应该是抗战的立场。艺术工作者首先在政治上是要赞成抗战的，他还应该去努力体验和反映抗战的现实，用自己的艺术的武器为抗战服务。

但为着要使艺术成为抗战的力量，它又有着另一方面的任务：那就是要努力从各方面把艺术本身的水准提高，探求和创造各种各样的更优秀的表现形式，提高艺术，就是它的感召人心的力量更加宏大，就是更能加强它的为抗战建国服务的作用，这就是艺术运动上的不可分离的两重任务。

延安有充分的理由把自己的艺术运动称做抗战艺术

运动，这里从来就没有把艺术和抗战分离开来，“为艺术而艺术”的陈腐思想，在延安的艺术工作者的头脑中是不存在的。然而对于艺术质量的提高工作，却时时刻刻都没有放松。延安的艺术界曾大胆地利用了一切新旧的艺术形式，学习着中外的各种艺术的优秀的作品，为创造中华民族的新艺术尽着它最大的努力。

延安上演《日出》，就因为它是抗战以前的戏剧创作中最优秀的产品之一。我们说它优秀，首先是因为它包含着极多的真实的内容，它暴露着中国某些中、上层社会的腐烂生活，揭示着资产阶级社会的互相吞并、互相残杀的、罪恶的事实。我们不演《原野》，不演《雷雨》，而单演《日出》，就因为它比前两出戏包含着更多的现实的暴露；所以如果因为延安演了《日出》就以为其他非抗战内容的戏也通通在可以上演之列，这完全是可笑的推测。

《日出》所暴露的同类的事实，就在抗战以后，也还在中国许多地方残留着。都市上层社会的醉生梦死的生活，并没有被两年多的民族斗争的炮火完全惊醒，而且在抗战进入第二阶段以后，由于某些社会层里悲观、失望、妥协、动摇的情绪增长的结果，曾经一度被惊醒了的人们，又从新回到花天酒地的糊涂梦里去了。在这样的意义上，《日出》的暴露，就是在抗战以后也还不见得就与现实隔离了关系，我们现在也还需要这样的作品，需要更深刻、更具体、把抗战以后所产生的许多新的社会黑暗方面彻底揭发出来的作品。第二阶段的某些倒退运动，是需要我们痛快地加以指摘的。抗战的艺术并不需要每一篇作品和每一个题目都要直接描写抗战，而是要反映抗战中的各方面的现实运动，在这样的意义上，《日出》的作风，在今天也仍有值得我们发扬的地方。

《日出》之所以是优秀的作品，还因为它有着相当生动而明快的形式，相当成功的舞台技巧。尽管从专门家的眼中看来，这些技巧还有着许多缺陷，还一般地不能够把内容深刻化，然而它已具备了强力的把握观众的力量，至少对于中国都市市民观众有着特别的吸引力量；这是中国的话剧运动中所少有的，尤其是抗战以来所产生的一切抗战戏剧作品所万万赶不上的；尽管我们把服务于抗战的口号提得多么高，尽管我们说要为高度的艺术质量而努力，如果所产生的作品，毫无把握观众的力量，那我们的作品，只等于流产，我们的抗战艺术工作，就等于白做。特别在戏剧方面来说，如果不使艺术性和大众性努力统一起来，则戏剧之所以为戏剧的意义就不存在了。就这一点来说，《日出》的技巧形式，也是值得我们抗战艺术工作者来研究和发扬的。

这样，延安上演《日出》的意义，是很明白了：决不是因为艺术可以超越抗战，也不是因为看新奇，更不是因为趣味和噱头，而毫无考虑地把它搬上舞台；是因为这一个剧本的内容和形式在我们的抗战艺术工作中，都有许多可以值得观摹的地方。我们并没有把《日出》看做登峰造极、完美无瑕的作品，它的内容和形式都还有许多可以给专家商量的。然而我们却不能不承认:《日出》的作者是我们的话剧界里最有才能的作者之一。我们希望抗战戏剧运动中间能产生出比《日出》更好的作品，我们更希望《日出》的作者能以他的优秀的技术为我们制作一些新的抗战剧本。《日出》在延安的上演，也不外是为着创造更好的戏剧作品，而努力的一个阶段。

（一九四〇年）

弄文艺的人要注意宪政运动

在前年五月，文化协会曾发起一次征文，号召延安喜欢文艺的青年，把五月里自己在延安所遇到的值得注意的事件写出来，准备收成文集。结果选出了几十篇文章拿到大后方去出版，集名就是《五月的延安》。但这集子在一家书店里刚刚印出来，就被政府禁止发卖了。

这似乎是一件小事，但延安一定还有许多文艺青年，特别是《五月的延安》里的许多作者，会关心着这集子的出版的事情，而对于这不幸的消息却一点不知道的。他们一定很希望这集子能够顺利地出版，不仅因为自己曾参加为写文章的一分子，而且也因为这集子可以用文艺的生动的形象，把延安的进步的政治社会的情况，介绍给全国爱文艺的和关心边区的人士们，使他们知道在抗战中的这一块最光明的地方，在革命五月里，许多人们是怎样地生活和工作着。

不幸这集子一出版就夭亡了，有许多关心的青年们，听见了这消息，是会要失望的。但在这里，使我们不能不注意到一个问题：就是在大后方，言论出版在现在还没有自由，没有政治上的民主条件，像这样一种文艺书籍，内容不过是写的抗敌民主地区的日常生活，而竟没有出版的权利。其他抗敌民主权利的缺乏，就可以想见了。

我们现在只谈文艺问题，弄文艺的人，目的不是为了好玩，不是为了闲着没事，来掉弄笔墨发表文章，是为了要把抗战中中国社会的各方面现实生活反映出来，使人能看到中国进步的面目，看到抗战的光明的前途，看到妨害进步的恶势力的丑态及其必然没落，并因此鼓舞人的勇气，坚定人的战斗决心，指示人们战斗的方向。所以在抗战中，文艺是很需要的，它对于抗战有很大帮助。我们现在觉得中国的文艺工作还做得太不够了，中国现在弄文艺的人还不多，还不能把抗战的伟大场面很好地描写出来，《五月的延安》只是一个微乎其微的小工作。

然而在大后方这样一点小工作都不准许表现出来，这就可以看出，在这样不民主的条件下，民众要看见抗战中真正现实的情况，要了解自己怎样向前斗争，是受到多大的妨害了。在这种情形下，要想发动广大民众的抗战的热情和积极性，是困难的。民众的抗战热情不发扬起来，那么要争取抗战最后胜利，也是不可能的。

弄文艺的人们，也是以争取抗战胜利为目的的，不过方法是要用自己的笔。要实现自己的目的，就不能不打破实现的障碍。出版言论的这种不自由，对于文艺工作的发展是很有害的。文艺首先要能得到出版的权利，才可能在民众中发生它的影响，并实现弄文艺的人的目的。因此，争取出版言论自由，争取政治上的民主条件，特别是现在全国到处进行的宪政运动，是弄文艺的人也必须要关心和参加的。

在边区弄文艺的人并没受到这样的障碍，因为边区是全国最民主的地方，但边区与全国是分不开的，边区的文艺作品也需要在中国各地发表，才能够于全国的抗战有帮助。因此，边区弄文艺的人，应该在宪政运动的推动上，起模范作用。

（一九四〇年）

我怎样写成《大众哲学》的？

我写成了一本通俗的《大众哲学》并且获得了不为不多的读者，在我自己，实在是一件意外的事。

理论的通俗化，现在是大家都知道它的重要性，而且对于它所关涉到的一切问题，也有很多人热烈地讨论过了；但在两三年前，在《读书生活》《大众哲学》以及柳湜先生的《街头讲话》等没有出世以前，就很少人注意到通俗化的问题，甚至于对于通俗化的工作轻视的人也是有的。老实说，我自己就多少有点偏见，把理论的深化看得比通俗化更重要。就是到了现在，虽然读者们接受《大众哲学》的热情教训了我，使我深深地领悟到通俗化工作的意义了，但就我个人的兴趣来说，仍是想尽量偷空做些专门的研究。我的这一种兴趣上的偏好使我成为一个爱读死书的人。如果不是为着做了《读书生活》的一个编者，不能不服从编者的义务的逼迫，如果不是朋友们的鼓励和督促，《大众哲学》也许就永远不会开始写，而我也许永远没有机会使这么多的读者们认识了。

回想起来，我觉得自己真是对不起读者。因为读者诸君对于这本书虽然给与了极大的热情的代价，而我在写作的时候，却没有投下了同样的热情的资本。我对于这件工作是时时刻刻抱着踌躇的心情，并不是勇猛地做下来的。我对于自己的工作的意义实在认识得不够了。

但也得要声明，我只是没有用很大的热心来写，这并不是说写的时候没有用力。热心不热心是一回事，用力不用力又是一回事。是的，《大众哲学》实在花费了我不少的精力。如果我用同样的精力来做专门的学术研究，我想至少也可以有两倍以上的成绩了罢。一本不到十万字的小册子，前后竟经过了一年才写完。虽然这一年中我还做了其他的事情，但至少四分之一的时光是用在《大众哲学》上的。这就是说，我至少写了三个月的工夫，而写出来的东西又是这么幼稚，在内容和形式上都没有做到完善的地步。

这是为什么呢？这一方面要归罪于我的不大敏活的头脑，一方面也是由于这件工作的本身有着许多的困难。

第一，写通俗文章比专门学术文章更难，专门学术的文章，不十分着重写作技术，只要有材料、有内容，即使用了艰涩的文字和抽象的把握，也不是十分要紧的。通俗的文章却要求我们写得具体、轻松，要和现实生活打成一片。写作技术是第一要义，同时理论也切不可以有丝毫的歪曲，这就是一个困难。这困难在哲学这一门最一般的学问上更是显著，而把这一个困难的重担担负到了我的肩上，就尤其是更大的困难。我肩着这个担子是极不胜任愉快的，因为真能当这重担的人，应该对于生活有充分的经验，而我缺少的却正是这一个东西。我的生性不大活泼，向来就是在学校生活中过去了大半的时光，生活经验尝得极少。朋友们当我的面时，常常称我做“学者”，背地里我相信他们一定会换上一个“书呆子”的称呼。是的，叫一个“书呆子”来把生活和理论打成一片，不是妄想吗？不客气地说：我自己还不至于这样完全不能自信，近几年来，我也在不断地向生活学习；但我所懂得的生活究竟很少，不能够运用自如地把材料装进作品里去。这是我在写作《大众哲学》时最感困难的一点。

第二是环境的困难，言论自由的限制，这不但是写作通俗文章感觉到，就是一切其他愿意存着良心来著作的人都很明白的。当《大众哲学》在《读书生活》上逐期连载的时候，言论界还存在着检查委员会的统制。一篇文章写成之后，要经过“删去”、盖章，然后才能够和读者见面。碰得不好的时候，就根本无法出版。《大众哲学》所要讲的全是新唯物论方面的东西，这根本就已经不大妙了。如果再把说明例子举得更现实、更明了、更刺激，那么，这个发达不全的小孩也许就会根本流产。为着这样的缘故，就是有了实际生活的材料，也因为碍于环境，没有办法拿出来。慢说我没有丰富的生活经验，即使有了，也会感觉到运用困难的苦楚，我有时不能不把很实际的例子丢开，而用上了很不现实的例子，譬如用孙悟空的七十二变来说明本质和现象就是一个好例。这些地方，曾引起了许多人的指摘。我不怪他们，因为他们不明白我写作时的困难。我们当时所处的情势，就像乱岩中间的流水一样，本来应该一条直线流下去的，但中途遇到许多阻碍，只能不断地溅着飞沫，打着许多弯转，然后才能够达到目的。《大众哲学》的写成，就是这样辛辛苦苦地绕了许多弯路的。

在这样的困难情形下诞生出来的《大众哲学》，自然要感到极大的难产的痛苦，而所生下来的婴孩又一定是不很健全的了。我在这本书第四版改名《大众哲学》（本书原名《哲学讲话》）时说写作《大众哲学》是吃力不讨好的工作，也就是指这样的意思。

在这样的困难之下是怎样写作的呢？

因为不能充分地把实生活的事例应用到所写的东西里去，于是我就不能不另外再找许多接近一般读者的路径。首先我要把专门研究者的心情放弃了，回复到初学时候的见地来写作。说话不怕幼稚，只求明白具体。一个专门家是常常爱单刀直入地把握到理论的核心，对于事例的引证倒反放在附属的地位。我以为如果每一句理论的说话都要随伴着一句事例的解释，在专门家看起来是浅薄幼稚，通俗读物所要求的却正是那样的东西。通俗读物要求从头到尾都有明白具体的解释，因此每一篇都把一件具体的事例做中心，而每一篇所定的题目也就不用哲学的题目。这样的写法，和一般哲学文字的写作原则自然是违反了的。也就因为这样，使得有些专门研究的朋友认为《大众哲学》的体裁是“喧宾夺主”，把事例遮盖了理论了。是的，我自己在写作的当初也觉得这有点喧宾夺主的样子，但这样的写法是不是不对呢？这是要由我们的读者来评判的，因此就不顾一切地这样尝试了。在这里，我所选择的接近读者的第一条路径就是：故意写得幼稚。

我选择的第二条路径，是故意不加剪裁，不怕重复，一个例子在这一节用了以后，在另外一节仍然不怕再拿来应用；一件事情在前一节做了详细的解释以后，在第二节仍不惮烦地再略说一遍；在一册小书里用这样的方法来写，在文字上自然是很不经济的。但我们如果顾虑到初学者的兴趣和理解力，就觉得这样写也是很必要，因为在专门学者或有较高修养的人，有些事是可以不必多讲就明白的，而对于初学者你却最好给他多解释。我是抱着这一个宗旨去写的，因此，如果一个对于文字美有嗜好的人来读我的《大众哲学》，他一定会感到不简练、啰苏、重复的毛病。

自然，使我不能不采取这种重复而啰苏的形式的原因，另外也还有一个。这就因为《大众哲学》是需要按期发表的东西。每期杂志的出版要隔半个月的工夫，而《大众哲学》又是有系统的读物，中间时期隔得太多，就难免会感到兴趣的减少。因此不能不把每篇写成有独立性的东西，使读者按期看下去也可以，而单独看一期也不至于一无所得，为了这缘故，一篇文章的内容如果和另外的一篇有密切关系时，就不能不把另外一篇所说过的在这一篇略复一遍，这也是造成重复现象。

以上就是我努力接近读者所取的路径。这样的路径自然不很正确的。论理说，我们应该有更直接的路径，但为着自己的缺点和环境的困难，我只好把更直接的路径回避了。这是消极地从形式上接近读者，而不是积极地使内容和读者的生活发生密切的关联。

像这样写出来的《大众哲学》，自然不能算是一本很好的读物了。我同意有一个刊物所批评的话说："现在不是没有人能写出更好的同类的书，而是没有人来努力。"是的，我承认中国应该有更好的书出来。我把这不大好的一本投到读者的面前，是很惶愧的。但这一部书竟写成了，而且竟意外地获得了不少的读者。这又使我的心里感到了一些安慰，感觉到一年的工夫也并没有白花。但这种现象，与其说是《大众哲学》本身的成功，勿宁说是中国一般大众的智识饥荒是太可怕了。读者对于我们的期望的热烈，实在是远远地超过了我们的才能和努力之上，因此才使这样一本蹩脚的书获得了广大的读者的欢迎。我所感到安慰的是，因为《大众哲学》的出现，因为读者诸君对于这本书的热烈的爱好，研究专门学问的许多人（连我自己也在内）也许会因此深切地明白了中国大众在智识上需要些什么，因此也才知道自己为了他们应该写些什么？我自己正是因为这样才把当初写作时的那种踌躇的心情抛弃了，更有勇气地来做一些我认为应该做的工作。我相信另外的许多朋友也会有这种同感。要是这样，那么目前中国哲学上的同道者也许有人会起来努力做一件更好的工作的。《大众哲学》如果能产生这样一种“抛砖引玉”的效果，那就更是我私心所要引为慰藉的了。

（一九三六年）

谈翻译

我不大喜欢做翻译，现在所出版的唯一的译书《新哲学大纲》，还是和郑易里先生合作的。论到翻译经验，这一本书所能给我的并不多，倒是教训却吃了不少。单说“合译”的问题吧。这在翻译界似乎是常见的。我们也因为见得很平常，就随随便便地来这么一次；以为不会有什么麻烦。但一到着手以后，意外的情形就来了。为什么要合译呢？最初的意思，以为这是哲学界空前的名著，应该尽快地弄出来，使中国的读者得早早亲近它的内容。一人独译，固然也可以，但时间能力恐怕都不允许，只好两个人分开来赶译，我们所以要合译的目的，原不过是这样简单的。果然，两个人分开做，快倒来得很快，才不过两个月，初稿就差不多全弄好了。如果这样拿去付印，不是我们预期的目的就圆满地达到了么？

但马上，就发生问题了。首先就发见两个人的笔调太不一致，许多名词的译法也竟不能统一。如果马马虎虎地就这样印出来，对于读者就有很多不便；而且还有第二个问题：我们的翻译是用了一本日文译本。日文的译者是第一流的名手，但还免不了有许多的漏落和少数的误译，像我们这样初试的译者，在匆忙中把这名著赶了出来，能说没有很大的错误么？当然，错误是一定很大的。这样的东西，印出来不但对不起读者，更对不起作者，并且也完全失去了翻译的意义。因此，在初稿译成后，就不能不下一番决心来做一番修改校正的工夫，顺便把两人笔调不一致的地方顺它一顺。这一道工作，可就费事极了。单单的翻译不过只看着原著，逐字逐句地翻下来，校正的工作却要兼看译稿和原著。而且是从头到尾由一人来做的。这一来，时间就费到以前的两倍以上，一直做了五个月才完毕。倘若一个人独译，至多只要五个月就能完成的，现在却费到七个月的长时期；加上印刷费去的一个月，是八个月后才算和读者见面。想赶快，倒反弄得慢了。

自从吃了这一个教训以后，才晓得翻译的事，也不是可以随便取巧的。因为想减轻工作，结果反而赔了更大的力气。回想起来，觉得能够用了这样大的力气，也还算足以自慰；因为我们总算没有欺骗了读者，没有马马虎虎地把不成样子的东西印刷出来。虽然在序文上所说的“要想一字不译错，不排错”的企图，并没有百分之百地做到，在再版时免不了要附上一张很长的正误表；究竟还没有严重的大错。然而从此以后，我对于合译的感想就不同了。一看见出版界里所有看的别的许多合译的书籍，就会想起自己所吃的教训，而且心里总会这样想:“他们的合译的目的，也会像我们那样单纯吗?他们也受到了像我们所感到的那种麻烦吗？”这似乎有点“以小人之腹度君子之心”的心情，因为自己做了一件笨事，就以为别人也会同样地愚笨，自然有点不对的。别人不见得会像我这样不高明，他们在做合译的时候，不见得就会看不清楚这样的困难。他们所以要合译，不见得就会像我这样地目的只在赶快。

但无论怎样，因为自己吃了亏，而替同样处境的人担心，是情理上不能免的事。我们不能说合译的办法毫无用处，但却希望别人不要抱着我们那样的目的去做合译。因为这样一来，在译者和读者中间就不免要有一方面受到牺牲：或是完成译者的目的，而顾不了读者的便利；或是为要忠于读者，使译者不能不再费两倍以上的工夫。为着要使译本尽量正确，尽量完美，为着在工作上要慎重从事的缘故，用多人的力量来做，是很对的。但为要使工作迅速而笔调一贯，却倒不如一个人做的好。

翻译者有直译和意译的分别，三四年前为这问题还有过论战。我没有注意过那次的论战，不知道结论是怎样的。但如果所谓直译并不是被曲解作一字一句翻着字典来移植，那么我是赞成直译的。翻译的目的虽然是要对读者作介绍，但同时也要对原著者负责任。要把原著者的意思正确地传达出来，最好是每一句都保持着原来的语法。这除了鲁迅先生所主张的那种直译，是不能完全办到的。如果单单迁就读者，任意把原文改作，说这就是意译，那倒还不如另外去写一本通俗读物还好些。我认为一部著作应该尽量通俗，但翻译却首先要以传达著者的原意为主，我们译《新哲学大纲》，就是在这样的意味上直译成的。

直译并不是要把外国文法也死板板地搬到中国文字里。吃饭在日文是“饭ヲ食フ”，如果一定要照着这倒装的文法翻译，那就是“饭吃”或“饭把来吃”，不但读起来讨厌，意思也完全不同。这就失去了原意，太直反而不直了；这是直译的曲解，真正的直译，我觉得不外是要用最恰当的中国话表现原意。中国语言不精密，常常不能表达外国文字的复杂内容，这是实在的。但这种见解也要有一个限制，这样的见解，只是从静的方面来看中国语言时，只是把过去已成的语言当做中国的全部语言来看时，才会发生的。倘若我们也看到将来，也从发展的方面去看中国语言，那我们不能说中国语言永远不能表现一切复杂的内容，我们不能说中国语已经没有更精密的余地，不能说这一个语言里就永远不会有新的发展和创造。这样，在翻译的时候，我们所谓用最恰当的话表现原意，并不是要在典雅的古文中或初期的简陋的白话文中去找出路，并不是要保守着过去的语文发展阶段而不前进；相反地，我们是要时时刻刻地创造新的中国语，努力推进它的表现力量，我们是要找到许多可贵的新发见。

鲁迅先生的直译是最有名的。有人说那是中国文字的欧化，固然不错，因为它确是加入了许多欧化成分，然而并不是说这已经不是中国语，而是说他在中国语里加入了新的、近代的表现力量，使中国语更精密。鲁迅先生的直译虽然采取很硬性的方法，但不是前面所说的那种死译。这一点，我们不能不注意。

说到这里，对于所谓意译我们也可以有一个新的解释。如果所谓意译不是指译者用自己的意思随意给原作一种解释，而是指译者对原意要做正确的融会贯通，那么，就在直译的时候，这种“意”的成分也是需要的。直译的目的不外是要尊重原著，译者不应该有自己的成见加进去，但因为要防止成见，就连“意”见也一道抛弃，以为最好一字一句地死搬过来，那却是再笨也没有的事。要用最适当的字句表现原意，就同时要正确地理解和融会原意。在这样的意味上，意译和直译，不能把它看做绝对隔绝的两件事。把任何一方完全抹煞了，都会出毛病的。但也不是折衷主义。因为，“意”的作用不过为了要帮助原作的了解，帮助原意的正确传达，同时也是帮助直译的成功，所以，就翻译的根本原则上说，我们要的还是准确的直译。

以前的人说翻译须要做到“信、达、雅”三个条件。因此也许会以为：直译虽然不成问题可以做到信的一个条件，达和雅却有点困难。不错，直译的目的就是为要达到“信”，如果连“信”都说不上，那就根本不必谈翻译；但真正的好的直译，也不仅仅只要做到一个“信”字就完事。忠实的译本必须也要能百分之百地表达原意，而且要能够尽可能地保持着原著者的“达”的方式。人们常常曲解了意译，以为为了要“达”，就可以随着译者的意思任意地增删文句，不必顾虑到原著。于是主张只有意译才能做到“达”，然而不一定要“信”；直译却只能做到“信”，而不一定能“达”。这种截然的划分的见解，其实是形而上学的错误。要反驳这种见解，我们只要举出鲁迅先生的一些译本如《苦闷的象征》之类，就很够了。因为这些都是最“信”的直译，然而也再没有比这更能正确明快地传达原意的译本了。

曲解了的意译的所谓“达”，它的好处只是迁就了读者，并且便利了译者自己，但并不忠实于原著，因此也并没有忠实于读者。

再略谈一谈“雅”吧。如果这是指要写得典雅，那么，这不外就是要把一本外国的原著译成一部古色古香的文言文，像这样的“雅”，是只在汉魏译经或严复译《自由论》的时代才用得着的。这样的“雅”，是从外面勉强加上去的彩色，并不是传出了原著的本身的文字美，是白费力气，而不是尊重了原著。现在我们的翻译，可不需要这样的精力滥费。如果“雅”是指原著的文字美，那么，忠于原著，充分地做到了“信”时，这一种“雅”也多少可以传达出来的。“雅”也并不是可以和“信”绝对分开。

《新哲学大纲》是理论著作，文字美似乎不是重要问题，“雅”和“信”的这一种关系，要在文学著作里才会显得更重要的。然而翻译的原则总不外是以“信”为最根本的基础，“达”和“雅”的对于“信”，是就像属性对于本质的关系一样，是分不开的然而是第二义的存在。这是我译《新哲学大纲》后的感想，这并不是什么经验，然而却有方法论的意义。

（一九二六年）

怎样解决事业和职业的矛盾

一

职业问题，是每一个离开学校生活的人都要碰到的困难，除了少数生活优裕的少爷学生的例外；凡是走进社会来的学生们是没有不为这问题感到苦闷的。“毕业即失业”，这一句带幽默的口头禅，是成了今日很普遍的苦闷的象征了。

已经走进社会的人，如果他曾有学生时代，常常对于这样的时代会感到依恋。比较起社会生活来，学生的生活却是思虑较少而空想较多的时代。我们要承认，现在的学生，也大多数是在恶劣的经济条件之下挣扎着求学问，我们不能抹煞，现在做一个学生也不是可以那么无忧无虑。然而学生的生活很简单，除个人以外，并没有什么担负，学校的集团生活还能给与许多的便利，所以也决不至于感到职业问题的严重性。生活的顾虑较少，理想的热情自然就可以得到较自由的解放。因此，在学生时代，人对于事业的关心可以说较职业的关心更为热烈。在目前，民族解放运动常常以学生为急先锋，就是由于这样的原因。他们的眼光可以向着较远的方面注射，而不必像生活顾虑太多的人们那么近视。

然而，一到要进入社会的时候，情形就不同了。人们开始想到了自己个人的出路，个人的生活影子渐渐加大起来，渐渐要遮没了集团的影子。于是职业问题严重起来了。在这样的关头，人们常常会感到对于事业的幻灭。什么伟大的事业，太空了，人还得要先有饭吃，饭都吃不饱还说得上什么事业呢？至少，要做事业，也得要先有了职业做基础罢。于是乎，高尚的心思庸俗化了，理想的追求变成了实利的钻营。我们固然不能说这就是将要走进社会的学生的普遍现象，然而至少可以说有这样的倾向。事业的憧憬消失了，职业的苦恼逼迫到了眼前。

事业和职业，这是两个方向，究竟向哪一方面走去呢？抓着事业，怕没有饭吃，抓着职业，又怕人变庸俗了。这问题，是很难解决的，除了庸庸碌碌没有思想的学生，或生活优裕以混资格为目的的少爷学生之外，凡是从学校走进社会的人，没有不为这问题而苦闷的。

二

怎样解决这矛盾的苦恼呢?

首先我们要对这问题做一个明白的认识。我们要注意，事业和职业的矛盾，是在今日的社会里才觉得特别严重的。事实上，我们所苦恼的，并不是由于事业和职业两种东西真的对于我们有什么冲突，而是由于在今日的社会条件里，职业和事业的路道都太狭窄，找到职业，就常常不能顾到我们所理想的事业，要做事业，就无法维持职业了。我们亲眼看见许多学生，为了要找到维持生活的职业，就不能不把自己所学的东西丢开；一个学教育的人，应该是以从事教育做他的职业了吧？然而因为毕业以后找不到做教育工作的机会，倒是靠着平常会吹笛子消遣的缘故，只好加入一个音乐队里去求糊口了。一个学工程的人，他的事业应该是在工程上去求发展了罢？然而中国的社会里不需要他的技能，只能让他到官厅里去做一名科长，渐渐地就走到官僚政客的道路上去了。这样的例子，在中国是非常多的，职业的机会和事业的理想，在这里表现着极端的不调和，甚至于根本连不调和的职业机会也难找到，这里就有着苦痛的根源。

事业和职业的矛盾，是和今日社会的不景气，和今日社会的矛盾有着这样的关联。在比较安定的社会条件之下，事业和职业是常常一致的。一个人能够顺利地干他的事业时，也就可以把这当做职业。学工程的人能够没有阻碍地建立一座工厂时，他是成就了一番事业了，但同时他也就因此有了职业。学教育的人也同样可以把教育事业兼作为自己的职业。当然，在这种情形之下，事业和职业也是可以有分别的。所谓事业是为社会做一点事，或在社会上建立一点成绩的意义，事业的意义就在于不单只满足个人的需要，而且要在社会上有相当的影响。至于职业的意义，只在于它是个人用来维持生活的凭借。事业是对多数的人说，而职业则是对个人生活来说的。因为个人离不开社会，个人的生活也就是社会生活，所以能够顺利地干事业的人，他的职业也就不成问题。但在今日，因为职业恐慌的缘故，人们都仅仅只为个人的糊口而去随便乱就职业，因此职业是常常失去事实的意义，而使愿意做事业的青年们不能不感到矛盾苦闷了。

三

但是，也因为今日的现实条件是这样，所以我们不必空空的苦恼。

我们所以会发生苦恼，是因为我们把事业看做一种理想的东西。我们以为，所谓事业，是先有理想，把理想实现，就算事业成就。譬如要做教育事业，我们是先有了教育的新理想，这理想能够实现时，就算我们的教育事业成功了。如果我们的理想终于只是理想，为奔忙职业生活而顾不到这理想的实现时，我们就悲观地说，我们失败了。

从学校刚出来，很多人是抱着这种事业理想的。这些理想遇到现实的阻碍，于是就以为是失败了。是的，在比较安定的社会条件之下，个人的理想实现的可能性是很大的。学工程的人可以找到工程的职业，学教育的人可以如愿以偿地从事教育。这表现上好像是自己的理想实现了，实际则只是因为社会的物质条件需要我们去实现这理想的缘故。倘若社会条件中没有这样的需要，那我们就不怕是什么天才英雄，也不能把它实现出来。事业是社会的需要而并不是理想的实现。不了解这一点，是始终免不了要碰壁、苦恼的。

我们应该把事业的观念改变一下，要认清，所谓事业，就是要为社会做一点事，而不是为实现我们的空想。如果我们从学校里抱着空想出来，那么，我们不妨把它检查一下，倘若是不能实现的无益的空想，那么，要毫不顾惜地把它抛弃，另外从现实生活中去找我们可以实实在在地做的事业。倘若我们为了生活的逼迫，而不能不就我们所不一定愿就的职业，那么，我们也检查一下，这职业是不是对于社会有害的职业，倘若不是，那我们倒不必过分地失望，因为只要不是对于社会有害的职业，纵然不能如我们的理想，也还是可以另外在这里做一些什么事业的。

我们还应该把事业观念改一下。所谓事业，并不一定是要轰轰烈烈撼动世界的大事。在我们小小的生活中，也可以创造小小的事业。农人天天耕田，这是再微末也没有的职业了，然而他们做的是供给人类食料来源的大事业。救国运动，我们以为伟大的事业，然而如果没有一点一滴的民众的热情和力量是不能汇集起来的。如果我们学生中抱着的伟大理想而在职业问题的前面幻灭了，那我们不必灰心，因为这正足以促使我们走上更切实的道路。职业不如理想的好，那更不成问题，我们可以因此从更细微的地方做起来。

总之，事业和职业，虽然使我们感到矛盾，但无论什么时候，它们都可以统一起来。在比较安定的社会里，人们的理想似乎比较有更多的机会实现，似乎可以算是事业的时代，但建立事业的人在这里是等于同时解决了职业问题。在今日，职业的苦恼紧逼着一切的人，似乎没有余暇可以顾及事业；然而在事实上，这正是最艰苦的事业时代，因为在这种时候，整个社会发生危机了，这危机需要全社会人们一点一滴的力量汇集起来给与解决。这需要，每一个不甘没落的人，在极细小的职业范围里的，做他们的事业。这样，在从前，人可以寓职业于事业中，而在今日，我们是要寓事业于任何最小的职业中了。而我们现在的最大事业，就是

民族解放和救亡。

（一九三七年）

民众组织的民主原则

芦沟桥事变和（特别是）上海抗战发生以后，刚被一切言论界热烈地提起来的宪法和民主问题就被搁置不谈了。对外抗战来得这么紧迫，使得内政问题的讨论，好像完全失去了意义。是的，在眼前，抗战的继续发动和坚持，确是第一件最最重要的事，抗战打开了新中华民族生活史的第一页，存还是亡，向上发展还是向下没落，最后的生与死的挣扎从此开始了。但对外的全面挣扎一经开始，接着（也可以说是同时）到来的问题便是自己内部的精力要怎样支持。为突然紧迫起来的对外问题而不能不把内部问题暂时搁置，是没有办法的，但如果因此就以为内政问题已经完全没有一点意义，那却是非常错误的见解。

自然，抗战以前的宪法和民主问题，现在是不需要重复了。那是抗战以前的产物，而抗战却为我们产生了新的事实条件。抗战前的宪法草案是资本主义宪法的歪曲了的摹仿，那儿所规定的民主政治是比资本主义的民主政治更残缺不全的东西。我们现在不但不可能有“典型的民主政治”（章乃器先生语，大约就是指资本主义的议会民主政治罢），就连自己规定了的还算不上典型的民主政治，也怕于我们抗战中的国情全不适合了。

但民主政治可以有种种形态，它不是一个死的公式。我们不要资本主义的典型的民主，更不要古希腊的奴隶主人的民主，我们还谈不上苏联新宪法颁布后的那种社会主义式的民主。但现在要发动全民族来参加或支持这抗战，我们是不是需要一种适合当前事实条件的民主运动？组织民众的工作，现在是被认为刻不容缓的了，在这中间，我们是不是不需要一定的民主的活动方式？

既然是要发动全面的抗战，以全面性和持久性来保证最后的胜利，那就要动员全民族的力量来支持这持久性和全面性，要迅速动员全民族的力量，唯一的道路就是要启发民众的自觉性、自发性。要启发民众的自发性，适当的民主方式是必要的。

诱导地让民众自发地来替军队挖战壕，搬物品，是轻而易举的，这在过去有事实的证明。临时用枪刺跟在屁股后面强迫拉伕，那工作一定是效率小而苦痛多。

在自发性的民主的民众组织，在抗战的时候，决不是和政府机构或不容许民主形态存在的军事机构对立的东西，决不会因此减少民众对于政府和军事的信任。恰恰相反，它以自己的力量加强政府的力量，积极地支持政府和军事机构的健全性，它是积极的信任，是真正的打成一片，而不是近于旁观态度的、消极的信任。它和非民主的军事机构是形式上对立，而在实质上却是再一致不过的了。

民主的民众组织，在抗战的时候，也因为战争的条件，使它对于政府的关系，不能保持普通民主政治那种完全自下而上的形态。因为这不是要让民众单纯地为自身个别的利益发言，而是要把他们引导到全民族一致的立场。一方面需要民众的积极的自发性，一方面尤需要政府的领导、启发。自下而上和自上而下的关系所以同时存在。

以上只是理论的原则，我们自然也要顾到事实。眼前的事实是，我们的政府现在还不能依照这原则实行起来。里弄组织虽然为党政方面所注意到，而成绩却很微弱，一般的民众运动和组织，更没有得到开放。现在还有不少的人找不到事做，而许多地方又有事而找不到人。“工作和人力的脱节”，成为爱国青年们的苦闷，我们还看见难民被送到内地去，毫无计划和目的，我们还看见成万的人流离失所。

政府的立场，我们是可以理解的，政府还有不少的顾忌，而人力财力来不及，也许是原因之一。但我们还有许多民众方面的自愿的救亡工作者，也有了政府和民众合作的救亡团体。在政府方面顾不了的地方，民众的工作者可以起来补充，他们可以努力以前述的民主原则组织民众。要使民众组织迅速展开，这种的工作方式是必要的，这也是自发性的表现之一。在和政府一致的立场上，他们也可以从上而下地去启发民众的从下而上的爱国活动。然而直到现在，我们虽然有许多人在那儿努力，而事实上仍没有做得很好，救亡组织和工作没有很快地展开。

这原因在哪里呢？客观环境的困难自然是一个很大的阻碍，但我们不能因此完全卸脱了主观自身的责任。我们没正确地把握住民主的原则来做，这怕不能算是一个最小的原因吧！

工作和人力的脱节，这能完全说是没有办法和环境困难么？环境的困难是会使人找不到工作，不会另一方面又有工作而找不到人做。这不是工作和人力的简单脱节和没有联系。这是由于没有民主的组织联系（因为个人的简单的联系是当然有的）。

所谓民主组织的联系，就是自上而下的领导，不能脱离自下而上的组织关系，脱离了这样的组织关系，领导的人就无从知道各方面人力物力的消长状态，不能根据这实际的状态来计划工作和分配人力，一切计划只能凭借少数上层个人贫弱的脑子。这样一来，对于要工作的人，就没有方法去找那么多的工作，对于需要人的工作，也无从去找适当的人。

就把文化界救亡协会来做例子罢：协会组织，是以许多团体会员为单位的。但据我所知，这样就没有各团体代表会议的经常召集，而只有脱离各团体而独立的各色各样的委员。各团体与上层委员会的关系，差不多就只是写一个登记就完了。各团体既不能借会议经常交换意见，作为工作分配和计划的基础，各委员会也不能通过各团体去实现工作。工作范围狭小地限制在一个上层的架子里，这怎样替新的人找工作和替新的工作找人呢？

政府来不及顾到民众的民主组织领导，于是在有人要工作时，就常常用沉默回答：还是自己去做吧，否则就只有等待。民众方面的工作领导者应该给这一个缺陷来一点补充的，然而仍因为忘记了自下而上的组织的启发，于是有人要工作时，也只好（更只好）用沉默回答：自发的去做吧，否则你就是等待主义者！

我想，这是不应该的。

协会是目前唯一的较大规模的民众团体，是民众组织的起点，关系整个民众工作的前途很大。应该多多地自己批评，自己反省。使自己的机构能够在最正确有效的民主的轨道上行走。

（一九三七年）

难民问题仍要加倍注意

难民一批一批地遣送出去了。截至现在，据说正式遣送的有四五万，而自己离开的更有十万左右。十四五万人的问题，好像就是这样轻轻容易地解决了。但这样多的难民，他们会走到什么地方？做些什么事？将来的下落如何？我们都不得而知。上海的难民据说是有三十万，那么，剩下的十五万，又将怎样处置？战事延长下去，还有更多的难民，出路又是如何？这些问题，政府是不是已经有了解决办法，而为我们所不知道？抑或是没有余力来详细规画？都是我们所必须要问的。

和难民接触过的一些朋友，都知道有许多难民不愿意被送到内地。他们原是在内地没有办法，才来到上海的；现在回去，尤其是在战争时候，恐怕更没有办法。报上常常登载难民的爱国情形，说他们为了抗敌，也甘愿逃难，这情形固然不是没有，但我们又怎能隐瞒。还有不少的难民，在那里梦想快点和平，使他们能够回到自己的工厂，回到自己的住处去！

和平，和平，和平的愿望，在这生死关头，就非常接近着妥协的愿望。而更进一步，汉奸的产生也正是根源于妥协的愿望。

许多小小的汉奸，他们投毒药、卖毒物、替敌人放信号、放火。他们真能知道自己的行为的严重意义么？实际还不是为了生活没有办法，不自主地投到敌人的怀里？

一直到现在，救济难民还是采取消极的办法，让他们到收容所里，给一碗饭吃而已。这已经不是长久的办法了。倘若再无计划地送到内地去，不替他们谋一条生活和工作的出路，将来的危险，恐怕是很难设想的吧！

（一九三七年）

克服自己的弱点

我们的学校（指军政大学）教育，已进行到第四期了。从同学们的成分上来说，第四期是更带着全国的性质。我们的同学，全是从全国各地新来的进步青年，大家要在短短的四个月以内，学习一切抗 × 的基本理论和技能，把自己锻炼成思想正确、意志坚强的民族战士，出去领导全国各地各战线的抗 × 工作。

从抗战发展的前途来说，第四期的同学们的任务更是沉重了。在我们学习着的现在，正是对 × 抗战第二期的当中，由于我们的团结，由于我们运用了新的战略战术，× × 帝国主义第二期的侵略企图已受到了极大的打击。将来我们的同学毕业的时候，将是抗战的第三期开始的时候，那时 × × 帝国主义为了第二期的失败，将更要倾其全国的力量，对我们作最野蛮、最疯狂的最后挣扎的进攻。我们将遇到一个抗战的最艰苦的时期，我们将必须克服这一个时期的困难，然后走上新的顺利，一直达到最后胜利的前途。第四期的同学们将要参加到这最艰苦的时期里去工作，所以他们的所遭遇到的任务是更沉重的。

为要能够担负起自己的任务，我们还不应该加速地锻炼自己、紧张地努力学习吗？每一个同学一定都是答复说：“应该的！”因为每一个同学都是前进的青年，大家来到抗大，都有着民族革命的自觉，都是为着要担负起抗 × 建国的一部分事业，都相信自己是能够艰苦奋斗，来学习抗 × 建国的必要的基本理论和技能。

但是，人是矛盾的，我们固然不能怀疑自己的革命热忱，但同时也不要忽视了每一个人从自己的环境里带来的落后意识的残遗。在我们的革命的精神里，常多少深藏着一些小资产阶级的、封建的、落后的灵魂，形成我们生活上、学习上的许多缺点，不克服了它，我们的进步就会受极大的阻碍。

譬如，我们常有自由主义的、好高骛远的灵魂。它叫我们过不惯纪律的生活，叫我们轻视学校规定的课程和学习方法，在课堂听讲时就说：“这些东西在报纸杂志上看得多了。”在小组讨论时，又说：“课堂上已经讲明白了，何必费时间来重复讨论？”自己忙着为个人去定读书计划，丢开集体的研究，结果对于课程和应该研究的问题不能给与具体的理解，最多只能得到一些空洞的、浮浅的知识。

又譬如，还有另一种相反的也是自由主义的灵魂。这是表现在马马虎虎、敷衍过日子的态度上的。遇到困难不能努力设法克服，因此就停止了努力。因为参考书少，讨论会的准备困难，于是乎就索性不准备。因为不善发言，开讨论会时就死也不肯说话。因为从来不习惯纪律的生活，结果就无论如何不肯守纪律。因为自己的缺点不容易克服，就坚决地不肯克服自己的缺点。……

我们试想一想，像上面所举的两种缺点，在同学中间会是少见的吗？我敢说，不但不是少见，而且每一个新来的同学，总或多或少地带来这样一些倾向，不管我们来时所抱的热忱是怎样的高，这一些倾向总常常成为生活纪律化和研究集体化的障碍，需要我们用相当的一个时期来加以克服。这两种倾向，就是学习和生活上的左倾和右倾的毛病。左倾的毛病使我们不能切实的、深入的、具体的研究问题；右倾的毛病使我们失却克服困难的革命精神，使我们不相信自己的努力。

据最近几月来的经验，我们的同学决不是不肯克服自己的弱点（如三大队和五大队）。困难的并不是同学自己想有意护短，而是有的人常常以为自己的弱点并不是弱点。自由主义的思想成了习惯，使他们不相信讨论和纪律生活的伟大力量。然而，无论如何，这些不自觉的缺点，像在三大队和五大队的经验一样，经过一个时期还是克服了。不过，从我们的学习期间的短促方面来说，克服得还是嫌迟了。希望以后的各队负责干部以及同学们自己，能够注意到这一点，用突击的战斗精神来消灭不正确的意识倾向，在最短的时间内使学习和生活走上轨道！

（一九三八年）

三联经典文库第二辑简目

《游击战教程》　明凡 / 著

《游击战术纲要》　陶剑青 / 编著

《汪精卫卖国的理论与实践》　钱俊瑞 / 著

《抗战以来》　韬奋 / 著

《陕行纪实》　楚云 / 著

《随军散记》　沙汀 / 著

《被日寇囚系半载记》　王研石 / 著

《倭营历险记》　房沧浪 / 著

《活跃的新西北》　田影 / 编著

《保卫华北的游击战》　刘清扬　陈北鸥等 / 著

《徐州突围》　《徐州突围》编委会 / 编

《沦亡的平津》　长江　小方等 / 著

《淞沪火线上》　胡兰畦等 / 著

《瞻回东战场》　长江　罗平 / 著

《东线的撤退》　胡兰畦等 / 著

《抗战中的西北》　徐盈 / 著

《鲁闽风云》　徐盈等 / 著

《西线生活》　西北战地服务团集体创作

《中国解放区见闻》　［美］福尔曼著 / 朱进译

《全面抗战论》　潘汉年 / 著

《日本的间谍》　范士白自述 / 尊闻译

《日本大陆政策的真面目》　国难资料编辑社 / 编

《民众动员论》　李公朴 / 著

《中国外交史》　钱亦石 / 编著

《太平洋军事地理》　蒋震华 / 著

《世界经济地理讲话》　思慕 / 著

《列强军力论》　［德］马克斯 · 威纳尔著 / 宾符　仲持　梅益等译

《近代国际关系史》　张铁生 / 著

《太平洋现势手册》　沈志远　石啸冲 / 编著

《近代世界政治史》　钱亦石 / 著

《从战争到和平——一九四五年的世界政治》　乔木 / 著

《战后日本问题》　思慕 / 著

《最近一年间的国际动态（1946.7–1947.6）》　《东北日报》社 / 编

《论政党》　翟放 / 著

《法与宪法》　韩幽桐 / 编著

《中华民国宪法刍议》　罗家衡 / 著

《民主 · 宪法 · 人权——作之民》　费孝通 / 著

《宪法论初步》　潘念之 / 著

《对反民主的抗争》　韬奋 / 著

《农村改进的理论与实际》　江恒源 / 著

《上海产业与上海职工》(上下)　　朱邦兴　胡林阁　徐声 / 合编

《陶行知教育论文选辑》　　陶行知著 / 方与严编

《中国通货膨胀论》　　杨培新 / 著

《中国及其未完成的革命》　　H·普拉特著 / 蒋天佐译

《中国的建设问题与人的训练》　　卢作孚 / 著

《论中国特殊性及其他》　　艾思奇 / 著

《中国经济问题讲话》　　钱俊瑞　徐雪寒　王渔邨　姜君辰　骆耕漠 / 合著

《中国经济的道路》　　许涤新 / 著

《中国财政之病态及其批判》　　孙怀仁 / 著

《官僚资本论》　　许涤新 / 著

《五四运动之史的评价》　　陈端志 / 著

《中国通史简编》(上下)　　中国历史研究会　范文澜 / 主编

《论文学的工农兵方向——读〈在延安文艺座谈会上的讲话〉》　雪苇 / 著

《中国近代史（上编　第一分册）》　　武波 / 编著

《文学百题》　　傅东华 / 编

《中国史学之进化》　　周谷城 / 著

《论民族形式问题》　　胡风 / 著

《论批评》　　荃麟等 / 著

《中国史纲》(第一卷上下、第二卷上下)　　翦伯赞 / 著

《近代中国思想学说史》(1–4)　　侯外庐 / 著

《中国政治思想史》(上下)　　吕振羽 / 著

《中国哲学史纲要》　　向林冰 / 著

《中国政治史讲话》　　钱亦石 / 著

《中国社会经济史纲》　　王渔邨 / 著

《新财政学大纲》　　千家驹 / 著

《太平天国革命运动论文集——金田起义百周年纪念》

华北大学历史研究室 / 编

《理性与自由——文化思想批评论文集》　　胡绳 / 著

《战斗者的诗人》　　黄药眠 / 著

《国语文法》　　曹朴 / 著

《教育哲学》　　张栗原 / 著

《妇女问题讲话》　　杜君慧 / 著

《婚姻 · 子女 · 继承》　　沙千里 / 著

《性教育新论》　　布士克　雅各生合著 / 董秋斯译

《狱中杂感》　　杜重远 / 著

《七人之狱》　　沙千里 / 著

《爱迪生传》　　伍况甫 / 译

《歌德自传》(上下)　　歌德著 / 思慕译

《尼赫鲁自传》　　[印度] 尼赫鲁著 / 毕来译

《列宁传》　　[苏] 凯尔任采夫著 / 企程　朔望译

《罗斯福总统传》　　C. Mackenzie 著 / 张尚之译

《托尔斯泰传》(1–3)　　[英] 阿尔麦 · 莫德著 / 徐迟译

《革命文豪高尔基》　［美］亚历山大·康恩著 / 韬奋编译

《鲁迅纪念特辑》　新中国文艺社 / 编

《回忆鲁迅先生》　萧红 / 著

《人民文豪鲁迅》　平心 / 著

《亡友鲁迅印象记》　许寿裳 / 著

《鲁迅思想研究》　何干之 / 著

《鲁迅研究》　夏征农 / 编

《过来的时代：鲁迅论及其他》　雪峰 / 著

《电影戏剧表演术》　洪深 / 著

《日常心理漫谈》　［美］约瑟夫·查斯特罗著 / 曾宝施译

《心理常识漫话》　朱智贤　杨云美 / 著

《读书的方法与经验》　王任叔 / 著

《美国黑人生活纪实》　［美］加德维尔　斯坦倍克著 / 董秋斯译

《初访美国》　费孝通 / 著

《事业与成功》　［美］马尔腾著 / 汪原放译

《萍踪寄语（初集）》　韬奋 / 著

《一生的幸福前途——〈生活周刊〉信箱选集》　生活书店 / 编选

《深刻的印象》　生活周刊社 / 编

《海外的感受》　生活书店编译所 / 编